LES EFFACÉS

BERTRAND PUARD

LES EFFACÉS

(OPÉRATION 2) KRACH ULTIME

hachette

PROLOGUE

D'abord, il y eut un sifflement long et strident venant de très loin, de très haut, au-delà des nuages.

Anouar leva la tête. Il commençait à s'assoupir. Le jeune garçon avait terminé son contrôle de mathématiques depuis cinq bonnes minutes tandis que ses camarades de classe finissaient à peine le premier exercice. Il regarda le ciel par la fenêtre et distingua un trou étrange dans un gros cumulus. Autour de lui, tous étaient concentrés sur le devoir. Il se demanda s'il n'avait pas rêvé.

Puis un autre son s'imposa, plus distinct, une déflagration, comme un coup de tonnerre.

Il griffonna rapidement une formule de calculs afin de déterminer la distance avec cet événement. Il allait la déduire grâce au laps de temps entre la dissipation du bout du nuage et la déflagration, environ deux secondes et demie.

C'était plus fort que lui, il ne pouvait s'en empêcher. Pour Anouar, tout était mathématique.

« L'air est un gaz parfait, la pression n'a pas d'importance sur la propagation du son. Ce qu'il faut prendre en compte, c'est la température. Et il fait beau aujourd'hui, vingt-cinq degrés peut-être... »

Il nota :

$$C_{gaz} = \sqrt{\gamma \cdot R_s \cdot T}$$

Pour l'air, $\gamma = 1,4$; et $Rs = 287$ J/kg/K. Restait à convertir la température en degrés Kelvin. Or, $K = {}^{\circ}C + 273,15$. Il inscrivit 298,15 à la place du T dans son équation et calcula la racine carrée de tête. 346,3 mètres par seconde.

« Bon, en gros, la détonation doit avoir eu lieu à 870 mètres de la salle », conclut-il.

Ce calcul ne lui avait pas pris plus de cinq secondes. Quand il fixa à nouveau le ciel, une tache apparut sur un nuage. Une tache orangée, très vive. Une boule de feu.

— Un avion ! cria-t-il. Un avion qui vient d'exploser !

Le professeur fut le plus prompt à réagir. Il se rua à la fenêtre et vit nettement la boule de feu dans le ciel, qui éparpillait sur son passage de multiples débris. Un grondement se rapprochait d'eux. L'engin semblait tomber droit dans leur direction.

— À terre ! Sous vos tables ! hurla-t-il.

Personne ne comprit ce qui se passa alors. Un énorme fracas fit trembler les murs de la classe, suivi d'une explosion plus lointaine cette fois.

Puis le silence revint. Total. On aurait dit que la ville d'Angers venait d'être rayée de la carte.

Anouar se redressa. Par la fenêtre, il observa le toit du gymnase percé par un morceau de carlingue. Des sirènes de pompiers retentirent. La vie venait enfin de reprendre son cours.

— Dépêchez-vous, vite, ordonna le professeur, tout en époussetant sa veste, rassemblement devant l'entrée du lycée.

— Et si l'avion n'a pas fini de se désintégrer ? demanda Jérôme, un adolescent qui était resté sous sa table.

— Si le gymnase prend feu, notre bâtiment s'enflammera également ! Pas de discussion, lève-toi et sors de la salle... Vite !

Dans les escaliers et les couloirs du lycée, ce fut un joyeux bazar. Les cinq cents élèves se réjouissaient pour la plupart de la situation qui allait leur octroyer une demi-journée de congé, voire plus si les dégâts se révélaient importants.

Bien sûr, Anouar, avec sa petite taille, se fit bousculer. Mais il en avait l'habitude. Il avait douze ans à peine, ses trois ans d'avance l'avaient marginalisé. Sauf que, dans les circonstances présentes, on le bouscula un peu plus que la moyenne. Ses bourreaux savaient que, dans la cohue, leurs croche-pattes et leurs gifles passeraient inaperçus.

Anouar se retrouva à terre à trois reprises. Personne ne l'aida à se relever. Lors de la deuxième chute, il s'ouvrit la lèvre inférieure, son polo blanc devint rouge de sang mais il ne dit pas un mot, rien. L'habitude.

Dehors, dans la rue, les surveillants, aidés par les professeurs et le personnel administratif, tentaient de canaliser la foule qui chantait et s'égayait.

— Un peu de calme ! hurla le proviseur, dont la voix fut tout de suite éteinte par une flopée d'insultes anonymes.

Le toit du gymnase venait de prendre feu et une épaisse fumée noire gâchait ce ciel de printemps. Les pompiers de la ville déroulaient déjà leurs lourds tuyaux pour intervenir. Un autre foyer s'était déclaré vers la mairie et les deux colonnes de fumée se rejoignaient comme les deux doigts maléfiques d'un monstre de fantasy.

Anouar fit quelques pas et s'isola devant la vitrine d'un kiosque. Le virus mortel de Lyon faisait la une de tous les journaux. Demain, l'information serait ravalée en pages intérieures et on titrerait sur cet accident d'avion.

Des débris de la carlingue jonchaient le bitume. C'était une chance inouïe qu'il n'y ait aucun blessé en dehors des occupants de l'appareil.

Le téléphone d'Anouar se mit à vibrer. Il regarda l'écran, vit le mot « Maman » apparaître, soupira et décrocha, essayant de cacher son agacement. L'habitude.

— Tout va bien ?

— Non, je suis mort.

— Très drôle.

« Bon. C'est fini ? »

— La mairie a été évacuée, continua sa mère. Une aile entière de l'avion a dévasté une partie de l'étage où je travaille. Heureusement, j'étais sortie boire un café avec une collègue.

« Tant mieux pour toi. »

— Mais il y avait un jury pour recruter le conservateur du musée. Le maire, des membres de son cabinet, le directeur du musée, la candidate... Je crois bien que...

La voix de sa mère s'étrangla. Anouar entendit un reniflement.

— Tu es toujours là ? demanda-t-elle.

Il profita de la question pour raccrocher. Il dirait plus tard que le réseau s'était coupé à cause du trop grand nombre d'appels. Il n'allait pas s'apitoyer sur le sort du maire et de sa clique. Comme il ne s'apitoierait jamais sur le sort de personne, d'ailleurs, ou peut-être juste du sien.

La vie en société le faisait trop souffrir. Puisqu'il était surdoué, il était anormal. Et la société n'a rien de plus en horreur que l'anormalité. Alors il rêvait souvent d'apocalypse... Un virus ou une météorite (un avion, ce n'était pas suffisant hélas), qui dévasterait la Terre et qui ne laisserait rien d'autre que lui et les quelques personnes qui le comprenaient et le respectaient. Il en rêvait mais gardait ce rêve pour lui, il n'en avait jamais parlé à quiconque. En attendant, il avait un rendez-vous important ce soir. Son seul véritable ami venait le rencontrer ici, à Angers, pour la première fois. Sa délivrance était proche. Bientôt, il serait quelqu'un. Il deviendrait puissant. Alors il serait adulé et non plus détesté. Ce jour-là, il entrerait enfin dans une case.

Et ce jour-là était proche. Très proche.

Anouar sortit de ses pensées quand Gaëtan vint le rejoindre. Gaëtan avait quinze ans, soit l'âge normal pour être en seconde mais mesurait la même taille qu'Anouar. Ce qui lui conférait la position de souffre-douleur numéro 2 du lycée. Comble de l'audace, il était aussi excellent en lettres qu'Anouar l'était en mathématiques. Évidemment, ça crée des liens.

— Ils t'ont pas raté, ces salauds...

Le jeune garçon haussa les épaules.

— Je m'en fous.

— Paraît que l'avion venait d'Amérique du Nord... Un jet privé. On risque pas de retrouver de survivants, vu les dégâts. À moins qu'ils aient eu le temps de sauter en parachute avant...

Mais Anouar n'écoutait plus. Il s'était figé, un rictus étrange sur le visage. À deux mètres de lui, il y avait un morceau de fuselage blanc, dont les quatre bords étaient affreusement calcinés. Cela ne l'avait pas empêché de lire une suite de nombres.

Une suite de nombres qu'il ne connaissait que trop bien.

Non, ce n'était pas possible. Pas maintenant. Pas si près du grand jour.

Une sueur glacée lui coula dans le creux du dos.

Un jet privé... *son* jet privé ? Mais les autres alors ? Étaient-ils tous en danger ?

— Ça va pas ? demanda Gaëtan en posant une main sur l'épaule de son camarade. Tu es tout blanc...

Anouar se dégagea avec violence. Il voulut ramasser le débris mais, celui-ci étant chauffé à blanc, il ne parvint qu'à se brûler le pouce et le majeur.

Alors il courut vers un recoin que les pompiers ne surveillaient pas. Là, il reprit son souffle et fit rapidement le point sur la situation. L'accident, le maire, ces nombres, sa lèvre ouverte... Tout se mélangeait dans son esprit.

Il perçut un mouvement brusque derrière lui et fit volte-face. Une petite ruelle sombre s'ouvrait. Personne.

La découverte de cette suite de nombres l'avait rendu très nerveux. Il devait se calmer, maîtriser ses nerfs, comme il le faisait lors de ses parties d'échecs.

Mais il se retourna à nouveau.

Et là, il le vit, à une dizaine de mètres de lui.

Un homme en noir. Tout en noir, des pieds à la tête, il portait une cagoule d'où ressortaient seulement deux grands yeux noirs. L'homme tenait un pistolet à la main.

Anouar crut tout d'abord à une hallucination. Il eut un mouvement de recul. Un pas en arrière qui le sauva. Pour le moment. Un projectile jaillit du pistolet dans sa direction. Il reçut comme un choc à la taille et porta instinctivement sa main sur l'impact.

Une fléchette hypodermique s'était figée dans la ceinture de cuir que lui avait offerte sa mère pour ses douze ans.

Il ne demanda pas son reste. Cet homme était bien réel. Anouar s'élança vers la foule pour se fondre dedans.

Ses camarades ne lui prêtèrent aucune attention. Les surveillants tentaient de séparer les élèves en groupes de plus petite taille mais la masse se reformait invariablement, comme le ferait un ectoplasme dans un film d'épouvante. Anouar se fraya un chemin à coups de coude. S'il parvenait à atteindre le proviseur ou son adjoint... ou même un groupe de pompiers...

Le garçon atteignit enfin le bas de l'escalier du lycée où était posté le proviseur.

— Ah mais te voilà, toi ! dit-il en apercevant Anouar.

Cela parut étrange au jeune garçon.

— Monsieur, on a tenté de...

Il s'arrêta net. Le proviseur darda ses petits yeux de fouine vers deux hommes vêtus de costumes sombres tout en désignant Anouar d'un mouvement du menton.

Aussitôt, les deux molosses se ruèrent sur lui et le prirent par les épaules pour l'emmener à l'écart. Dans l'excitation générale, personne ne remarqua la scène.

Anouar se débattit, cria. La poigne de ses deux ravisseurs était ferme. Impossible de se dégager, aussi essaya-t-il d'assener un violent coup de pied à un de ces deux messieurs.

Cette fois, ça ne rata pas. Touché au genou, celui de gauche lâcha prise et libéra le captif, qui courut devant lui, jusqu'au coin d'une rue, invisible pour le moment de ses poursuivants. Deux possibilités s'offraient à lui. Et il n'avait qu'une seconde pour prendre sa décision.

Moins d'une.

Il reçut un violent coup sur le crâne qui le projeta à terre. Dans un état de semi-conscience, Anouar vit l'un des deux hommes, visage buriné, mal rasé, se pencher vers lui. Puis une odeur douce et inédite emplit ses narines. Il s'endormit.

Quand il se réveilla, il était assis sur une simple chaise, pieds et poings liés. Il éprouvait une douleur lancinante au sommet du crâne et une sensation de brûlure, comme une morsure, au bout du majeur et du pouce de sa main gauche.

La pièce sans fenêtre dans laquelle il se trouvait était meublée de la chaise où il était assis et d'une petite table en métal rouillé à sa droite. Une ampoule halogène fixée au plafond l'éblouissait.

— Où suis-je ? balbutia-t-il, la bouche pâteuse.

Mais il n'y avait personne. Quelques secondes passèrent et alors ils entrèrent. Deux hommes d'abord, tout de noir vêtus, jusqu'à cette cagoule qui ne laissait filtrer que leur regard sévère. Ils se placèrent à quelques mètres d'Anouar, devant lui, lui faisant face.

— Où suis-je ? Qui êtes-vous ?

Pour toute réponse, ils croisèrent les bras. Sans un bruit, pas même un frôlement.

C'est ce silence qui pétrifia de peur le jeune garçon.

Puis deux autres hommes entrèrent, sosies des précédents, et se placèrent aux extrémités opposées de la salle, derrière Anouar. Pour ne pas paniquer, le prisonnier compta leurs longues enjambées. Compter, compter, toujours compter. Compter pour ne pas sombrer.

C'est alors qu'un cinquième homme fit son apparition. Lui n'était pas tout à fait habillé comme les autres. S'il portait la même combinaison noire, son visage n'était pas recouvert d'une cagoule mais d'un masque vert de chirurgien qui lui couvrait le menton, la bouche et le nez.

Il tenait une mallette en fer de taille moyenne qu'il déposa sur la petite table et ouvrit d'un geste expert. Il en sortit un premier plateau contenant de l'antiseptique, du coton, des compresses ainsi que diverses solutions qu'Anouar ne put identifier.

« Il vient pour me soigner. »

Il sentit les battements de son cœur se discipliner.

L'homme tourna alors la mallette vers le prisonnier, dévoilant ainsi ce qui se trouvait sur le second plateau. En voyant les vifs éclats de l'halogène sur les bistouris, scalpels et autres lames effilées, Anouar comprit que son calvaire venait à peine de commencer.

— Personne ne t'entendra crier, commença l'homme. Aussi, je te demanderai de ne pas en rajouter. Plus vite nous aurons terminé, mieux ce sera pour nous tous.

Ses yeux étaient impassibles et, puisque le masque couvrait le bas de son visage, il était impossible de distinguer un quelconque rictus. Pas moyen de savoir s'il prenait du plaisir à énoncer cette phrase ou s'il éprouvait tout de même un certain malaise. Mais qu'est-ce que cela changeait, après tout ?

— Tu as compris, n'est-ce pas ? continua-t-il. Tu as compris que j'allais te couper le doigt…

Il écarta les boucles brunes qui descendaient sur le front moite d'Anouar. Sa paume était glacée.

— Réponds-moi ! Tu avais deviné, n'est-ce pas ? On m'a dit que ton cerveau marchait cent fois plus vite que la normale. Tu avais deviné ?

Oui, Anouar avait deviné. L'avion et son enlèvement, tout était lié. On allait lui couper l'index. Il ne pouvait y avoir rien de pire pour lui. À choisir, il aurait encore préféré recevoir une balle dans la tempe. Et mourir.

— J'ai eu très peur que tu te sois brûlé l'index en ramassant ce foutu morceau de carlingue, mais fort heureusement, non.

— Vous allez au moins m'anesthésier ?

Anouar s'en voulut d'avoir posé cette question idiote. Que lui importait maintenant de souffrir si son doigt disparaissait, et, avec lui, son seul et unique but, ce à quoi il travaillait sans relâche depuis bientôt deux ans, toutes les nuits, à s'en rendre malade.

— Non, bien sûr, répondit l'autre en ricanant. Tu n'auras droit à aucun analgésique. Et tu sais pertinemment pourquoi. Comme ça, je te montre que nous sommes capables du pire. Que tu n'as pas intérêt à raconter ce qui t'est arrivé, à qui que ce soit.

Il marqua une pause avant de reprendre :

— Tu trouveras bien une explication pour cet « accident ». À ton âge, on en fait, des conneries… Tu diras que ton doigt a été broyé par un mécanisme, dans un manège, tu trouveras forcément quelque chose...

Anouar devait réagir. Tenter l'impossible. L'opération de la dernière chance. Mais qu'avait-il à portée de main ? Rien... Une bouteille d'antiseptique qu'il pourrait peut-être envoyer à la figure de son bourreau ? Peu de chances de réussite. Et peu d'efficacité.

Il tenta de déchiffrer les inscriptions sur les différents flacons posés à même la table. Celui contenant une solution de teinte orangée attira son attention.

« Acide picrique ». Un puissant remède contre les brûlures.

Une bouteille en plastique qui n'avait pas l'air de première fraîcheur.

Anouar mobilisa ses compétences en chimie. À l'état solide, l'acide picrique est un composé cristallisé jaune de formule moléculaire brute $C_6 H_3 N_3 O_7$. Une équation défila dans le cerveau en fusion du jeune garçon :

$$C_6 H_3 N_3 O_7 = 6CO + 1,5N_2 + \frac{1}{2}H_2 + H_2O$$

L'acide picrique liquide peut se solidifier avec le temps. Alors, il devient un puissant explosif. Un simple choc et l'explosion du cristal peut être plus violente encore qu'une charge de dynamite.

Et Anouar croyait bien apercevoir quelques cristaux au fond du flacon.

Tenter le coup. S'emparer du flacon et le jeter le plus près possible de la porte pour l'ouvrir et leur échapper par surprise. Peut-être mourrait-il aussi ? Peut-être le souffle de l'explosion lui laisserait la vie sauve et lui permettrait de fuir... Mais y aurait-il seulement une explosion ?

À quelle distance se trouvait l'homme le plus près de la porte ?

Très simple. Thalès. Vite.

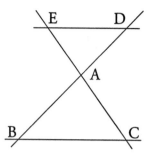

$$\frac{AD}{AB} = \frac{AE}{AC} = \frac{DE}{BC}$$

AB, 7 pas, 7 mètres. AC, 6 pas, 6 mètres. AE, à peine 4 mètres.

Donc AD, 4,5 mètres.

Il en déduisit la puissance qu'il devait réussir à insuffler à sa main au moment de lancer la bouteille.

Il se décida tandis que l'homme au masque vert versait une dose d'antiseptique sur un scalpel, un geste peu professionnel qui augurait du pire.

En un éclair, ses doigts gourds s'emparèrent du flacon d'acide picrique et le projetèrent en avant. La porte fut atteinte mais seule une petite flammèche, minuscule, pathétique, se produisit. Elle n'entama pas même le contenant en plastique et laissa tout le monde de marbre.

« Des statues, pensa Anouar, qui voyait, avec cette ridicule explosion, disparaître son dernier espoir. Un maniaque et quatre statues. »

— Bien tenté ! On nous avait prévenus que tu étais très intelligent. Bien tenté mais pas suffisant.

Tout s'accéléra. Une des statues devant lui fit quelques pas pour lui immobiliser le bras. Anouar cria. Cria encore, à se rompre les cordes vocales.

Avec le scalpel, le pseudo-chirurgien entailla l'index à la seconde phalange, dégagea l'os et l'arracha d'un geste sec. Le tout dura cinq secondes à peine, une éternité.

Le corps secoué de violentes convulsions, Anouar ne tourna pas de l'œil immédiatement. Il eut le temps de voir que l'on plaçait le bout de son index dans une petite boîte en plexiglas qui émettait un léger bruit de succion, comme un bruit de pompe.

Alors il s'évanouit.

Il se réveilla au son d'une ambulance, au loin, mais qui se rapprochait. Ses paupières semblaient collées l'une à l'autre. Mais il parvint à ouvrir les yeux. Le flou se composa. Il se trouvait dans un fossé, au bord d'une route de campagne. Il n'était plus ligoté.

Anouar remua instinctivement les doigts mais ne sentit étrangement rien de changé.

L'espérance mathématique que cela ne soit qu'un horrible cauchemar ?

$$\mathbb{E}(X) = \int_\Omega X \, \mathrm{d}P = \int_\mathbb{R} x \, \mathrm{d}Px$$

À moins que la loi gaussienne...

$$\varphi(t) = \frac{1}{\sqrt{2\,\pi}} \, e^{-\frac{t^2}{2}}$$

Les formules, les images s'entremêlaient dans son esprit. La douleur l'empêchait de raisonner. C'était la première fois que cela lui arrivait.

La probabilité que l'ambulance vienne pour le sauver, pour éviter qu'il se vide de son sang ici et maintenant ?

Pas besoin de lancer un calcul ici.

« Cent pour cent, maman... S'il te plaît... Cent pour cent, maman... Viens, maman... »

(1)

VENDREDI, 14 H 20
QUELQUE PART AU-DESSUS DE L'OCÉAN ATLANTIQUE

La mort ne rôdait plus. Elle se tenait là, devant eux. Pas un squelette armé d'une faux comme on en voit dans les gravures du Moyen Âge... Non, une représentation bien moins poétique.

Un pain de plastic C-4, une sorte de pâte à modeler blanche ornée de deux tiges de fer reliées à un détonateur électronique, qui, dans moins d'une seconde, délivrerait sa décharge meurtrière.

Neil avait appuyé sur ce fichu bouton. Comme ça, juste pour voir. Pour fanfaronner, pour narguer une dernière fois Amadieu, leur ennemi qu'ils venaient de vaincre. « Tiens, Angélias, je me paie même le luxe de presser ce bouton à ta place maintenant que nous sommes sains et saufs. » Sans se douter que cette pression déclencherait un détonateur. Et que ce taré avait relié ce détonateur à un pain de plastic, caché dans le fond de son sac à dos mais assez consistant pour pulvériser le jet en plein ciel.

Dans ce qui devait être sa dernière pensée, Neil comprit alors pourquoi les vigiles avaient opposé si peu de résistance lors de l'assaut de la villa. Le plan d'Amadieu tenait là. Il voulait les laisser partir puis déclencher le détonateur lorsqu'ils seraient dans l'avion. Une manière imparable de faire disparaître le groupe en entier. Avec Mathilde et Mandragore en prime.

00 : 01 sur le compteur.

Un cauchemar. Sauf qu'ici, l'espoir du réveil n'existait pas.

Dommage de finir comme ça. Au moins il ne souffrirait pas. Pas plus que ses camarades. L'onde de choc serait si puissante qu'il ne resterait rien d'eux. Pas même un doigt.

Mais puisqu'ils étaient déjà effacés... Personne ne viendrait les pleurer.

Toujours 00 : 01. Le temps semblait suspendu.

Neil ne vit rien de ce qui se passa alors. Il avait fermé les yeux pour ne pas se voir mourir.

Tout juste détecta-t-il un son, devant lui, comme une porte qui s'ouvre à la volée, puis un autre, le début d'un juron. La voix de Zacharie.

Un courant d'air vif agita cette foutue mèche sur son front, son « accroche-cœur », comme disait son ex. Pour la dernière fois. Il crut que l'onde de choc débutait. Quelque chose de doux, après tout. Peut-être même était-il déjà mort. C'était pour ça qu'il ne souffrait pas.

Il se décida à ouvrir les yeux.

Alors ? Ça ressemblait à quoi, l'au-delà ?

Zacharie lui faisait face, les mains plongées dans le sac contenant le pain de plastic, les yeux écarquillés et les lèvres mordues au sang.

— Là, dit-il en montrant une petite alvéole sur la droite du détonateur. Avec la pointe d'un crayon. Ou un ongle bien effilé.

Neil se pencha vers le compteur digital qui s'était figé sur 00 : 01, le chiffre 1 éclairci au point de presque disparaître pour laisser la place au zéro fatal.

Ils étaient sauvés. Zacharie était arrivé, à l'ultime dixième de l'ultime seconde.

Le géant blond regardait Neil avec étonnement. Il devait se demander ce que l'adolescent fichait avec ces explosifs dans le fond de son sac. Autour d'eux régnait un silence de mort à peine troublé par le souffle puissant des deux réacteurs de l'avion.

— Ilsa, je bénis le jour où tu as fait une scène à Zacharie pour qu'il arrête de se ronger les ongles...

Cette remarque provenait de Nicolas Mandragore, qui émergeait enfin de ses angoisses.

— Plus que celui où tu m'as forcé à étudier les différents types d'explosifs et leurs dispositifs de mise à feu ? plaisanta Zacharie.

— Il n'y a... plus... aucun... risque ? bafouilla Ilsa.

— Non, c'était un détonateur classique, un de ceux employés par l'armée ou les forces spéciales pour faire sauter des portes. Les gars se réservent toujours un moyen d'arrêter le décompte en cas de problème. Vous auriez juste pu m'avertir avant, ça m'aurait évité de quitter le cockpit en arrachant mon casque.

Il ramassa celui-ci jeté à terre et leur montra le câblage déchiqueté.

— C'est Neil qui a paniqué, précisa Émile dont le visage retrouvait peu à peu ses couleurs.

— Peu importe, coupa Mandragore. Zacharie, tu prendras le casque du copilote en attendant que j'en trouve un autre dans la réserve.

— On va garder ça à bord ? demanda Émile en désignant le sac de Neil d'un doigt toujours tremblant.

— Et tu veux en faire quoi ? répondit Zacharie, haussant les épaules dans ce geste qu'il affectionnait particulièrement. Le balancer par-dessus bord ? Désolé, mais Nicolas n'a pas pris l'option ouverture automatique des vitres pour le jet.

Il n'y avait que lui pour faire de l'humour en pareilles circonstances.

Neil, toujours sonné, n'avait pas encore dit un seul mot. Son esprit s'y refusait. Il se sentait petit, minuscule, tout rabougri dans son haut fauteuil en cuir.

Ilsa se leva et posa un baiser sur la joue droite de Zacharie.

— Merci ! dit-elle tout simplement.

La vie reprenait son cours.

Nicolas était parti à l'arrière de l'appareil, dans la chambre stérile où Mathilde se reposait.

— Mathilde va de mieux en mieux, annonça-t-il lorsqu'il revint. La molécule antivirale mise au point par Bonnat est tout bonnement stupéfiante. Les méninges se sont déjà résorbées de moitié. Je pense qu'elle pourrait même se réveiller avant notre arrivée.

Puis il ajouta :

— J'expertiserai le plastic une fois que nous serons arrivés à Milon. Peut-être, après tout, que ce n'était qu'un bluff de la part d'Amadieu ?

Mais personne ne releva la remarque. La mort avait été boutée en dehors du jet mais elle n'était jamais passée aussi près d'eux.

Ils s'efforçaient tous de ne pas regarder Neil avec un regard lourd de reproches. L'adolescent n'avait pas bougé d'un cil, telle une statue, muet, les yeux dans le vague. Il souffrait, pas besoin d'en rajouter.

Il réfléchissait sur son inconséquence.

Se promettant de ne plus jamais agir ainsi.

Ce silence gêné, c'était sa punition.

(2)

VENDREDI, 17 HEURES
PALAIS DE L'ÉLYSÉE, PARIS

Sur ordre direct du président, le service de presse du palais présidentiel n'avait pas lésiné sur les moyens. La centaine de journalistes français et de correspondants étrangers venus assister à cette conférence de M. Volauvent, chef de la cellule de crise mise en place pour contrer le virus, était conviée dans le prestigieux salon Napoléon III, réservé d'ordinaire aux apéritifs des chefs d'État et des têtes couronnées. Un salon orné de colonnes et pilastres chargés d'or et où subsistaient, dans les angles du plafond, quatre aigles menaçants, symbole impérial par excellence. En ces temps de disette budgétaire, il n'en faudrait pas plus pour que les journalistes d'opposition, se ruant pourtant sur les canapés et les flûtes de champagne, commencent leurs articles du lendemain par un trait assassin à propos de cette gabegie.

Le monologue interminable de M. Volauvent, un haut fonctionnaire bas comme trois pommes, aussi verdâtre et charismatique qu'un plat de gelée anglaise au citron, n'avait guère passionné les foules. Déjà, les rédacteurs en chef des principaux quotidiens, à l'exception d'un seul toutefois, tenu à l'écart, formaient un cénacle près du grand seau à champagne. Ils ricanaient, tout en échangeant les bons mots de leurs éditoriaux du lendemain. Oui, certes, le gouvernement avait agi avec promptitude pour combattre ce virus et la situation à Lyon était à présent sous contrôle. Mais, tout de même, dans la forme... Et puis n'était-ce pas une aubaine, pour le président sortant, que ce virus se répande à quelques semaines de l'élection présidentielle ? À l'heure d'entamer le combat avec Marie-Ange Mouret, la présidente du Sénat, son ennemie de toujours ? Une situation de crise comme celle-là avait de quoi ragaillardir un homme qui piquait quelque peu du nez dans les sondages...

D'ailleurs, le cénacle ne fut guère surpris quand le président Hennebeau, de façon tout à fait impromptue, se montra au milieu de la réception. C'était tout lui. Arriver, ainsi, à la hussarde... Il entra par la porte du fond et salua l'assemblée sans un mot, en hochant la tête plusieurs fois de suite, comme à son habitude.

Il avait serré la main à quelques journalistes qu'il affectionnait particulièrement puis il s'était servi un verre de jus d'orange, refusant avec dédain la coupe que lui tendait un serveur du palais, avant de gagner un petit canapé où étaient assises deux célèbres présentatrices du journal de 20 heures. Il s'assit entre elles, dégageant d'un geste habile le dernier bouton qui retenait fermée sa veste de grand couturier.

— Ah, mesdames ! J'espère que M. Volauvent vous a convaincues de notre action efficace à propos de ce maudit virus... Et puisqu'une bonne nouvelle n'arrive jamais seule, eh bien, je peux d'ores et déjà vous apprendre que les laboratoires ProCure ont accepté de rendre la formule du vaccin libre de tout droit. De belles économies en perspective pour les finances de l'État, mesdames. Vous pouvez me féliciter !

Les deux vedettes minaudèrent un bref instant et remercièrent le président pour son accueil, trouvant chacune, à tour de rôle, des adjectifs plus laudatifs les uns que les autres.

— Mais c'est tout naturel, voyons ! s'enthousiasma Hennebeau. Nous fêtons une grande victoire sur l'indicible. Nous sommes un peu comme ces soldats survivants de la Première Guerre mondiale rentrant chez eux, avec le sentiment du devoir accompli !

Il croisa ses jambes d'aise et épousseta derrière lui un des doubles rideaux de velours de laine frappée rouge qui séparait le salon du jardin d'hiver.

Pendant ce temps, un homme s'était approché. Un plumitif que le président ne connaissait pas. Il lui jeta un regard, accompagné d'un sourire aimable, quoique forcé.

Ernest Blanc-Gonnet, le journaliste en question, travaillait au *Parisien*. Ce n'était pas un habitué de l'Élysée, loin s'en faut, mais il avait rencontré plusieurs fois le président. Un an auparavant, il avait suivi pour son journal le terrible accident de voiture qui avait coûté la vie à la première dame, Valéria Hennebeau, sur une route du sud de la France. À cette époque, le président semblait anéanti. Des rumeurs avaient même circulé à propos d'une possible démission. Mais il avait tenu bon dans l'adversité, dans la tempête de sa tristesse, comme il tenait la France : d'une main ferme et sensible à la fois. On lui prêtait depuis peu une liaison avec une jeune Allemande, ancien mannequin, il n'avait rien officialisé, continuant à élever seul sa fille de cinq ans, qu'il emmenait quelquefois, le matin, à la maternelle de la rue Roquépine. Parfois, même, il se laissait aller devant ses convives à propos de Valéria, de son talent d'écrivaine et de ses magnifiques romans. Il en parlait souvent, les yeux embués et la gorge serrée.

Le président s'était remis à converser avec les deux têtes blondes.

Blanc-Gonnet profitait de sa proximité physique avec Hennebeau pour étudier son visage. Toujours aussi énergique, avec des traits ni fins ni grossiers, et des cheveux courts qui avaient tendance à friser, Hennebeau portait fièrement ses cinquante ans. Avait-il changé en un an ? Peu, à vrai dire. Des cernes, peut-être, légèrement plus prononcés.

Mais ça vous posait un homme… Toute la France savait que son président gouvernait vingt heures par jour et ne dormait qu'à ses heures perdues. L'animal politique se portait bien. Les Français continuaient, en grande majorité, à le trouver sympathique, et la joute à venir, pour sa réélection, raviverait d'autant sa flamme. Il s'épanouissait dans la rivalité.

— Il me fait bien rire avec son idée de régime, le chancelier allemand, dit le président en vidant d'un trait le fond de son verre. Non mais comment voulez-vous parler de régime alors que, quand je l'invite à dîner, il se ressert trois fois du fromage !

Le président recueillit avec une joie non dissimulée les rires de la dizaine de journalistes maintenant rassemblés devant le canapé.

— Tout cela en off, n'est-ce pas ? précisa-t-il, l'air gourmand.

Le fameux off. Blanc-Gonnet, le vieux de la vieille, lui, l'avait en horreur. Le off, c'est ce qu'un homme politique vous confie mais que vous n'avez pas le droit de répéter à vos lecteurs. Un secret de caste. Belle trouvaille des politiciens et des communicants pour restreindre la liberté des journalistes en les mettant dans la connivence.

Ernest Blanc-Gonnet était peut-être d'un autre temps, mais il ne mangeait pas de ce pain-là. Du reste, il en avait assez de cette conférence et quitta rapidement la salle par une petite porte. Le vent du soir qui balayait la cour de l'Élysée le fit frissonner d'abord, mais il s'accommodait mieux de ces conditions climatiques que de cet anticyclone permanent qui entourait le président à chacune de ses apparitions en public.

La cour était déserte à l'exception d'un homme qui poussait deux énormes poubelles, scène de la vie quotidienne d'un palais, en marge de son apparat.

Le journaliste regarda sa montre : 17 h 20. Il avait juste le temps de passer au bureau, à Saint-Ouen, pour pondre un bref article sur la conférence de presse. À 21 heures, il comptait bien être devant sa télé pour suivre le match Annecy FC/Paris Saint-Germain qui s'annonçait décisif pour la conquête du titre de champion de France. Lui supportait Annecy – normal, pour un Savoyard...

Ernest coiffa son borsalino et rajusta son écharpe avant de s'élancer vers le large portail qui ouvrait le passage sur la rue du Faubourg-Saint-Honoré. C'est cet instant que choisit son portable pour vibrer. Il jeta un coup d'œil à l'écran et vit apparaître le nom de son chef de rubrique. Il décrocha tout en continuant son avancée.

— Alors, du neuf ? demanda son interlocuteur.

— De quoi faire un quart de page, une demie avec une photo.

— OK. Je viens d'avoir Geneviève. Tu peux l'attendre, elle ne va pas tarder à sortir.

Tout en continuant sa marche, le journaliste se retourna vers le perron de l'Élysée mais la rédactrice en chef n'y apparaissait pas.

— Je suis déjà sorti et...

Le choc lui arracha un juron. Il venait de heurter une des poubelles. Déstabilisé, il évita la chute de peu mais lâcha son téléphone, qui se fracassa contre les pavés.

— Je suis désolé, murmura l'homme d'entretien.

La poubelle avait répandu son contenu dans la cour et, déjà, trois gardes républicains accouraient pour se rendre compte de l'accident.

— Non, tout est de ma faute, s'excusa le journaliste. Je n'ai pas regardé devant moi.

L'agent d'entretien était déjà occupé à remettre les ordures et ne prêta pas plus attention aux excuses d'Ernest qu'aux railleries des gardes qui s'éloignèrent vite de la scène en se pinçant le nez puis disparurent derrière deux troènes.

— Je vais vous aider, proposa Ernest en s'agenouillant. Après tout, c'est…

À cet instant, l'homme se releva d'un bond, en poussant un cri. Il lâcha vivement ce qu'il tenait à la main. Le journaliste se pencha pour distinguer ce que l'agent d'entretien venait de lâcher avec un tel dégoût.

Il s'agissait d'un doigt. Un doigt humain.

Ernest se releva à son tour, se frotta les yeux pour les darder à nouveau sur cette découverte pour le moins incongrue.

Un doigt dans les poubelles de l'Élysée ? Le président recevait-il bientôt un chef d'État cannibale ? Sa plaisanterie ne lui arracha même pas le début d'un sourire.

Mais, déjà, l'agent d'entretien surmontait sa répugnance pour s'emparer du doigt et le jeter avec les ordures.

— Attendez ! s'écria le journaliste. Vous ne pouvez pas faire ça. Vous devriez aller le porter à votre patron.

— Je veux surtout pas d'histoires, bafouilla l'autre.

— D'où vient cette poubelle ? demanda Ernest, qui flairait le début d'un article un peu plus palpitant que la transcription des paroles creuses de M. Volauvent.

Il observa à nouveau ce doigt. Il n'osait le toucher. À en juger par son état, il n'avait pas été sectionné il y a bien longtemps. Quoique salie, la peau n'était en rien nécrosée. Le vernis à ongles laissait supposer qu'il s'agissait d'un doigt de femme. C'était là sa seule certitude à propos de cette découverte macabre. Il reprit la parole :

— Écoutez, je ne vais pas vous accompagner pour effectuer cette démarche auprès des services de l'Élysée car on me refoulerait, mais vous allez me laisser votre nom et votre numéro de portable et je vous rappellerai un peu plus tard.

Je suis prêt à vous donner un petit quelque chose en échange de votre collaboration. Disons cinq cents euros.

Oui, c'était cela la meilleure idée. Il appellerait le type dès son arrivée au bureau pour obtenir des renseignements supplémentaires. Puis il écrirait un bref article qui obligerait le service de presse du palais à réagir, et alors il contacterait directement sa correspondante là-bas pour connaître la raison officielle de la présence de ce doigt de femme dans une poubelle de l'Élysée.

Le soleil déclinait. Il ne vit pas immédiatement la réaction de l'agent d'entretien, caché dans l'ombre. Mais il sentit un bout de papier lui chatouiller la main.

— Je m'appelle Diallo. Vous pourrez me joindre à ce numéro.

Et, une fois qu'il eut ramassé le reste des ordures à terre, l'agent s'ébroua.

Geneviève n'était toujours pas sur le perron. Aussi, Ernest décida de partir seul.

Trois minutes d'arrêt de jeu. Mais Ernest Blanc-Gonnet était confiant. Même réduits à dix contre onze, les joueurs de l'Annecy Football Club allaient conserver leur avantage au score. 3-2 contre une belle équipe du PSG... Un beau résultat qui permettait au club de son cœur de creuser l'écart en tête du championnat et de s'envoler vers son second titre. En attendant la finale de la Ligue des champions contre le grand Barça ! Ce qu'avait réussi ce magnat russe, Stavroguine, en reprenant un club à la dérive pour le hisser parmi les plus grands d'Europe, méritait le respect.

L'arbitre siffla enfin le terme de la rencontre. Une satisfaction de ce côté-ci. Par contre, Diallo restait injoignable, et cela contrariait quelque peu le journaliste. Il avait dû écrire son article sans information nouvelle. Le type avait-il bien noté le bon numéro ? Il n'y avait rien au bout de la ligne. Pas même un répondeur… Ernest soupira. Il termina sa bière à même le goulot et s'empara de son ordinateur portable, curieux de voir quel genre de commentaires suscitait son article sur le doigt de l'Élysée mis en ligne sur le site du *Parisien* en début de soirée. Le rédacteur en chef du site lui avait assuré la première page, bien sûr.

Aussi, que ne fut pas son étonnement quand il ne trouva aucune trace de son papier, ni à la une, ni ailleurs dans les pages secondaires. Pas un rappel, rien. On avait purement et simplement caviardé sa prose !

Lentement mais sûrement, la colère montait en lui. Il composa le numéro du rédacteur en chef, bien décidé à en découdre.

Allons bon, maintenant c'était son journal qu'il n'arrivait pas à joindre. Il allait finir par penser que son propre téléphone portable était en dérangement.

Ce qui n'était pas le cas de la sonnette de son appartement.

Ernest sursauta. Il n'attendait personne. Et il était tard.

Il se leva et marcha sans bruit vers la porte de son studio. Un bref regard dans l'œilleton ne lui apprit rien. La minuterie du palier n'avait pas dû être activée par son visiteur nocturne.

— Qu'est-ce que c'est ? demanda-t-il, d'une voix dont il tenta de maîtriser le chevrotement.

Personne ne lui répondit. Il regarda de nouveau dans l'œilleton, sans plus de succès.

Peut-être une erreur. Après tout, cela arrivait parfois. Bon, il allait tenter de rappeler ce satané rédacteur en chef de la cellule Web. Son article était bien paru en début de soirée alors pourquoi l'avoir enlevé si vite ? Sur ordre du palais ?

Ernest Blanc-Gonnet regagna son canapé.

Au même instant, la serrure s'actionna dans un chuintement, libérant les trois points, et la porte s'ouvrit sans un bruit.

Ce fut le courant d'air qui alerta le journaliste. Il fit aussitôt volte-face.

Et ce qu'il vit à la porte de son appartement le pétrifia littéralement d'effroi.

(3)

VENDREDI, 17 H 45
VILLA DE NICOLAS MANDRAGORE,
VALLÉE DE CHEVREUSE

L'Aerion Supersonic des Effacés, surnommé le *Faria*, se posa sur le tarmac de l'aérodrome de Toussus-le-Noble à 17 h 03, très précisément l'heure prévue par le pilote automatique de l'avion.

Les quatre Effacés valides montèrent à bord de la BMW X6 mise à la disposition du groupe. Nicolas Mandragore les suivit au volant d'une ambulance qui transportait Mathilde. En moins d'un quart d'heure, ils passèrent le portail qui les menait vers leur antre, une villa à Milon-la-Chapelle, dans la vallée de Chevreuse, près de l'abbaye de Port-Royal des Champs.

Après avoir installé Mathilde dans la chambre médicalisée prévue à son intention, Mandragore alla s'enfermer dans son bureau situé dans le sous-sol ultra-sécurisé du bâtiment. Cet endroit avait la forme d'un dôme, invisible depuis l'extérieur, car creusé sous le terrain très pentu de la propriété. Il s'agissait là du principal secret du lieu qui, de l'extérieur, ressemblait à une villa de grand standing, comme il en existait un certain nombre dans ce coin huppé de la région parisienne. Nul ne pouvait savoir ce que ce dôme, auquel on accédait après un scan complet de la main, cachait dans ses entrailles une piscine olympique, un stand de tir, une salle de gymnastique, une salle d'opération mais aussi un labo de langues et une bibliothèque.

Ainsi que le vaste bureau de Mandragore, le saint des saints, et la salle de briefing attenante où se réunissaient les Effacés avant chacune de leurs missions.

Après le désamorçage de la bombe, Mandragore avait passé le reste du vol à pianoter sur son ordinateur, le visage grave, tout en allant s'assurer à intervalles réguliers que Mathilde recouvrait bien ses forces.

Cet homme ne s'arrêtait jamais, ne s'accordant pas le moindre répit. On aurait pu s'attendre à ce qu'il ait une tête de goule ou de vampire, lui qui ne sortait que très rarement à la lumière du jour. Et pourtant Nicolas Mandragore arborait toujours le même visage, certes pâle, mais dépourvu de la moindre ride, du plus petit signe de fatigue. Et ses yeux étonnamment grands, d'un bleu magnétique, semblaient avoir été conçus pour rester toujours ouverts sur le monde.

Cet homme possédait des secrets. De cela, Neil en était certain. Et il ferait tout pour les percer un à un dans les prochaines semaines puisqu'ils allaient cohabiter *ad vitam aeternam* à présent.

Les Effacés ne se firent pas prier pour gagner leurs chambres, perclus de fatigue. Ils prirent chacun une douche bien méritée. Pas un n'avait en fait osé utiliser la salle de bains du jet. Cela leur fit un bien fou de se poser quelques instants, de se laisser tomber sur leurs lits moelleux, revêtus d'un simple peignoir en éponge, fixant le plafond pour ne penser enfin... à rien !

Lorsqu'ils descendirent pour se restaurer, ils découvrirent avec joie que Mathilde était réveillée.

— Surprise ! lança Nicolas.

Allongée sur le canapé du salon aux murs tapissés de lambris, elle leur fit un petit geste de la main et le début d'un sourire. Ilsa, Zacharie, Émile et Neil se jetèrent sans retenue dans ses bras encore bien faibles.

— Merci ! murmura-t-elle, les yeux humides. Merci à tous !

Ils l'embrassèrent chaleureusement, et Zacharie et Neil improvisèrent même une petite danse de joie autour du canapé qui fit rire Émile aux éclats. Ilsa restait muette. Une forte émotion se lisait sur son visage.

— Elle n'est plus contagieuse mais par précaution je vais vous injecter à chacun une dose de BrainSecure. Maintenant, à table !

Leur hôte leur réservait une deuxième surprise. Tandis qu'ils dévoraient à pleines dents un plat de lasagnes, Neil et Zacharie s'étonnèrent de la présence d'un couvert supplémentaire.

— Mathilde, tu manges avec nous ? demanda Neil entre deux bouchées.

L'Effacée n'eut pas besoin de répondre. Une jeune fille de douze ans, au visage très pur et à la peau très noire, apparut dans le salon et vint s'asseoir en silence, le regard baissé.

— Elissa ! fit Ilsa.

Mandragore avait en effet recueilli la protégée d'Angélias Amadieu. Pour une raison inconnue, Elissa pouvait porter le virus et le transmettre sans pour autant en subir les atroces symptômes. Ce qui faisait d'elle un vecteur de choix car on la parquait dans un camp de personnes saines avant de la déplacer dans le suivant et elle les contaminait les uns après les autres. Par quel moyen Nicolas avait-il trouvé et ramené Elissa ? Celui-ci ne s'étendit pas sur la question de Neil et marmonna une vague explication à propos de contacts importants au ministère de la Santé.

— Elissa a eu droit à son injection de BrainSecure et n'est plus contagieuse, précisa l'ancien médecin en attaquant à son tour ses lasagnes fumantes. Elle restera avec nous le temps que nous décidions tous ensemble de son avenir.

La jeune fille regardait les autres adolescents, un peu gênée, n'osant pas dire un mot, elle que Mathilde avait trouvée si volubile. Elle ne toucha même pas à son assiette. L'extrême fatigue des convives ne les poussait guère à la conversation.

Et dire qu'ils devaient tous passer à l'infirmerie pour se faire vacciner ! Mais qu'on les libère enfin et qu'on les laisse dormir pendant quarante-huit heures non-stop !

— À bas les cadences infernales ! lança Neil, levant le poing qui tenait fermement une petite cuillère.

Zacharie lui donna une tape amicale dans le dos et Neil replongea l'ustensile dans la délicieuse glace à la vanille et aux noix de pécan qu'il savourait avec un plaisir non feint.

Neil fut l'ultime patient de Mandragore. Il était sûr que leur mentor avait fait exprès de le convoquer en dernier, retardant ainsi d'autant son heure de coucher. Mais certaines choses devaient être réglées entre eux deux.

En se regardant dans la glace située au-dessus du large lavabo de la salle d'opération, Neil fit une grimace. Il ressemblait plus à un zombie qu'à un jeune de seize ans. Mais après tout, un Effacé ne se définissait-il pas comme un mort vivant ?

— Tu es bien guilleret malgré ta fatigue, constata Nicolas.

Neil s'assit en soupirant sur le tabouret que lui désigna l'ancien médecin et releva la manche de sa chemise à col Mao.

— N'importe quoi ! Je suis vanné et je n'ai pas envie de rigoler. Pas du tout même. Dormir deux bons mois... Le pied !

Mandragore préleva une dizaine de millilitres de Brain-Secure à même la fiole découverte par les Effacés dans l'ahurissante villa d'Amadieu, sur l'île du Havre-aux-Maisons. Il tapota à deux reprises la seringue pour en chasser les éventuelles bulles d'air et plongea l'aiguille sans sourciller dans le pli du coude de son patient.

Neil cria, plus pour énerver le médecin qu'à cause de la piqûre en elle-même.

Bien sûr, Mandragore ne s'énerva pas et trouva même le moyen de sourire.

— C'est fini, dit-il en plaçant un coton sur le coude de Neil avant de le plier. Il y a bien pire. Reste comme ça deux, trois minutes.

— Dans « pire », tu places l'opération pour soi-disant m'extraire le mouchard qui est encore dans ma tête ?

— Ce mouchard, comme tu l'appelles, t'a tout de même sauvé la vie.

Neil dut admettre que cette saloperie avait du bon. Sans ce dispositif qui permettait à Mandragore de localiser et d'entendre tout ce que disaient les Effacés, il se serait vidé de son sang sans même avoir atteint la villa d'Amadieu. Et leur mission aurait lamentablement échoué.

Entre eux deux, les échanges étaient toujours aussi électriques. L'un comme l'autre s'en accommodaient parfaitement. Ils aimaient chacun les forts caractères. Neil avait eu une éducation très souple, probablement rendue plus souple encore par l'absence de père. L'adolescent faisait très mauvais ménage avec l'autorité et ne l'acceptait qu'à la condition *sine qua non* qu'elle émane de quelqu'un en qui il pouvait avoir confiance et qu'il admirait. De là à dire qu'il commençait à admirer Mandragore, il y avait un monde ! Mais, indubitablement, l'ancien médecin le fascinait. C'était un type vraiment spécial, insaisissable, dont on n'aurait jamais fini de faire le tour.

— Pour répondre à ta question, reprit Mandragore, je ne parlais pas de l'opération passée mais de la petite intervention que je m'apprête à effectuer sur la blessure que tu as à la cuisse.

Et, joignant le geste à la parole, il sortit d'une armoire rutilante d'autres seringues et quelques boîtes que Neil n'identifia pas.

— Te casse pas la tête, je n'ai plus mal.

— C'est normal. Je t'ai bourré d'analgésiques depuis notre départ du Québec. Le médecin d'Amadieu t'a correctement recousu mais je souhaite suturer avec des fils spéciaux.

— Les trucs qui tombent d'eux-mêmes ?

Mandragore secoua la tête.

— Non, justement, du solide. Des fils en polyéthylène à masse molaire élevée. Avec ça, la plaie ne risque pas de s'ouvrir à nouveau. Même pendant un effort. Cela te laissera plus libre de tes mouvements. C'est une matière aussi solide que le kevlar.

— Comme tes mains ?

Mandragore n'apprécia que très modérément cette comparaison. L'état de ses mains, recouvertes de kevlar des paumes à l'extrémité des doigts, n'était pas un sujet de discussion possible avec lui.

Neil n'eut d'autre choix que de se laisser opérer. Mandragore lui injecta une dose d'anesthésique local afin de commencer à ôter les fils posés par le médecin québécois.

— Tiens, pendant que j'y pense, enchaîna l'adolescent qui sentait l'aiguille lui chatouiller impitoyablement la cuisse, j'ai réfléchi à ça dans l'avion… Juste après avoir appuyé sur ce foutu bouton… Enfin bref… Je pense qu'Amadieu voulait *te* tuer aussi. La bombe dans l'avion plutôt que de nous supprimer dans sa villa, ce qui n'aurait pas été compliqué, avec ses vigiles contre nous. Avant de jouer le Machiavel, quand tu étais le patron de l'Institut médico-légal, tu as dû le rencontrer, ce Amadieu ?

Neil n'était pas peu fier de sa petite provocation.

— Ton raisonnement est juste mais ta conclusion est fausse, finit par répondre Mandragore.

Pas une goutte de sueur ne luisait sur son front malgré la précision et la concentration extrêmes que demandait ce travail.

— Je ne connaissais pas Amadieu et je ne souhaite d'ailleurs nullement le connaître...

— Tu ne risques pas ! Tu n'as plus l'âge de fréquenter les jardins d'enfants !

Neil marqua une pause. Comme lors d'un combat d'escrime entre deux assauts. Il respectait les règles de ce noble sport qu'il avait pratiqué autrefois avec passion.

— Il faudra aussi que tu me dises comment tu as eu l'info à propos de ma blessure potentiellement mortelle... Je savais que le mouchard te permettait d'entendre mais, apparemment, il te délivre aussi d'autres informations plus intimes encore. L'interface sur tes écrans doit être digne de celle du lancement d'une fusée à cap Canaveral !

— J'ai mes petits secrets, rétorqua l'autre.

— Ouais, je m'en étais aperçu. Comme à propos du rapport de ma mère que Zacharie et moi on est allés récupérer et dont tu persistes à ne rien nous dire, alors qu'en plus de citer Amadieu il évoquait l'accident de voiture de la femme du président. Amadieu a dit qu'il n'avait envoyé personne à Guernesey pour nous voler le dossier... Alors qui nous a pris en chasse ? Qui voulait nous piquer le dossier ?

— Le temps viendra.

— Pour moi, le temps, c'est tout de suite, s'énerva Neil.

— Tu as l'éternité devant toi, à présent, ne l'oublie pas. Si le temps biologique est le même pour un Effacé que pour un adolescent lambda, notre temps sociétal diffère. On ne compte plus en années scolaires, en dizaines d'euros, en nombre de jeux que tu possèdes sur ta console, en conquêtes féminines patentées... Tout ça n'existe plus. Nous avons notre espace-temps à nous. Nous l'agençons à notre guise, en toute autonomie. Nous ne dépendons plus des autres, nous possédons nos règles personnelles, notre propre sens de la justice... Pour un jeune épris de liberté comme toi...

— Garde tes belles paroles pour tes fans ! rétorqua Neil. Ilsa doit même t'applaudir après un discours pareil, non ?

Nicolas ne répondit pas. Neil poursuivit :

— Un truc qui me vient à l'esprit, là... Tu parlais d'espace-temps... Ton pianotage de folie sur ton PC pendant le vol, ton retour express dans ton bureau à l'arrivée... ne me dis pas qu'on va repartir fissa dès demain ? C'est ça notre nouvel espace-temps ? Trois heures de sommeil pour trois jours de mission ?

— Tu vas te syndiquer ? lança Nicolas, du tac au tac.

Il leva ses yeux hypnotiques vers le garçon. Il avait presque terminé. Un point encore, un morceau de fil et Neil pourrait presque courir le cent mètres.

— Je n'en suis pas encore sûr mais, oui, les affaires pourraient reprendre plus vite que prévu.

Neil soupira mais, dans ce soupir, Nicolas perçut comme une pointe de satisfaction.

— Charmant ! Et dire que tu m'as volé trente bonnes minutes de dodo en me faisant passer en dernier.

— C'est de bonne guerre. Ton état nécessitait plus de soins. Tu n'allais pas les faire attendre.

— Et la mission en elle-même ? Notre destination ?

À nouveau Mandragore secoua la tête.

— J'attends encore un élément avant d'en tirer une conclusion définitive. Mais si mes craintes sont avérées, alors...

— Alors quoi ?

Mandragore sortit une dernière fois l'aiguille de l'épiderme de Neil.

— Alors il se pourrait bien que je vous réveille très tôt demain matin. Que la grasse matinée soit encore différée et que...

— Chouette ! l'interrompit Neil.

L'ancien médecin se leva et fixa l'Effacé, droit dans les yeux.

— Et que votre précédente mission ait des allures de farniente à côté de celle qui vous attend.

(4)

VENDREDI, 18 H 10
GOLF DE MOLIETS-ET-MAÂ

Jeanne savait qu'il lui restait très peu de temps avant que la nuit tombe. Dans vingt minutes tout au plus, il lui serait impossible de distinguer sa balle dans l'obscurité. Ni même le drapeau, ni rien du tout. À Deauville, une fois, en sa qualité passée de chargée de communication d'un fonds de pension anglais, elle avait disputé une partie de nuit à l'Amirauté Golf, en compagnie de quelques clients. Deux Anglais aux cheveux roux et aux visages aspergés de taches de rousseur, deux caricatures. Leurs grosses bedaines ne les empêchaient pas d'avoir un swing efficace, toutefois bien moins bon que le sien. Se retenant par politesse au début du parcours, elle les avait ridiculisés sur les neuf derniers trous, ce qui ne l'avait pas empêchée ensuite de signer un contrat de plusieurs dizaines de millions de livres sterling. Un souvenir comme Jeanne aimait s'en rappeler, maintenant qu'elle occupait ses journées à gérer les relations publiques du Biarritz Olympique, le club de rugby de la ville.

Autres temps, autres mœurs, comme dirait l'autre.

Mais voilà, le golf de Moliets, plus sauvage, avec l'océan Atlantique qui léchait certains trous, n'était pas celui de Deauville. Lorsque le soleil disparaissait dans les vagues, on pouvait ranger ses clubs et plier bagage.

Jeanne allait terminer le trou numéro 15, un fairway longeant la plage de sable fin où s'étendaient parfois, en contrebas, quelques naturistes. Il ne lui en restait plus que trois. Et trois trous en vingt minutes, cela n'allait pas être de la tarte.

Jeanne releva cependant le défi avec enthousiasme. Elle les avait toujours aimés, les défis. Et puis à cette heure, elle ne risquait pas un embouteillage sur la fin du parcours. Elle entra sur le green, son putter à la main, pour retirer le drapeau. Puis elle revint se placer derrière sa balle. Déjà, la lumière déclinante l'empêchait de bien mesurer la pente que le green proposait jusqu'à son objectif. Une donnée pourtant primordiale. Jeanne ne laissait jamais rien au hasard. C'était la raison de ses succès. En même temps qu'elle calculait l'inclinaison du terrain pour doser au mieux la force de son coup, elle fit un autre calcul, dans un coin différent de son cerveau : 18 h 30 au club-house, 19 h 20 dans sa voiture, 20 h 30 chez elle, à Biarritz, soit l'heure qu'il leur avait fixée pour leur contact quotidien. Elle espérait que son séjour en Amérique du Nord s'était bien déroulé et qu'il leur rapporterait d'excellentes nouvelles.

Jeanne enleva sa visière, la fourra dans sa poche et se mit en position. Un coup pour le birdie. Un coup facile. Elle donna de l'élan au club.

La balle subit l'impact de son putter et roula sur l'herbe courte, roula irrésistiblement vers le trou. Un coup parfait, comme à son habitude. Si elle avait quelquefois du mal à doser ses bois, elle restait un as du putting.

Jeanne récupéra sa balle, remit le drapeau et alla reprendre son sac qu'elle aimait porter à l'ancienne, sur une épaule. Elle avait en horreur les chariots et encore plus les voiturettes électriques. Ce n'était plus du sport, alors, mais du tourisme automobile émaillé de quelques mouvements musculaires !

Vite, le trou numéro 16 se présentait devant elle. La luminosité s'était encore réduite. Jeanne prit tout de même le temps d'enlever son gant pour caresser son pouce, pour le détendre, lui qui était mis à rude épreuve durant les swings. Elle effectuait ce geste comme un rituel avant chaque départ. Les rares fois où une distraction l'en avait empêchée, elle s'était ridiculisée avec un double, voire un triple bogey.

La jeune femme sortit un tee de sa poche et le planta dans l'herbe sèche de cette fin de journée. Le trou était court. Un par 3. Un fer 9 ferait donc l'affaire.

Elle posa sa balle sur la pointe de plastique qui l'accueillit comme un coquetier accueille l'œuf, dégagea ses longs cheveux aux reflets cuivrés vers l'arrière et, le visage empreint d'une grande concentration, se prépara au swing.

Mais elle dut interrompre son geste au dernier instant. Derrière elle, un faible ronronnement se fit entendre.

Allons bon ! Un des gardiens du golf qui allait la chasser du parcours alors qu'il était encore possible de jouer. Elle connaissait par avance son argumentation. « Les arroseurs automatiques vont se déclencher, madame. Il faut rentrer au club-house, madame. »

Elle se retourna, les lèvres serrées, les yeux dardant des éclairs. Le temps allait être à l'orage.

— Que voulez-vous ? cria-t-elle, alors que le petit véhicule était bien trop loin pour que ses deux occupants puissent l'entendre.

Étrangement, elle ne parvenait pas à distinguer les visages de ces deux intrus. On eût dit qu'ils portaient des cagoules noires sur des cols roulés noirs. Absurde ! Un effet d'ombre, très probablement.

Les nouveaux venus se rapprochaient d'elle au volant de leur voiturette électrique.

— Que voulez-vous ? répéta Jeanne. Je souhaite terminer mon parcours et...

Sa voix s'éteignit.

Ce n'était pas un quelconque effet dû à la pénombre naissante. Les deux hommes portaient bien des cagoules noires et n'avaient rien, mais vraiment rien, dans leur attitude, de simples gardiens attachés au golf.

Tout se passa alors à une vitesse ahurissante.

Jeanne lâcha son club et se mit à courir. Un des deux hommes, celui qui ne se trouvait pas au volant, sauta de la voiturette et la prit en chasse. Ses jambes immenses lui permirent de la rattraper sans peine. Il empoigna brutalement ses cheveux et la projeta à terre. La jeune femme cria à s'en arracher les cordes vocales. Mais elle était trop loin du club-house pour alerter quiconque. Dans ces fourrés, son agresseur la maintint allongée sur le sol, dos contre terre, tandis que son acolyte, qui venait de descendre du véhicule, le rejoignit et plaqua fermement le bras droit de Jeanne au sol.

— Non, non ! hurla-t-elle.

Elle venait de deviner ce que ses deux bourreaux s'apprêtaient à lui faire.

Plus de rêves fous, plus de golf, plus rien.

Elle retint ses larmes – pas la peine de leur donner cette satisfaction, à ces sauvages. Elle se débattit de toutes ses forces, leur donna des coups d'épaule, de pied, mais leur poigne était trop forte, trop assurée.

Le plus grand des deux sortit un couteau d'une gaine qu'il portait au mollet, sous sa combinaison noire, et, d'un geste sec et assuré, il sectionna le pouce droit de la jeune femme.

Jeanne sentit en tout premier lieu une sensation de brûlure. Puis la douleur se forma au creux de sa main, pour irradier finalement dans chaque terminaison nerveuse de son organisme.

Le type glissa le doigt sanguinolent dans la poche de sa veste noire et se releva. Il fit à l'autre un geste que Jeanne ne vit pas. Alors l'acolyte revint à la voiturette et en sortit un cylindre vert de taille moyenne. Jeanne reconnut aussitôt l'objet. C'était le cylindre contenant les lames hélicoïdales dont étaient équipées les tondeuses de greens. Il déposa la pièce détachée près de la main mutilée de la jeune femme. Au même instant, l'homme au couteau disposait une grosse pierre de rocaille à quelques centimètres des pieds tremblotants de Jeanne.

Malgré la douleur immense, elle saisissait le sens de cette mise en scène machiavélique. Faire croire qu'elle s'était sectionnée le pouce accidentellement sur les lames de la machine en tombant après avoir heurté une pierre dans le rough. Pour corroborer son hypothèse, le plus petit des deux alla chercher la balle de Jeanne, encore sur son tee, et la fit rouler près du cylindre pour faire croire qu'elle avait trébuché en cherchant sa balle après un piètre coup. Imparable. Et tant pis si on ne retrouvait jamais le doigt ! Le pire, c'est qu'elle n'aurait pas d'autres choix que de soutenir cette version aux autorités. Il n'était pas question de dire la vérité à qui que ce soit.

Satisfaits, les hommes remontèrent dans leur voiturette et prirent la direction d'un chemin qui traversait une forêt de pins pour y disparaître.

Combattant sa souffrance, Jeanne parvint à se saisir de son téléphone qui, lors de son agression, avait glissé de la poche arrière de son pantalon pour se retrouver à la hauteur de sa tête.

Elle réprima les tremblements de sa main intacte en y mettant toute sa volonté et réussit à taper quelques mots à l'aide de son index gauche.

Ils ont mon pouce

Rien n'était plus important que de l'informer, pour qu'il prévienne ensuite les autres. Ensuite seulement, elle appellerait les secours.

Elle chercha le numéro dans son répertoire, à la lettre M, et le lia au message.

Plus loin, vers l'océan, elle entendit des goélands pleurer.

Le soleil avait à présent disparu en direction de l'Amérique.

Jeanne pressa la touche « envoi ». Puis, anéantie de douleur, elle s'évanouit.

(5)

SAMEDI, 4 HEURES
VILLA DE NICOLAS MANDRAGORE,
VALLÉE DE CHEVREUSE

Ils avaient passé à tour de rôle leurs mains sur le lecteur d'empreintes digitales qui contrôlait l'accès à la *situation room*, la salle où avaient lieu les briefings des missions. Instant à la fois redouté et espéré par les Effacés. Existait-il une autre raison d'être à leur groupe que de se réunir pour révéler les scandales de notre temps et faire en sorte que d'autres personnes ne soient pas supprimées au nom d'intérêts plus que suspects ?

Autour de 3 h 30 du matin, Nicolas Mandragore était venu en personne les réveiller, de chambre en chambre. Il leur avait donné rendez-vous une demi-heure plus tard dans la *situation room*. Juste le temps d'émerger après une trop courte nuit, de s'habiller décemment et d'avaler un petit-déjeuner rapide.

Ilsa, Zacharie, Émile et Neil se trouvaient donc à l'entrée de la pièce, attendant l'invitation de Mandragore pour rejoindre leur place. L'ancien médecin s'affairait sur son ordinateur portable, le visage plongé dans l'ombre sépulcrale du lieu. La dizaine d'écrans plats de toutes tailles fixés au mur étaient éteints. Dans quelques minutes, ils projetteraient ce pour quoi les Effacés devraient se battre. Au-dessus de l'écran central, immense, la citation de Machiavel s'étalait en lettres d'argent :

Il perd, celui qui sait ce qu'il va faire s'il gagne.
Il gagne, celui qui sait ce qu'il va faire s'il perd.

Devant ces écrans, cinq hauts fauteuils de cuir portant leurs prénoms brodés étaient disposés autour d'une grande table noire où les Effacés encastraient leurs tablettes tactiles qui ne les quittaient pas et contenaient les éléments essentiels de chacune de leurs missions. C'était précisément à cet instant que Mandragore envoyait sur les tablettes les informations primordiales à leur réussite.

— Asseyez-vous, dit enfin celui-ci, la voix enrouée. Et pardonnez-moi encore pour ce réveil fort matinal mais le temps nous est compté.

Les adolescents s'exécutèrent. Neil réprima un bâillement au moment de s'asseoir. Il n'était pas d'excellente humeur, encore bien fatigué. Il comptait sur le briefing pour le réveiller.

— Avant d'entrer dans le vif du sujet, j'aimerais encore une fois féliciter Zacharie pour sa présence d'esprit. Et vous informer que le pain de plastic et le détonateur n'étaient pas des imitations.

Émile lança un regard torve vers Neil qui décida de ne pas relever.

— Je terminerai ce préambule en vous informant que le fauteuil de Mathilde ne restera pas vide longtemps. Si elle ne participe pas à notre réunion ce matin, je compte sur elle pour m'épauler ici dans le pilotage de vos différentes actions, dès que son état le permettra.

Ce fauteuil vacant avait quelque chose de triste. Ils étaient cinq à présent, comme les cinq doigts de la main. L'absence d'un membre rendrait *de facto* les autres moins efficaces.

Le mot « briefing » venait d'apparaître sur l'écran central, aussitôt remplacé par une photo du palais de l'Élysée. L'écran se scinda en deux parties et le portrait d'un homme d'une cinquantaine d'années, le crâne rasé, portant de fines lunettes rondes, apparut à côté du palais présidentiel.

— Cela étant dit, je vous demande à présent de prêter une attention toute particulière à ce que je m'apprête à vous exposer. L'homme dont vous découvrez le visage à l'écran se nomme Ernest Blanc-Gonnet. Il collabore à la rubrique politique du journal *Le Parisien*. Il était invité à la conférence de presse donnée à l'Élysée par le responsable de la cellule de crise chargée du virus BrainOne. Pourtant, en lieu et place d'écrire un papier sur cette réunion, il publie à 19 h 12, hier soir, sur le site du journal, un article à propos d'un doigt coupé retrouvé dans une poubelle du palais de l'Élysée.

— Un doigt coupé ? s'exclama Ilsa.

— Plus précisément un auriculaire de femme si l'on en croit la description qu'il en fait. Vous trouverez l'article, comme tous les documents que j'évoquerai lors du briefing, sur vos tablettes. Donc, on aurait retrouvé un doigt de femme au milieu des détritus du palais présidentiel. Premier mystère. Deuxième mystère, l'article mis en ligne est retiré du site à 19 h 18 très précisément, par la direction du journal. Il est donc resté un peu moins de six minutes en ligne. Enfin, troisième mystère, le journaliste, que j'ai essayé de contacter, est injoignable, que ce soit sur son portable professionnel ou personnel. J'ai appelé hier soir la rédaction et il semblerait qu'Ernest Blanc-Gonnet soit parti quelques jours en congé de façon précipitée.

— Une envie subite de soleil ? demanda Émile.

— Je pencherais plutôt pour un lieu moins lumineux, précisa Mandragore. Une cave, une cellule de détention. S'il n'a pas déjà été supprimé. Il faut dire que l'information avait de quoi gêner le président Hennebeau et toute sa clique. Trouver une explication à cette incongruité aurait demandé des trésors d'imagination de la part des stratèges du palais. Là, puisque l'information a été censurée...

— Chapeau pour l'avoir saisie en vol ! dit Ilsa.

— Mes ordinateurs ne laissent rien passer.

— Je me vois déjà déguisé en garde républicain pour aller mener l'enquête en grande pompe ! chuchota Neil à l'intention de son ami Zacharie.

Mais ce dernier lui intima l'ordre de se taire.

— Cependant l'histoire ne s'arrête pas là. Grâce à quelques recoupements dans les différents modules d'information mis à ma disposition, j'ai découvert que deux autres faits divers impliquaient un doigt coupé dans les dernières vingt-quatre heures. L'un est survenu hier après-midi à Angers, dans le Maine-et-Loire, et l'autre en début de soirée à Moliets, une station balnéaire sur la côte Atlantique, dans les Landes. Aucun lien entre les victimes, Anouar Allila, un lycéen de douze ans à Angers, et Jeanne Dervaux, la responsable de communication d'un club de rugby à Biarritz.

La photo très floue d'un jeune garçon apparut à l'écran, immédiatement suivie par celle, plus nette, d'une très belle femme d'une trentaine d'années aux cheveux cuivrés. En connaisseur, Neil hocha la tête.

— À chaque fois, un doigt différent. Un index pour Anouar, un pouce pour Jeanne. Dans les deux cas, les victimes ont informé les autorités qu'il ne s'agit pas d'une agression délibérée mais d'un regrettable accident.

Mandragore marqua une courte pause avant de poursuivre :

— Enfin, dernier élément et non des moindres, il est survenu un accident singulier hier après-midi, au-dessus de la ville d'Angers. Un jet privé a, semble-t-il, explosé en vol et a endommagé un gymnase ainsi que tout un étage de la mairie. Le bilan est lourd : une dizaine de morts et une centaine de blessés dont plusieurs très graves.

— Des doigts sectionnés par une tondeuse ou un autre engin coupant, ça arrive tous les jours, argumenta Neil.

— Un peu comme les bombes à bord des avions, ajouta Émile, qui ne lâchait pas Neil à ce sujet.

— C'est juste pour ça que tu nous as réveillés ? continua l'adolescent revêche.

— Des doigts amputés par accident, oui, répondit l'ancien médecin. Mais là des éléments clochent dans le témoignage des victimes. Vous les découvrirez sur vos tablettes durant votre trajet.

Neil se rencogna dans son fauteuil. Un sentiment curieux venait de l'envahir. Il lui semblait que, par moments, les explications de Mandragore ne sonnaient pas juste. Ou plutôt que l'ancien médecin leur cachait des éléments à sa disposition. Neil sentait une sorte de retenue dans le discours de leur mentor, comme s'il prenait bien soin de peser chacun de ses mots de peur de trop en dire.

Mais peut-être se méprenait-il après tout. C'était son petit fond de paranoïa qui prenait inévitablement le dessus à un moment ou à un autre.

— Apparemment, il n'existe aucun lien entre ces quatre faits divers. Mais je ne sais pas pourquoi, quelque chose ne me semble pas clair. C'est à vous d'établir le lien, si lien il y a, ce dont je suis quasi certain. Et, surtout, à vous de vous assurer que d'autres personnes ne risquent pas de perdre un doigt. Les Effacés se doivent d'enquêter.

Les photos des différents protagonistes s'affichèrent toutes en même temps sur les écrans.

— Ça paraît absurde, cette histoire, insista Neil.

— Ce sont des points de départ *a priori* absurdes qui cachent les affaires les plus retorses, constata Ilsa.

— La belle phrase ! Attends, je vais la noter.

— Alors note également de ne pas appuyer sur tous les boutons qui passent à ta portée, rétorqua Ilsa. La curiosité est un vilain défaut, Neil.

— Ça vole haut, c'est le cas de le dire !

Mandragore laissa s'éteindre le dialogue de lui-même.

— J'insiste tout particulièrement sur ce point : au-delà de l'éventuel lien entre les différentes victimes, il vous faudra établir très rapidement si d'autres individus sont menacés. Vous pourrez partir très rapidement vers votre objectif. Il ne s'agit pas d'une mission d'infiltration mais d'une simple mission de collecte d'informations. À ce titre, cela ne vaut pas la peine de travailler de façon approfondie une identité pour chacun d'entre vous. Ilsa, tu te rendras donc à Angers afin d'enquêter sur le prénommé Anouar qui se trouve actuellement au CHU. Émile, tu embarqueras pour Biarritz par le premier vol du matin à Paris-Charles-de-Gaulle. Jeanne Dervaux, selon mes informations, est rentrée chez elle directement après s'être rendue aux urgences. Elle réside rue du Port-Vieux. À charge pour vous de faire le lien entre les deux. Vous communiquerez via vos tablettes ou via vos oreillettes et je ferai le lien.

Les deux Effacés approuvèrent. Cependant, Émile prit la parole :

— Ce ne serait pas plus logique d'envoyer Ilsa auprès de la jeune femme et moi auprès du garçon ? À douze ans, on se confie plus facilement à quelqu'un de son sexe…

— Ta remarque est pertinente, approuva l'ancien médecin. Mais il s'avère justement qu'Anouar est un garçon un peu spécial. C'est un surdoué. Son QI avoisine les 190, ce qui est quasiment le maximum en la matière. Cette différence fait qu'il est haï de tous ses acolytes en classe. Il ne confierait rien à un adolescent du même âge que ceux qui le maltraitent au lycée. D'où ma juste répartition des rôles.

Émile approuva. Une fois encore, Nicolas avait pensé à tout, dans le moindre détail.

— Et nous, on file avec Zacharie à l'Élysée ? demanda Neil qui avait hâte de savoir.

— Non, hors de question de se montrer là-bas. Trop dangereux. Vous décollez de l'aéroport de Toussus-le-Noble puis vous volez avec le jet jusqu'à l'aéroport de Saint-Gall-Altenrhein en Suisse, sur la rive sud du lac de Constance. Puis vous gagnez Vaduz en voiture de location et vous enquêtez sur le jet qui a explosé au-dessus d'Angers. L'avion est immatriculé dans cette ville. En revanche, je n'ai pas encore pu identifier le nom du propriétaire. Ça viendra sous peu. Ou peut-être est-ce un avion de location. Établissez également son itinéraire avant l'accident si possible. Je compte sur vous.

— Vaduz ? C'est où, ce trou paumé ? En Suisse ?

— Au Liechtenstein, un pays minuscule coincé entre la Suisse et l'Autriche, au pied des Alpes. Trente-six mille habitants. Un paradis pour les criminels que nous combattons. Déjà à l'aéroport vous devriez obtenir quelques renseignements. Le fait de vous y rendre en jet privé devrait faire son petit effet et délier les langues.

— C'est curieux de faire immatriculer un avion dans un pays qui ne compte aucun aéroport, constata Émile.

— Le Liechtenstein compte soixante-dix mille sièges de multinationales sur un territoire à peine deux fois plus grand que Paris. La plupart ne possèdent qu'une boîte postale. L'impôt sur les sociétés est si faible qu'il y a pléthore de candidats. Tout est clair ?

Puisqu'il ne reçut aucune réponse négative, il continua :

— Nous ne savons pas encore si une menace concrète existe, mais peut-être serait-il préférable d'emporter chacun une arme, au cas où. Si tout cela nous mène bien au palais de l'Élysée comme je le pense, alors mieux vaut couvrir nos arrières.

Là, les quatre Effacés approuvèrent. Ils connaissaient tous la règle absolue lors de leurs missions : ne se servir d'une arme que comme ultime recours et, surtout, éviter à tout prix de supprimer une vie humaine. Sauf en cas de légitime défense.

— D'autres questions ? demanda Mandragore. Toutes les informations nécessaires à votre mission se trouvent sur vos tablettes. Le temps presse, il faut vous mettre en route sans tarder.

Les écrans s'éteignirent et une douce lumière orangée irradia la *situation room*.

— Terminons donc par le contrôle des oreillettes internes. Me recevez-vous parfaitement ?

— Fort et clair, dit Ilsa.

— Fort et clair, confirma Zacharie.

— Fort et clair, dit Émile.

— Clair et fort, répondit Neil.

— Merci pour votre attention, conclut Mandragore. Et bonne chance.

Les Effacés reprirent leurs tablettes et, comme un seul homme, se ruèrent vers la sortie.

Et vers leur destin.

(6)

SAMEDI, 5 H 30
PALAIS DE L'ÉLYSÉE, PARIS

— Où se trouve-t-il à présent, ce journaliste ?

L'homme qui venait de poser cette question se tenait dans un coin reculé du bureau, près de la haute bibliothèque. On ne voyait rien de son visage à l'ombre des gros volumes reliés de cuir, la collection des œuvres complètes de Machiavel, Spinoza et Locke.

— En lieu sûr. Pas d'inquiétude.

— Tout de même, Destin, ce doigt dans une poubelle. Comment avez-vous pu... ? C'est extravagant ! Un homme aussi méticuleux que vous !

Dominique Destin ne répondit pas. Il tourna son visage émacié vers l'écran LCD muet qui restait allumé en permanence à gauche de son bureau. Il ne possédait pas un corps à proprement parler, tout juste une silhouette. Lorsqu'il était encore procureur de la République, au Palais de justice de Paris, ses ennemis (mais avait-il jamais eu des amis ?) le surnommaient « Giaco » en référence à Alberto Giacometti, ce sculpteur qui créait des personnages d'une effarante maigreur.

Le même reportage tournait en boucle sur LCI depuis le début de la nuit. À l'écran, Marie-Ange Mouret, la présidente du Sénat et future adversaire du président Hennebeau, descendait de son avion privé pour gagner le tarmac du

Dulles International Airport de Washington où l'attendait un petit comité probablement factice, monté pour l'occasion par ses partisans. Âgée d'une cinquantaine d'années, d'une rare élégance, Marie-Ange Mouret portait un manteau noir et des gants en cuir de la même couleur. Il semblait faire très froid dans la capitale fédérale. La candidate s'octroyait une visite de trois jours outre-Atlantique durant laquelle elle s'entretiendrait avec le président des États-Unis, Rick Blaine. De belles images en prévision de la campagne qui allait bientôt débuter.

L'homme dont on ne distinguait pas la tête serra les poings en découvrant le reportage.

— Les femmes n'auront jamais cessé de me faire souffrir… lâcha-t-il.

Il soupira longuement avant de reprendre :

— Alors, ce doigt ? Comment a-t-il atterri dans une poubelle du palais ?

— Une erreur. Mon bureau nettoyé. Une inadvertance. Mais tout est rentré dans l'ordre.

— Si je rate mon début de campagne à cause de cela, Destin, vous…

Derrière son bureau, la silhouette s'agita et haussa le ton. Il y avait un violent contraste entre la maigreur du personnage et la grosseur de sa voix.

— Pourquoi vous accrochez-vous au pouvoir ? Avec les subsides récoltés en cinq années d'un règne sans partage, vos comptes aux îles Caïmans, l'argent versé par Amadieu et les autres… Retirez-vous ! Prenez enfin du bon temps !

Son interlocuteur ricana.

— Le pouvoir est une drogue, Destin. Il vous rend encore plus dépendant que l'argent. Vous, vous n'aimez que l'argent, moi, je le chéris pour le pouvoir qu'il peut m'apporter. J'aime trop la lumière pour me retirer. Surtout face à cette garce de Mouret. Je ne suis pas un champignon comme vous, une amanite habituée à l'obscurité des officines.

— Allez au fond de votre pensée, traitez-moi de moisissure.

L'autre sembla réfléchir.

— Oui, vous avez raison. Une moisissure, mais aussi délectable et succulente que celles que l'on trouve dans une tranche de roquefort.

À nouveau, le reportage sur le tarmac de Dulles passa à l'antenne. Saletés de journalistes ! On avait beau les gaver de champagne et de petits-fours, ils resteraient toujours les mêmes. Le sourire éclatant de Mouret occupait tout l'écran.

— Éteignez cette télé ! ordonna le visiteur.

— Non.

Alors, il détourna vivement la tête, tout en prenant bien soin de rester loin des fenêtres et de la porte. Invisible.

— En tout cas, j'espère que vous avez vraiment pris toutes les précautions au sujet de ce journaliste. Si l'affaire sort, il sera difficile de la retenir. Vous êtes certain que votre Mandragore n'a pas eu connaissance de l'article sur Internet ?

— Nos services l'ont détecté en quatre minutes. Deux minutes plus tard, il n'y figurait plus.

— Vous connaissez Mandragore, Destin ? Je veux dire : personnellement.

— Personnellement, non.

— Un ancien camarade ?

— Non.

— Bon Dieu, Destin… Ça vous arrive parfois de formuler des phrases ? De vraies phrases, j'entends, plus que sujet-verbe-complément ?

— Oui.

L'autre soupira à nouveau.

— Au moment du BrainOne, vous m'aviez parlé d'un groupe d'adolescents que Mandragore contrôlait. Qui sont-ils ? D'où viennent-ils ? Sont-ils potentiellement dangereux pour nous ? Cela paraît tellement insensé...

— J'y travaille. Très difficile d'obtenir des renseignements sur eux. Impossible d'avoir des indications sur leur état civil, par exemple. Il semble les envoyer pour faire ses basses tâches.

— Oui, et nous mettre des bâtons dans les roues !

Destin haussa les épaules.

— Des gamins !

— À Guernesey, ces « gamins », comme vous dites, se sont joués de vos agents. Et sur les îles de la Madeleine, ces « gamins »...

— Il suffit ! tonna Destin.

Il s'était levé, presque menaçant.

— Vous êtes dans mon bureau. Et ici, je reste le maître.

L'autre sortit enfin de son coin, les yeux exorbités, écumant de rage.

— Cessez de me couper la parole, Destin !

Il s'approcha encore, posa ses deux poings sur le bureau encombré de son hôte et le fixa droit dans les yeux.

— Je suis peut-être dans votre bureau, mais jusqu'à nouvel ordre vous êtes ici chez moi. Je suis le président de la République française ! Vous êtes un fonctionnaire à mon service, rien de plus ! N'outrepassez pas vos prérogatives...

Leurs fronts se touchaient presque. Les bras du visiteur tremblaient sous l'effet de son courroux.

— Je veux bien admettre que l'affaire dans laquelle nous nous sommes lancés est complexe et dangereuse et que vous avez votre dose de stress. Mais ne me faites pas perdre mon sang-froid.

Destin ne recula pas d'un millimètre.

— Oui, Étienne. Je te le promets. Cela t'a coûté assez cher la dernière fois que tu as perdu ton sang-froid, pas vrai ?

Le président de la République recula en chancelant, trouvant un appui providentiel sur le dossier d'un fauteuil pour ne pas tomber.

— Comment osez-vous !

Tout le sang de son corps affluait vers son visage et une rage incontrôlable se saisit de lui. Il se dirigea vers la bibliothèque et, en poussant un hurlement rauque, il renversa les œuvres complètes des philosophes préférés de Destin. Les livres précieux s'éparpillèrent à terre.

— Voilà pour vos salopards d'intellectuels ! Quant à vous...

Durant une seconde, Destin se demanda si le premier des Français allait se jeter sur lui pour lui labourer le visage à coups de poing.

Mais Hennebeau n'en fit rien. Il préféra quitter la pièce à grandes enjambées, claquant la porte sur son passage. On aurait dit que le bâtiment tout entier en trembla.

Dominique Destin eut alors un ricanement très bref.

— « L'odieux est la porte de sortie du ridicule », murmura-t-il, citant Victor Hugo.

Puis il décrocha son téléphone.

Il y avait des dossiers qui ne pouvaient attendre.

(7)

SAMEDI, 9 H 20
CENTRE HOSPITALIER UNIVERSITAIRE, ANGERS

Ilsa partit à 5 h 15 du matin au volant de la BMW. Elle opta pour la voiture plutôt que le train – un TGV reliait pourtant Paris à Angers en une heure trente –, afin d'être plus libre une fois dans la ville. Elle prit le temps d'étudier à fond le dossier relatif à Anouar Allila que Nicolas Mandragore avait installé sur sa tablette. Elle consacrerait ainsi son trajet de trois heures sur l'autoroute à réfléchir à la meilleure tactique pour approcher Anouar et le convaincre de se confier à elle. Ilsa n'oublia pas également de prendre une carte d'identité dans la douzaine mise à sa disposition – ainsi que le permis de conduire correspondant. Elle choisit celle d'une jeune femme de dix-neuf ans résidant dans le XIX⁰ arrondissement de Paris. Deux ans de plus qu'elle, ça passerait sans souci. Elle s'équipa également d'un pistolet de poche, un Kel-Tec P-32, au cas où.

Le trajet lui permit donc de déceler les failles dans la déclaration d'Anouar. Et, après avoir passé en revue plusieurs solutions possibles, à la hauteur de La Flèche, elle termina d'élaborer sa tactique pour convaincre le jeune homme de lui parler de son « accident ». Justement, il existait des zones d'ombre que la police ne semblait pas avoir vues. Ou ne pas avoir voulu voir, au choix. Anouar avait été retrouvé blessé sur la route menant au lieu-dit de la Touche-Aux-

Ânes, à l'ouest d'Angers, non loin de l'autoroute qui menait à Nantes. Il disait s'être coupé l'index en escaladant le mur d'une propriété dont le faîte était recouvert de tessons de bouteille pour dissuader les intrus. Une explication peu convaincante qui n'expliquait pas la disparition du doigt. Anouar avait certainement menti. Et elle devait apprendre la raison de ce mensonge.

Bientôt, les toits d'ardoises de la ville d'Angers et les deux flèches de la cathédrale Saint-Maurice se détachèrent sur l'horizon gris et bouché du ciel. Le jour peinait à se lever. Ilsa n'avait pas éteint les feux de la voiture.

Soudain il se mit à pleuvoir à grosses gouttes sur la préfecture du Maine-et-Loire. Au loin, des éclairs zébrèrent le ciel.

Le GPS intégré au 4 x 4 la mena sans détour vers sa destination. Le faisceau du GPS, made in Mandragore, subissait un retraitement par plusieurs serveurs avant d'arriver vers le satellite qui assurait la géolocalisation du véhicule. Cette particularité le rendait peut-être un peu plus lent qu'un système ordinaire vendu dans le commerce mais assurait à son utilisateur la plus parfaite confidentialité.

— Un temps parfait qui donne le moral, grommela Ilsa en se garant sur le vaste parking du CHU, quasiment vide à cette heure.

Elle ne sortit pas immédiatement de la voiture. Le trajet sans arrêt depuis Milon l'avait fatiguée. Elle s'accorda donc une petite pause, ouvrit son Thermos et se servit une énième tasse de café en grignotant une barre de céréales qu'Émile, en tant que chef du ravitaillement, laissait à leur disposition dans la boîte à gants.

Émile… Il avait atterri à Biarritz à 8 h 30.

Et Zacharie et Neil devaient être en vol pour Vaduz.

Les Effacés étaient de nouveau en action.

Le bruit lancinant des gouttes de pluie sur le pare-brise la précipita dans une demi-somnolence.

Le centre hospitalier, immense et riche d'une trentaine de bâtiments, se situait au bord de la Maine, sur la rive droite, en face du centre-ville. Ilsa longea plusieurs édifices et traversa trois patios avant d'arriver au service des urgences. Une fois à l'abri, elle se débarrassa de son blouson dégoulinant, avant de prendre la direction de l'accueil.

Les choses sérieuses allaient pouvoir commencer.

— Bonjour, je viens rendre visite à Anouar Allila, dit Ilsa à la jeune femme en blouse à l'accueil.

Elle adressa un sourire radieux à son interlocutrice avant de continuer :

— Pouvez-vous m'indiquer son numéro de chambre ?

Bien sûr, Ilsa le connaissait. Il figurait dans le dossier. Mais elle ne devait pas éveiller les soupçons.

— Chambre 217, répondit la jeune femme après avoir consulté son écran.

Ilsa la remercia chaleureusement avant de se diriger vers les ascenseurs.

— Attendez ! lança la chargée d'accueil. Il est tôt, je vais m'assurer que le patient est bien réveillé et…

— Pas la peine, l'interrompit Ilsa. J'apporte justement les croissants.

Et elle hissa son sac à dos devant elle pour donner corps à ses dires.

Sac à dos qui contenait un certain nombre d'objets, dont un pistolet de poche, mais pas la moindre miette d'un quelconque croissant.

L'autre, émue par cette marque d'attention pour ce pauvre gamin qui avait perdu un doigt, hocha la tête. Et puisque les portes de l'ascenseur s'ouvraient, Ilsa s'y engouffra.

La chambre 217 se trouvait tout au bout d'un long couloir dont la plupart des portes étaient encore fermées.

Tant mieux.

Ilsa frappa. Personne ne répondit. Elle entendit pourtant des sons provenant de la chambre, les bruitages caractéristiques d'un dessin animé. Elle se décida à entrer.

— Anouar ?

Le jeune garçon sursauta et, immédiatement, éteignit la télé. Il dévisagea Ilsa de ses grands yeux noirs et eut un second geste de recul, collant son dos contre le matelas relevé du lit d'hôpital.

Il s'agissait bien de lui. Son visage collait avec la photo pourtant floue projetée par Mandragore.

— Qui êtes-vous ? demanda-t-il.

Dehors, la pluie avait redoublé d'intensité. L'orage était à présent au-dessus de la ville. Le tonnerre roula tout près et fit sursauter le blessé.

— Tu peux me tutoyer, tu sais...

Ilsa posa son sac et son blouson sur la chaise en plastique qui faisait face au lit. Anouar avait un cathéter posé sur son avant-bras gauche relié à une poche de plastique contenant un liquide transparent. Une perfusion antidouleur très probablement.

— Je vous ai demandé qui vous êtes... reprit le garçon, qui fronçait les sourcils à se les mélanger.

Instinctivement, il avait laissé filer son bras gauche le long du lit, pour que sa main bandée ne soit plus visible de sa visiteuse.

— Si c'est encore la police, montrez-moi votre carte.

— Méfiant ?

Ilsa s'était approchée de lui.

« Perfalgan ». Il s'agissait bien d'un analgésique.

— Oui.

— Je ne fais pas partie de la police.

— Alors vous êtes une amie de ma mère ? Vous venez m'apporter mes classeurs de sa part ?

— Non plus. Pourquoi, tu attends quelqu'un ?

Anouar se mordit les lèvres. Il avait beau avoir un QI beaucoup plus élevé que la moyenne, il commettait quelquefois des bourdes insensées. Il était désarçonné par la présence de cette très jeune femme. Quel âge pouvait-elle bien avoir ? Dix-huit ans à peine.

— Laissez tomber…

— Je ne suis ni de la police ni liée de près ou de loin à ta mère. Et c'est pourquoi je peux t'aider.

Anouar resta muet. Qui était-elle alors, cette jeune fille brune et plutôt jolie, qui débarquait dans sa chambre un samedi matin et qui semblait ici comme chez elle ?

— En quoi peux-tu m'aider ?

Ilsa savait qu'Anouar entretenait de très mauvais rapports avec sa mère. Comme la plupart des parents d'enfants surdoués, cette dernière ne comprenait pas que ses formidables capacités intellectuelles pouvaient aussi être un handicap, et non une chance, et n'accordait qu'une importance toute relative aux plaintes de son fils. Pour elle, femme de ménage attachée à la mairie, son fils ne pouvait être martyrisé puisqu'il était plus intelligent que les autres. Il devait plutôt être adulé. Et ses plaintes n'étaient qu'invention ou, pire, de la mythomanie.

— Tu t'es engueulé avec ta mère, hier, hein ?

Le garçon approuva, plus méfiant que jamais.

— Les infirmières ont cafté ? Faut dire que l'autre hurlait comme c'est pas permis. Que j'étais dingue, que je ne respectais rien, qu'elle avait suffisamment de trucs à payer pour ne pas avoir en plus un malade en chambre individuelle sur les bras. Des douceurs sympas dans ce genre-là… Alors, oui, on s'est engueulés.

— Et elle est partie sans te dire au revoir ?

— Oui. Et je ne pense pas qu'elle viendra m'apporter mes classeurs comme je le lui avais demandé.

Ilsa hocha la tête.

— Je peux aller te les chercher, si tu veux.

— Et pourquoi tu ferais ça ?

— Pour te rendre service d'abord… Et ensuite parce que j'aimerais que tu m'aides à résoudre une équation un peu complexe.

Un début de sourire se dessina sur le visage d'Anouar.

— Très drôle ! Ne me dis pas que tu es en terminale au lycée et que tu viens me quémander la solution d'un devoir à la maison pour lundi sur lequel tu sèches… La bonne blague !

— Tu veux bien m'aider ? insista Ilsa.

Le blessé haussa les épaules.

— Une équation de terminale S, je la résous de tête et en à peine plus de temps qu'il ne t'en faut pour me la transmettre. Vas-y, balance !

Maintenant. Tout consisterait à dompter la réaction du garçon. Elle allait se dévoiler. Il n'y aurait plus de marche arrière possible.

— C'est un problème de logique plus qu'une équation. Comment l'index d'un garçon de douze ans que l'on retrouve évanoui à un point A peut-il être sectionné par des tessons de bouteille sur le mur d'une propriété alors qu'il n'existe aucun mur de cette sorte dans un rayon de dix kilomètres autour de ce point A ?

Elle marqua une pause, plongeant ses grands yeux dans ceux, très sombres, d'Anouar.

— Quelqu'un t'a sectionné intentionnellement l'index, c'est ça la vérité, non ? Et pour une raison que j'ignore, tu préfères garder l'identité de cette personne secrète. Je parie que, si l'on se rend de l'autre côté du soi-disant mur, on ne trouvera jamais ton index.

La première réaction d'Anouar fut la stupeur. Il enleva sa couverture d'un geste et bondit au pied du lit, manquant de renverser la perfusion au passage.

Ilsa ne bougea pas d'un cil. Affolé, le regard du garçon allait de la fenêtre à la porte.

— C'est lui qui t'envoie ? demanda-t-il, haletant.

— Lui qui ?

— Celui qui signe d'un M... répondit Anouar.

Ce fut au tour d'Ilsa de marquer son étonnement.

— Mandra...

Elle s'arrêta net. Non, c'était impossible. Ce M, ce devait être un autre. Elle faisait fausse route.

Ilsa se sentait dépassée par les réactions du garçon. Comment se sortir de cette situation ? Jouer la complice, c'était l'attitude rêvée pour le faire parler, pour qu'il donne des noms, des lieux, toutes les informations nécessaires à Nicolas pour faire le lien entre les incidents. Mais pendant combien de temps pourrait-elle donner le change ?

Un éclair illumina les murs froids de la chambre. À présent, l'orage était très exactement au-dessus d'eux.

— Je ne sais pas qui tu es, mais tu vas pouvoir m'aider. Les médecins refusent de me faire sortir d'ici sans l'accord de ma mère, alors qu'elle ne reviendra pas avant lundi. Je dois absolument récupérer des documents chez moi. Tu as une voiture ?

L'Effacée se força de ne pas imprimer sur son visage l'expression du triomphe. C'était une occasion inespérée. Elle acquiesça.

— Bon, il te suffit de faire le guet pour que je sorte tranquillement de la chambre. Nous sommes au bout du couloir, à proximité d'une porte qui donne sur un escalier extérieur. Tu es garée loin ?

— Sur le parking des visiteurs, près du fleuve. Oui, assez loin.

Anouar se mordit les lèvres.

— C'est emmerdant.

— Pourquoi ? Tu ne peux pas marcher ?

— Ce n'est pas ça. J'ai surtout rien à me mettre. Je suis arrivé comme un malheureux ici. Mes vêtements étaient tachés de sang. J'ai cet horrible pyjama de l'hôpital, c'est tout. Ma mère n'a pas eu la présence d'esprit de m'apporter des fringues.

Ilsa tapotait le dossier de la chaise à sa portée. Signe qu'elle réfléchissait.

— Écoute, je vais essayer de t'en trouver.

— Ça va être coton. J'y ai bien pensé. Le vestiaire des médecins, par exemple. Mais des internes de douze ans, ça ne court pas les rues.

— Non, mais un autre patient de ton âge, si.

— Trop risqué. Si tu te fais surprendre dans une chambre en flagrant délit, c'est foutu.

— Ne t'inquiète pas pour ça. Dans trente secondes, appelle l'infirmière. C'est tout ce que je te demande, je m'occupe du reste.

Et Ilsa sortit, laissant derrière elle Anouar qui faisait basculer la perfusion pour donner une raison valable à son appel.

Belle initiative.

L'Effacée remonta le couloir jusqu'au poste de garde des infirmières. Le hic, c'est qu'elles étaient deux. Elle passa devant elles en leur adressant un petit signe de la main.

Elle devait pourtant trouver un moyen de les éloigner toutes deux du local afin de consulter le registre des admissions et dégoter un patient dans les âges d'Anouar.

Une chambre vide. Si seulement il restait une chambre vide.

Elle continua son avancée, scrutant les portes avec attention. Lorsqu'une d'entre elles était entrouverte, elle tendait l'oreille pour savoir si la pièce était occupée.

Ilsa commençait à désespérer. Trente secondes, elle entendit une brève sonnerie et se retourna. Une petite lumière clignotait au-dessus de la porte d'Anouar. Le garçon avait fait le job. Une des infirmières sortit presque aussitôt du local en direction de la chambre.

Plus que quatre portes. Et, heureusement, Ilsa tomba sur une chambre vide. Les rideaux étant tirés, l'adolescente eut bien de la peine à mettre la main sur la sonnette d'alarme dans l'obscurité. L'infirmière allait-elle marcher dans la combine ? Elle pourrait tout aussi bien penser à un dysfonctionnement de l'alarme de la chambre inoccupée et ne pas se déplacer. Ou venir, justement, pour débrancher la sonnette.

Ilsa n'avait guère le temps de tergiverser. Elle pressa le bouton et sortit aussitôt, l'air innocent, remontant vers le poste de garde.

Son cœur fit un bond dans sa poitrine lorsqu'elle vit la seconde infirmière marcher dans sa direction en pestant. Elle n'eut pas même un regard pour Ilsa.

Dès qu'elle l'eut dépassée, l'Effacée en profita pour pénétrer dans le local et, d'un coup de souris, accéda au registre des admissions. Elle cliqua sur la colonne « dates de naissance » et obtint une liste par ordre chronologique. Chambre 223 : un gamin de treize ans admis pour une intoxication alimentaire. Ça ferait l'affaire.

Ilsa se précipita vers la chambre et entra sans même frapper.

Elle espérait que l'adolescent dormait, terrassé par sa maladie, mais le patient était en train de regarder une série à la télé.

— J'ai pas faim ! dit-il, sans même détourner la tête de l'écran.

C'était un gaillard de taille moyenne mais très large d'épaules. Des cheveux blonds lui descendaient sur la nuque et il portait un diamant à l'oreille gauche. Pas vraiment le physique d'Anouar mais ça ferait l'affaire.

— Je viens pour déposer vos vêtements à la lingerie, dit Ilsa en ouvrant sans vergogne le placard de la chambre.

— C'est ça !

L'adolescent se fichait éperdument de sa présence et si, plus tard, on l'interrogeait sur le physique de cette soi-disant employée de l'hôpital qui était venue lui voler un pantalon, un sweat-shirt et un blouson, il ne pourrait pas même préciser la couleur de ses cheveux.

Ilsa fourra le tout dans son sac à dos et sortit sans se faire prier, en reprenant un air angélique. Air qui plut à l'infirmière venant de la chambre d'Anouar qui lui adressa un grand sourire.

L'Effacée retourna auprès du jeune blessé et lui tendit les vêtements.

— Mets ça, et dépêche-toi.

L'autre eut un haut-le-cœur.

— Mais c'est hideux ! Presque pire que ce que ma mère peut me rapporter quand elle cherche à m'habiller.

— Ne fais pas la fine bouche.

Anouar décrocha à nouveau la perfusion que l'infirmière venait de lui poser et ces manœuvres rapprochées provoquèrent cette fois une vive douleur au bras. Il serra les dents pour ne pas crier.

— C'est bon ! dit-il en enfilant le blouson.

— Attends ici, je sors et je frapperai deux fois lorsque tu pourras sortir. La porte de l'escalier est à une dizaine de pas. C'est une issue de secours, une simple barre à pousser.

— Merci du conseil, répliqua Anouar avec une grimace.

Ilsa se posta devant la porte de la chambre et fit mine de fouiller son sac à dos pour se donner une contenance. Mais le couloir était désert. Attendre pour être bien sûr. Mais attendre quoi ? Elle frappa à deux reprises sur le battant et sentit aussitôt un courant d'air dans son dos. Anouar filait vers l'issue de secours.

Elle le rejoignit.

La porte se referma dans un chuintement. Dehors, la pluie tombait toujours aussi dru.

Facile pour le moment.

Ils se trouvaient dans l'escalier extérieur du bâtiment. Et ils étaient déjà trempés comme des soupes.

(8)

SAMEDI, 9 H 35
CENTRE HOSPITALIER UNIVERSITAIRE, ANGERS

Le cerveau d'Anouar tournait à une allure vertigineuse. Qui était-elle, cette fille brune ? Qui l'avait envoyée sur sa route ? Elle disait vouloir l'aider. Elle pouvait tout aussi bien être de mèche avec les ordures qui lui avaient coupé l'index. Car on n'allait pas se contenter de son seul index, on voulait ses classeurs préparatoires, très certainement. On aurait envoyé cette adolescente à l'hôpital avec son joli minois pour l'attendrir, pour qu'elle l'aide à s'évader et qu'il la conduise aux documents.

Il en était conscient. La probabilité était élevée. Mais c'était un risque à prendre. Une fois chez lui, il pourrait toujours lui fausser compagnie après avoir récupéré ses dossiers. Il avait plusieurs avantages sur elle. Il connaissait leur emplacement exact dans le pavillon et saurait la semer dans les allées du lotissement qu'il connaissait comme sa poche.

Pour le moment, il devait se concentrer sur sa sortie définitive. Il suivit cette fille en bas de l'escalier. Ils longèrent ensuite le bâtiment des urgences, au pas de course. L'obscurité allait faciliter leur fuite.

« Ilsa, les infirmières de l'étage viennent de s'apercevoir de l'absence d'Anouar et sont en train de la signaler au poste de sécurité. Terminé. »

Cette voix de l'intérieur, qu'Ilsa reconnaissait entre toutes, était celle de Nicolas Mandragore. Le dispositif inséré dans la boîte crânienne des Effacés permettait à leur mentor de rester en contact avec le groupe quoi qu'il advienne. Il entendait tout mais pouvait aussi communiquer avec ses ouailles.

— Bien reçu, répondit-elle.

Anouar, qui se trouvait à sa hauteur, tourna vivement la tête.

— À qui tu parles ?

— À personne. Tais-toi et suis-moi. On a signalé ta fuite, il va falloir la jouer serrée.

Ilsa et le jeune garçon devaient rejoindre le parking et la BMW, aucune autre possibilité ne se présentait à eux. Ils se trouvaient entre les laboratoires et les locaux administratifs. Ilsa demanda d'un geste à Anouar de stopper sa course. Il avait les cheveux trempés. L'Effacée ne remarqua aucune activité dans l'enceinte du CHU. Les agents de sécurité ne s'étaient pas encore lancés à leur poursuite.

— Le parking est là-bas.

Elle montra un vague point sur leur gauche.

— Le problème, c'est qu'il va falloir traverser l'allée centrale pour aller se réfugier derrière le bâtiment de la maternité. On va le faire séparément, et à deux endroits et deux tempos différents. Je vais y aller d'abord et tu guetteras mon signal pour te lancer ensuite.

Ilsa ne lui laissa pas même le temps d'acquiescer et elle se rua vers sa destination. Après une courte pause entre deux platanes qui bordaient l'allée centrale, elle traversa et se mit à l'abri contre un appentis. Aussitôt, elle fit signe à Anouar de l'imiter.

Le jeune garçon arriva tout essoufflé et prononça un mot, mais Ilsa n'entendit rien. La pluie crépitait intensément sur le toit de tôle ondulée.

« Ilsa, ils vont abaisser la barrière à la sortie du parking et contrôler les véhicules. »

— Pas d'autres solutions que de foncer ? demanda-t-elle.

« En effet. Il faut éviter le contrôle. On ne va pas mettre Anouar dans le coffre, vu son état. Pense juste, plus tard, à changer le chiffre et la lettre amovibles sur la plaque d'immatriculation pour éviter tout repérage. Seconde lettre, troisième chiffre sur la BMW. Terminé. »

À présent, Anouar distinguait le parking qui comprenait une quinzaine de véhicules tout au plus.

— Qu'est-ce qu'on attend pour se décider, Jeanne d'Arc ? demanda-t-il. Que tu entendes à nouveau des voix ?

Ilsa partit en courant. Elle atteignit le 4 x 4 en quelques secondes et ouvrit les portières à l'aide de la télécommande. Une fois Anouar installé sur le siège avant, elle verrouilla et mit le contact en pressant un bouton sur le tableau de bord. Les essuie-glaces automatiques commencèrent aussitôt leur danse sur le pare-brise.

C'est alors qu'ils virent deux hommes en uniforme courir vers eux en agitant les bras.

— Accroche-toi, dit-elle simplement, en enclenchant la boîte de vitesses automatique en position « sport ».

Et Ilsa appuya sur l'accélérateur. La BMW bondit et, d'un coup de volant, l'Effacée évita les deux vigiles pour se faufiler entre une Twingo à l'arrêt et une camionnette qui, elle, tentait d'entrer sur le parking. Elle accéléra encore au moment de passer devant le poste de garde. La barrière se trouvait effectivement baissée. Une seconde après cette constatation, elle était pulvérisée. La voiture n'avait pas dérapé d'un centimètre dans la manœuvre.

Anouar, recroquevillé sur son siège, releva la tête un peu plus loin, lorsque Ilsa modéra enfin son allure.

— Il va falloir que tu me guides jusqu'à chez toi.

Mais Anouar, glacé autant par la situation que par ses vêtements trempés, désigna le GPS.

— Programme ton machin, il sera plus utile que moi. 160, rue du Grand-Douzille. C'est un petit lotissement, je te guiderai après.

Ils traversèrent le pont de la Haute-Chaîne puis continuèrent à suivre la Maine sur l'autre rive. Ilsa vérifia que personne ne les suivait. Elle pensait même que les vigiles n'avaient pas eu le temps de relever la plaque, mais elle effectuerait par précaution les changements conseillés par Nicolas.

À un feu rouge, sur la devanture d'une maison de la presse, elle découvrit le journal local, *Le Courrier de l'Ouest*, qui étalait en une les photos de l'accident de jet survenu la veille en pleine ville. Et, à en juger par les propos d'Anouar, il se pourrait que cela ait un lien avec ces doigts tranchés.

— Pourquoi veux-tu récupérer absolument ces documents ? demanda Ilsa en coupant le son du GPS.

— Ils sont importants pour moi, c'est tout.

— Tu ne veux pas m'en dire plus ?

— Non. Pas maintenant. Pas avant de les avoir avec moi.

Ilsa n'insista pas.

— Ta mère risque d'être à la maison et de s'étonner de ton retour, continua l'Effacée. Il faut que tu inventes quelque chose.

Le jeune Maghrébin haussa les épaules.

— J'espère qu'elle sera là car je n'ai pas les clefs. Bah ! Elle gueulera peut-être un bon coup mais je m'en fous. De toute façon, je n'ai pas l'intention de rester. Je prends mes classeurs et je me barre.

— Où ça ?

— Quelque part.

Il jeta un bref regard dans le rétroviseur avant de poursuivre :

— Concentre-toi sur ta conduite, tu me poseras tes questions plus tard. Tu es certaine que personne nous suit ?

— Non, tout va bien. Tu es très nerveux. Ne t'en fais pas. Tu n'as rien à craindre à présent.

Anouar fit une grimace.

— Si tu dis ça, c'est que tu ignores l'importance de ce qui est en jeu.

La BMW filait vers sa destination.

Quelques minutes plus tard, le garçon indiqua :

— C'est la petite maison, là, sur la gauche.

Ilsa entra dans la cour du lotissement, se gara un peu en retrait du pavillon d'Anouar et coupa le moteur.

— Bizarre. Ma chambre est allumée. C'est la seule fenêtre qu'on peut voir d'ici.

Cela avait l'air de le contrarier.

— Tu es armée ? demanda-t-il subitement.

— Non, répondit Ilsa après une seconde de réflexion.

Elle ne voulait pas l'effrayer. Et puis reconnaître porter une arme, c'était se dévoiler, ouvrir la porte à de trop nombreuses questions.

La pluie s'était un peu calmée. Anouar descendit le premier et attendit Ilsa devant la porte de la maison. Il eut un bref moment d'hésitation.

— J'espère que...

Mais il ne termina pas sa phrase. Cela ne servait à rien de tergiverser. Prendre ses classeurs, oui, et partir vite et loin.

La poignée s'abaissa, la porte n'était donc pas fermée à clef. Dans une situation normale, un garçon de douze ans, à cet instant, aurait crié « Bonjour maman ! » avant de monter dans sa chambre. Juste pour signaler sa présence. Mais Anouar ne dit rien et grimpa deux par deux les marches de l'escalier qui faisait face à la porte d'entrée. Il tourna à gauche et poussa la porte de sa chambre.

Le pavillon était petit, l'espace, exigu. Ilsa dut bousculer Anouar pour entrer elle aussi dans la pièce.

La lumière jaunâtre du plafonnier éclairait un désordre de livres et de papiers. Deux bibliothèques avaient été renversées.

— Ils sont venus, siffla le garçon. Mais ils n'ont pas forcément trouvé…

Il fit quelques pas, en prenant soin de ne pas marcher sur des livres de mathématiques pourtant en piteux état, puis fouilla une caisse verte transparente, près de son lit, qui contenait de vieux comics.

Quand il se releva, Ilsa lut sur son visage une profonde détresse.

— Elle leur a dit !

Il donna un coup de pied dans la caisse. Ses bras tremblaient.

— Ils n'auraient pas pu trouver, autrement. Elle leur a dit…

Il se rua hors de la chambre, écartant Ilsa d'un coup d'épaule. Il y avait bien un rai de lumière sous la porte de la chambre de sa mère.

— Maman, tu leur as dit, hurla-t-il en ouvrant le battant. Je t'avais pourtant mise en garde…

Il s'arrêta net sur le seuil de la chambre.

Sa mère était étendue sur le sol, devant son lit.

Un filet de sang s'écoulait de sa tempe. La moquette en était trempée.

— Maman !

Ilsa découvrit instantanément l'horreur de la situation. Elle soutint Anouar, qui tremblait comme s'il était pris d'une crise d'épilepsie.

— Maman, lâcha-t-il, cette fois dans un murmure.

Ilsa mit sa main devant les yeux du jeune garçon et détourna son visage de la scène.

— Alors, c'est que tu n'es pas avec eux, balbutia Anouar. Ils ont déjà volé mes classeurs, ils ont tué ma mère...

Il s'effondra dans les bras d'Ilsa.

— Écoute... Maintenant, je n'ai plus rien à perdre. Je vais tout te raconter...

(9)

SAMEDI, 9 H 45
RUE DU PORT-VIEUX, BIARRITZ

Visible entre deux immeubles au bout de la rue, la mer déchaînée semblait comme impatiente de déverser ses flots sur la ville entière de Biarritz. Le Pays basque était réputé pour ses orages et cette journée de pluie n'allait en rien ternir sa réputation. Une chance pour Émile que l'avion de 8 h 30 ait pu atterrir avec juste une dizaine de minutes de retard à l'aéroport.

L'Effacé n'avait pas chômé depuis son arrivée et, malgré un temps à ne pas mettre un Basque dehors, il avait mené sa petite enquête autour du domicile de Jeanne Dervaux pour arriver à la conclusion sans équivoque, même si elle ne s'avérait guère réjouissante pour lui, que la chargée de communication avait quitté son appartement très tôt le matin, avant 7 heures, selon le patron de l'hôtel *Palym*. Celui-ci l'avait vue s'engouffrer dans un taxi, une Mercedes grise, après avoir chargé dans le coffre du véhicule deux énormes valises noires.

Et, oui, sa main droite était bien bandée.

La tuile. Émile avait peut-être même croisé Jeanne Dervaux à l'aéroport à son arrivée, sans y prêter la moindre attention.

Où était-elle à présent ?

Il fallait à tout prix retrouver sa trace.

Tandis que l'Effacé tentait d'échafauder un plan pour localiser la Mercedes en question, accoudé au comptoir d'un café devant une tasse de chocolat chaud, une voix familière résonna à son tympan. Il lança un billet de cinq euros sur le comptoir et s'empressa de sortir.

« Émile, mission annulée de ton côté. Je répète, mission annulée de ton côté. »

Voilà. C'était ce qu'il craignait.

Émile se tourna face à un mur pour répondre.

— J'ai pourtant de bonnes chances de retrouver le taxi…

« On ne prend plus de risques. Anouar est en train de cracher le morceau à Ilsa et de confirmer son lien avec Jeanne. »

— Cool. J'ai pas l'air d'un blaireau : huit cents kilomètres et quatre-vingts kilos de CO_2 pour un pauvre interrogatoire et un chocolat chaud… Je rentre à Milon ?

Il n'avait même pas eu le temps de voir la villa Eugénie et le rocher de la Vierge.

« Négatif. Tu files à l'aéroport pour embarquer sur le vol Air France 3267 de 10 h 10 à destination de Nice. Je viens de te réserver une place. »

— Nice ? *So nice*… Et je fais quoi, précisément, là-bas ?

« Le vol est dans vingt minutes. Je te conseille de retourner au café et de leur demander de te commander un taxi. »

Émile s'exécuta, pestant contre lui de ne pas avoir eu la présence d'esprit de le faire immédiatement.

« J'ai intercepté un appel d'urgence à un commissariat. Une grand-mère qui tenait un discours décousu mais qui pourrait bien nous intéresser. Elle disait qu'elle avait vu des types encagoulés pénétrer chez son voisin au petit jour et en sortir dix minutes plus tard à toute vitesse, suivis peu après par le propriétaire des lieux, le visage tuméfié et… une main entourée d'un bandage taché de sang. La voisine est formelle, elle a vu la scène à travers son œilleton.

Mais la police n'a pas donné suite. Il semblerait que la grand-mère soit une habituée des appels loufoques au commissariat. Un brin parano, quoi. Mais, moi, son témoignage m'intéresse. Émile, tu es toujours là ? »

— Tu as l'identité du soi-disant mutilé ?

« Un certain Marc Siniac, gérant d'une petite boutique de jeux vidéo. Aucun lien apparent entre Anouar, Jeanne et lui. Mais je te tiens au courant dès qu'Ilsa aura du neuf. »

Émile aperçut un peu plus loin son taxi qui arrivait. Ce n'était pas une Mercedes grise.

« Au fait, tu ne seras pas dépaysé. L'appel a abouti au commissariat de Saint-Raphaël, dans le Var. Une ville que tu connais plutôt bien, ça facilitera ton intégration. »

Émile approuva. C'était là que ses parents étaient enterrés tout comme lui-même était supposé y reposer. Au cimetière Alphonse-Karr. Il y avait passé une partie de son enfance et revenait pour les vacances de Pâques et les grandes vacances dans la maison de ses grands-parents avant leur décès. Il devrait veiller à ne pas croiser de têtes connues. Mais cela faisait si longtemps… Bon, il pourrait au moins reprendre l'accent.

— Mon taxi arrive, Nicolas.

« Je t'envoie le tout sur ta tablette. Le message audio, le profil du type en question et le reste. Bon vol. »

— Quand même, dire qu'on aurait pu s'éviter huit cents bornes jusqu'ici…

Mandragore eut un petit rire sec.

« Dans la réalité, tout n'est pas aussi impeccable que dans un scénario hollywoodien, Émile. Terminé. »

(10)

SAMEDI, 9 H 50
RUE DU GRAND-DOUZILLE, ANGERS

Ilsa éteignit la lumière de la chambre maternelle et ferma doucement la porte. Il était trop tard. Il n'y avait plus rien à faire pour la mère d'Anouar. L'Effacée touchait au but de sa mission à Angers. Mais quel moment pénible à passer pour l'atteindre...

Ilsa tenait toujours Anouar dans ses bras et lui caressait l'épaule, dans un geste spontané de réconfort, geste dont le jeune garçon avait, semble-t-il, été sevré dès le plus jeune âge. Il pleurait à présent, mais en silence, avec une grande pudeur.

Et toujours cet orage, cette pluie, ce tonnerre. Et ce noir au-dehors. Le noir d'une nuit en pleine matinée.

— Tu avais raison, dit-il enfin alors qu'ils se trouvaient toujours sur le palier, à l'étage. Mon doigt amputé, ce n'est pas un accident. Comment le sais-tu ? Qui es-tu au juste ?

Elle décida qu'il était temps de se dévoiler, tout au moins en partie pour gagner la confiance d'Anouar.

— Je collabore aussi avec un certain M, mais je doute qu'il s'agisse du même homme. Nous sommes cinq adolescents et nous formons un groupe, les Effacés, dont la raison de vivre est de mettre au jour des affaires que les puissants préféreraient voir rester dans l'ombre.

Anouar hocha la tête. Cette explication, quoique succincte, semblait l'avoir convaincu. D'un autre côté, que pouvait-il bien faire à présent ? Il se trouvait plus seul que jamais.

— Ton témoignage à propos de ton index sectionné a attiré notre attention, poursuivit Ilsa. D'autant que tu n'es pas le seul à avoir subi cette mutilation dans les dernières vingt-quatre heures.

Anouar accusa le coup.

— Oh non ! Alors, tout est foutu...

— Si tu me racontais, je pourrais certainement t'aider.

— Oui, bien sûr, mais pas là. On ne peut pas aller dans ta voiture ?

Ilsa se mordit les lèvres. Comment n'avait-elle pas eu la présence d'esprit de le proposer au jeune garçon ? D'autant que les flics, prévenus par l'hôpital, pouvaient arriver d'une seconde à l'autre.

— Je vais t'emmener dans un lieu sûr. Tu ne prends rien avec toi ?

— Non, répondit-il en secouant la tête. Ils m'ont pris le plus important et je me fiche du reste.

Il s'en voulut immédiatement d'avoir dit cela. L'image de sa mère s'imposait à nouveau. Il se mit à respirer fort, le visage pâle, retenant son émotion à grand-peine.

Ils regagnèrent la voiture. Avant de se mettre derrière le volant, Ilsa enleva le troisième chiffre et la seconde lettre sur les plaques minéralogiques avant et arrière de la BMW et les remplaça par d'autres éléments qu'elle trouva à sa disposition dans la boîte à gants. Les plaques des voitures des Effacés bénéficiaient toujours de ce petit aménagement voulu par Mandragore. Un chiffre et une lettre parfaitement amovibles et remplaçables. Cela n'avait pas le chic d'une série de plaques tournantes, à la James Bond, mais c'était tout aussi efficace.

— Où on va ? demanda Anouar.

— Près de Paris. Dans un endroit où tu ne risqueras absolument rien.

Ilsa démarra. Anouar ne se retourna pas. Ils sortirent du lotissement. Une fois sur la route principale, l'Effacée suggéra :

— Et si maintenant tu m'aidais à y voir plus clair ?

— Avant, j'aimerais que tu me dises les noms de ceux à qui on a coupé le doigt…

— Jeanne Dervaux, qui habite Biarritz et qui gère la communication du club de rugby de la ville.

Le visage d'Anouar s'obscurcit.

« Marc Siniac, propriétaire d'un magasin de jeux vidéo à Saint-Raphaël. »

La voix de Mandragore venait de souffler l'identité de la dernière victime à Ilsa, qui répéta aussitôt le nom à son passager.

Là, le visage du garçon ne fut plus qu'une ombre.

— Alors il risque d'y passer aussi. À moins qu'il ne soit mort dans l'accident de son jet.

Ilsa commençait à s'impatienter.

— Qui, il ?

— Celui qui signe d'un M. Mathieu, le boss. Celui pour qui j'ai développé mon algorithme.

— Je ne vois pas du tout de quoi tu parles. Et puis, c'est quoi, un algorithme, concrètement ?

— C'est une série d'opérations à effectuer à la suite ou en parallèle et qui permet de résoudre un problème la plupart du temps complexe. C'est avant tout un concept mathématique, purement intellectuel. Un truc que les mathématiciens chevronnés font pendant leur temps libre, pour se détendre, un peu comme les mots croisés pour ceux qui aiment les mots.

— Et je suppose que ça peut avoir une application dans la vie quotidienne ?

Anouar haussa les épaules.

— Bien sûr ! Comme l'ensemble des mathématiques. Tu crois que ce pont là-bas, qui enjambe la Maine, tiendrait tout seul si des ingénieurs n'avaient pas calculé précisément la taille des fondations, la distance entre les piliers, et je t'épargne le reste ?

— Et toi, ton algorithme, il sert à quoi au juste ?

— Le premier servait à crypter et décrypter des fichiers sur un ordinateur. Un code de dingue que les services secrets du monde entier auraient dû s'arracher pour décrypter les conversations des tarés d'al-Qaida et éviter ainsi le prochain 11 Septembre. Je m'étais vanté sur un forum et Mathieu m'a contacté à ce moment-là. Il était bluffé. Il travaillait encore comme trader dans une grande banque américaine à cette époque, Silverman Brothers, et cherchait à se mettre à son compte. Un vrai golden boy qui jonglait avec des millions d'euros à Londres et à New York. Quand il parlait, les mecs de la Bourse le suivaient comme des moutons et faisaient exactement ce qu'il disait.

— Mathieu comment ? demanda Ilsa.

Nicolas Mandragore devait lui aussi attendre avec impatience le nom du type pour lancer ses recherches et ses propres algorithmes.

— Mathieu. Il ne m'a jamais dit son nom de famille, et je ne le lui ai jamais demandé.

— Continue…

— Il m'a sollicité à propos de la conception d'un algorithme que l'on pourrait déployer sur les marchés financiers, un peu comme un virus informatique. Un programme puissant qu'on lancerait quand on veut et qui dicterait la tendance des cours. Quand tu passes un ordre d'achat ou de vente, en face, tu trouves une contrepartie. Si tu arrives à vendre une action, par exemple, c'est qu'un type te l'achète. L'idée de base, c'est de multiplier les ordres en accélérant la vitesse des transactions, ou bien en les découpant en infimes quantités. Alors tu produis une surcharge d'opérations qui induit les systèmes des Bourses en erreur, qui les dérègle complètement, et là tu te retrouves en situation de faire ce que tu veux. Tu es le maître des lieux, le maître de plusieurs milliers de milliards de dollars.

— Et toi, du haut de tes douze ans, tu as réussi à concevoir cet algorithme...

Le ton d'Ilsa ne contenait pas la moindre trace d'ironie.

— C'est ça. Je l'ai conçu. Sauf que, petit détail, je n'avais pas douze ans à l'époque mais dix. C'est Marc Siniac qui l'a programmé. Et Mathieu menait les attaques avec.

— Mathieu gère l'algorithme depuis deux ans et on vous laisse faire, personne ne dit rien... Tu ne vas pas me faire gober ça.

— C'est que personne ne connaît notre existence. Le réseau de serveurs mis en place par Marc rend l'algorithme indétectable.

— Mais c'est inconcevable ! s'emporta Ilsa. Tu ne vas pas me dire que toi et deux adultes, vous tenez tête à des banques aussi puissantes que Silverman Brothers.

Anouar ne put réprimer un sourire. Il s'emportait, son ton devenait plus vif, plus assuré. Son algorithme, c'était sa création, sa vie, son futur. Et à présent son cauchemar.

— Je pense que la présidente de Silverman Brothers poignarderait sa mère et étranglerait son père pour posséder mon programme. Il est si complexe, si évolué, qu'aucune banque, aucun trader, aucune machine ne peut parvenir à le mettre au jour, et, à plus forte raison, à le faire échouer. Quand il est lancé, rien ne lui résiste. C'est un monstre assez fascinant qui m'échappe même parfois, j'avoue. Un gentil ours en hibernation dans toutes les Bourses de la Terre, que nous pouvons, en un clic, sortir de son sommeil. Alors l'ours montre ses griffes et déchiquette tout sur son passage. Et, le must, c'est qu'il marche du feu de Dieu dans les périodes de crise financière comme aujourd'hui, car le marché est très nerveux. Si tu veux, il est intrinsèquement dingue. Mon algo, c'est un peu comme si tu faisais boire dix litres de vodka à un type qui conduit une Ferrari et qui a *déjà* cinq grammes d'alcool dans le sang. Le gars, ou il tombe dans le coma, ou il fonce droit dans le mur. Et vu que les Bourses ne s'arrêtent jamais, alors… c'est l'accident assuré. Et si tu ne me crois pas encore, va voir ce qui s'est passé le 6 mai 2010 à Wall Street, la Bourse de New York. Le premier réveil de notre ours sanguinaire a eu lieu précisément ce jour-là. Un jeudi. Le krach le plus violent de l'Histoire. 1 000 milliards de dollars disparus en fumée en quelques secondes à cause ou plutôt grâce à mon algorithme. Et les enquêteurs ont bêtement accusé une société de courtage au Kansas. Ouais, c'est vrai que Marc s'était dissimulé derrière leurs serveurs pour exécuter les ordres…

Ilsa était soufflée. Et le silence de Mandragore en disait long.

— Et Jeanne ? Elle fait partie du groupe ?

— Elle collectait des fonds pour Mathieu. Le cash, dans ce job, c'est le nerf de la guerre. Avant de bosser pour son club de rugby, elle gérait des fortunes pour des gros clients. Elle a, paraît-il, un gros carnet d'adresses.

— Et il y avait d'autres participants ?

— Oui, une cinquième personne. Je ne la connais pas. Seul Mathieu la connaît et il n'a jamais rien voulu nous dire à son sujet. Je ne sais même pas en quoi elle nous aidait.

Ilsa nota cette information capitale dans un coin de son esprit.

— Ça ne me dit rien à propos des doigts.

— Bah, je croyais que tu avais deviné.

Anouar marqua une pause. Ils se trouvaient à la hauteur du campus universitaire d'Angers. Un début de piste se frayait un passage dans la conscience d'Ilsa. Des doigts pour un système de reconnaissance digitale, comme celui mis en place par Nicolas pour accéder à la *situation room*.

— L'algorithme ne démarrait pas comme ça.

Il fit claquer le pouce et le majeur de sa main droite.

— Pour éviter que l'un des cinq devienne fou et prenne le contrôle du programme, Mathieu a mis en place une procédure très stricte pour lancer la machine. Nous devions, depuis n'importe quel ordinateur équipé d'un lecteur d'empreintes digitales, scanner un de nos doigts. Sans ça, l'algo restait muet.

— Ce qui veut dire que, si une personne ou une organisation mal attentionnée réunit les cinq doigts, elle prend possession de votre algorithme.

— En quelque sorte. D'autant que ces ordures m'ont volé mes dossiers de préparation et qu'elles n'ont pas dû se gêner pour cuisiner Marc à propos du réseau informatique. Si elles parviennent à réunir les cinq doigts, elles pourront sans problème prendre les commandes de l'algo.

Anouar se tourna vivement vers la conductrice.

— Vous avez des nouvelles de lui, au fait ?

« Élude la question, ordonna Mandragore dans l'oreillette. Émile est en route mais on ne sait rien pour le moment. »

— Tu as remarqué un détail à propos de tes agresseurs ? enchaîna Ilsa.

— Non, rien. Sauf qu'ils n'ont pas fait de détail.

— Et votre but, alors ? enchaîna Ilsa. Tu ne m'as encore rien dit sur la finalité de posséder un algorithme aussi puissant.

Anouar ricana à nouveau.

— Tu ne devines pas ?

— Je suppose qu'il s'agissait de vous faire un maximum d'argent en un minimum de temps, non ? À la Bourse, si tu perds cent mille euros, c'est qu'un autre les gagne.

Quoique je serais presque déçue s'il n'y avait que l'argent…

— En fait, ce qui nous intéressait surtout, c'était d'être les maîtres du jeu. Nous avions le sort de la finance mondiale à portée de doigts, comme jamais un État ou une banque ne l'a eu. Et nous rêvions de tout faire sauter ! Un krach gigantesque, ultime ! Un truc à redéfinir les grands équilibres du monde. Un saut parfait dans le hasard et l'inconnu. Tu comprends pourquoi il était inconcevable que je dise la vérité aux flics.

— Ça expliquerait qu'un certain nombre d'ennemis gravitent autour de vous si votre existence a été révélée récemment. Des banques, des États, de riches particuliers pourraient vouloir vous démanteler pour vous empêcher de déclencher votre bombe financière.

— Mais c'est que tout est prêt depuis longtemps. Mathieu devait venir me rejoindre hier soir pour revoir les derniers détails. Il n'est pas venu et pour cause… Mais ça ne changera rien. Le krach est enclenché. À présent, seule une nouvelle connexion de nos cinq doigts peut annuler le feu d'artifice de mon algorithme. Et si Mathieu a été pulvérisé dans l'accident d'avion…

La BMW s'engageait à présent sur l'autoroute en direction de Paris. Ils n'avaient pas été inquiétés à Angers. L'orage s'était à peu près calmé. Ils quittaient les ténèbres.

Ilsa s'éclaircit la gorge.

— Et vous aviez défini une date pour ce petit raout ?

— Oui. Lundi matin. 9 heures, heure de Paris. Dans un peu moins de quarante-huit heures.

ARCHIVES SECRÈTES DES EFFACÉS
JOURNAL DE MATHIEU

Vendredi, 11 heures

Lundi matin, tout sera fini.
Krach !
« Je ne suis qu'un banquier faisant le travail de Dieu. » La citation n'est pas de moi, bien sûr, mais de toi, Madame la présidente de Silverman Brothers.
Désolé, Mayenne, mais lundi soir, tu ne seras plus Dieu. Ni même un démon. Tu ne seras plus rien. Tu retourneras dans le néant, dans cet abîme que tu n'aurais jamais dû quitter.
Si le cœur t'en dit, tu pourras t'offrir un dernier tour dans le Lower Manhattan, tes cheveux peroxydés virevoltant dans le vent qui soufflera sur le quartier dominé par la fameuse statue. Le vent de la liberté, enfin.
Tu retourneras peut-être à l'endroit où le fondateur de ta banque, voilà plus de deux siècles, a débarqué de sa Bavière natale. Avant de fonder son empire, il avait travaillé dur à vendre des chapeaux et des dés à coudre dans une petite rue de New York, été comme hiver. En débarquant du paquebot, pour gagner de quoi manger, il avait même ciré quelques chaussures.
Au cours de la semaine qui s'annonce, ta fortune va fondre puis disparaître. Tu as tout voulu garder en banque. Sage ini-

tiative, Mayenne. Les banques vont s'écrouler les unes après les autres, emportant avec elles ton fric si salement gagné.

Toi, tu ne pourras même plus cirer de chaussures assise sur un petit tabouret pour te payer un hot-dog. Les chaussures vernies vont se faire rares à partir de lundi. Comme Charlie Chaplin dans sa Ruée vers l'or, *les banquiers les feront cuire pour se bourrer l'estomac. Il paraît qu'on s'habitue à tout. Moi, je ne me suis jamais habitué à toi.*

Combien de temps ai-je eu à te supporter, Mayenne ? Je n'étais alors qu'un jeune trader que l'on disait brillant. Pourquoi brillant ? Parce que je vomissais à longueur de journée des cataractes d'euros, de livres sterling et de dollars. À l'époque, pour moi, l'argent n'avait pas d'odeur. À présent, je me rends compte qu'il sent la bile, qu'il possède l'amertume d'une honte pas encore tout à fait digérée. J'avais vingt-trois ans et tu me poussais à faire plus, toujours plus. Je gagnais dix millions d'euros par an, je roulais en Ferrari, me fringuais chez Hugo Boss ou Cerruti, et venais d'acquérir une villa face au lac Léman.

La naissance de mon fils m'a sauvé. Alors je t'ai claqué la porte sur les doigts, Mayenne, et ça, tu ne me l'as jamais pardonné.

Je hais le monde de la haute finance pour avoir été un initié et pour connaître en vérité ce qui meut les gens de ta race derrière leurs discours de façade. Le pouvoir. L'argent. Tout ce que j'abhorre maintenant que je vis enfin les yeux grands ouverts.

Je sais parfaitement que tu feras tout pour m'empêcher de dynamiter ton établissement ainsi que ceux de tes amis. Et tu seras aidée.

J'ai bien reçu le SMS de Jeanne mais il n'a fait que confirmer mes craintes. Je savais que vous passeriez très vite à l'action. Mais j'ignorais que vous feriez preuve d'une telle violence en visant d'autres que moi. L'un de nous nous aurait-il trahis ? Aurait-il vendu nos noms ?

En attendant, je reste caché. Je reste terré dans mon terrier douillet. Un ami m'a trouvé une solution pour que je disparaisse jusqu'à lundi. Le jour de l'apocalypse.

Mon fils, lui, est en sûreté à New York, en compagnie de sa mère. Tu sais qu'il est mon talon d'Achille, Mayenne. Mais j'ai pris toutes mes précautions. Passe le mot aux autres. Si nombreux soient-ils.

J'ignore encore si vous possédez les quatre doigts. Mais mon majeur sera le plus difficile à couper.

Vous ne respecterez aucune règle, condamnés à réussir. Il vous reste quarante-huit heures à peine pour repousser le début de votre enterrement de première classe.

Vous voulez mon doigt. Mais vous ne verrez pas même la plus petite part de mon ombre.

Vous, mes ennemis, vous êtes prêts à tout.

Comme nous le sommes. Le combat sera sans merci.

Alors, Mayenne, es-tu certaine de vouloir découvrir la suite des événements ?

(11)

SAMEDI, 10 H 20
VADUZ, LIECHTENSTEIN

Zacharie entama la procédure d'atterrissage du *Faria*, le jet privé des Effacés, sur la piste de l'aéroport de Saint-Gall-Altenrhein avec plus d'une heure de retard sur le planning. Le décollage avait été différé à cause d'un problème sur les freins de l'appareil, sans que cela entame en rien le moral des deux Effacés.

Neil apprécia tout particulièrement l'arrivée sur l'unique piste de ce petit aéroport bucolique qui obligea le jet à frôler l'eau bleue du splendide lac de Constance quelques secondes avant de toucher le sol.

Sur les conseils de Mandragore, ils tentèrent d'obtenir, à l'accueil de l'aéroport, des renseignements sur l'avion accidenté à Angers mais se heurtèrent à la fameuse réserve suisse, ce culte du secret et de la retenue que le pays et ses habitants érigeaient en étendard. Zacharie tenta de parlementer avec des officiels de l'aéroport sous prétexte d'être lui-même le très riche propriétaire et pilote d'un jet dernier cri, toutefois les langues ne se délièrent pas pour autant. Ils apprirent simplement que l'avion, un Cessna Citation X, avait décollé de Saint-Gall-Altenrhein le jeudi soir, à 18 h 13, heure locale, très précisément.

Une information d'une affligeante banalité qu'on aurait presque pu leur donner par téléphone.

Aussi prirent-ils sans plus tarder la direction de Vaduz, capitale du Liechtenstein, distante de cinquante kilomètres par l'autoroute. Le trajet fut avalé en à peine trente minutes.

Ils louèrent une Lexus RX à boîte automatique. Zacharie incita Neil à prendre le volant, arguant de la prudence légendaire des Suisses sur la route. Cela offrait à l'Effacé un entraînement en situation réelle, lui qui n'avait jusque-là passé en tout et pour tout que deux heures sur le simulateur de conduite ultra-réaliste dans la villa de Chevreuse.

Zacharie put ainsi se délecter à son tour du fascinant paysage de cette autoroute construite entre deux massifs et qui offrait une vue imprenable sur les pics enneigés du Säntis. Les contours de l'asphalte épousaient par moments les courbes du Rhin qui coulait tout près.

— Alors, tes impressions sur la bagnole ? demanda le géant blond en bâillant et en étirant son immense carcasse.

— Bof. Je me contente de maintenir mon pied sur l'accélérateur et de tourner le volant de temps en temps.

— Mets le limitateur de vitesse et tu pourras piquer un petit roupillon.

— Très drôle.

— Ouais. Faudra que tu continues vite ton entraînement à la villa. C'est vraiment le B.A.-BA pour un Effacé d'apprendre la conduite.

Arrivés à Vaduz, ils n'eurent guère de mal à trouver une place et garèrent la Lexus verte dans une petite rue bordée d'arbres et de massifs floraux. Leur véhicule semblait camouflé !

Juste avant de descendre, Zacharie lut les documents présents sur sa tablette tactile à propos de l'entreprise de location d'avions privés, la RitaFlug GmbH. Il découvrit alors un mail de Mandragore qu'il fit aussitôt connaître à son compagnon.

— Il semblerait que le jet ait été loué par un certain Mathieu. C'est son prénom. Ilsa est parvenue à faire parler Anouar. Encore du bon boulot, vite fait, bien fait, sans bavure.

— Tu ne serais pas un peu amoureux, toi ?

Le sujet était devenu pour eux une source de taquineries en tout genre depuis que Neil avait surpris le baiser entre Zacharie et Ilsa avant le décollage des îles de la Madeleine.

— C'est pas le moment. Nicolas veut qu'on cherche le nom de famille de Mathieu et qu'on établisse sa présence, ou non, dans le jet au moment de l'accident au-dessus d'Angers.

— Ça va être coton, grommela Neil. M'étonnerait que le loueur rentre dans les détails du vol. On va ramer pour obtenir ces infos.

— À nous de jouer les Sherlock Holmes !

Zacharie mit en veille sa tablette et rejoignit son coéquipier dehors. Un vent froid et sec soufflait sur Vaduz.

On avait peine à croire que l'on se trouvait dans la capitale d'un pays, si petit soit-il. Vaduz avait plutôt des airs de ville cossue de province française. Des rues calmes et agrémentées de verdure, des maisons, quelques immeubles à deux ou trois étages, pas plus. Cependant, on ressentait au hasard des rues que la ville possédait une riche histoire. Le château princier, le Känzeli, entouré de ses vignes, surplombait la ville moderne, et les devantures des bâtiments officiels rappelaient l'héritage de la famille régnante issue des Habsbourg.

La RitaFlug GmbH se situait au 29 de la Städtle, la rue principale de Vaduz, où avaient élu domicile les restaurants, les boutiques et les banques. Neil et Zacharie s'arrêtèrent devant un petit immeuble de brique rouge. Une plaque dorée rutilante confirmait qu'ils se trouvaient bien devant le but de leur visite en cette ville reculée. Le siège de la société faisait bien pâle figure à côté du bâtiment adjacent, un cube noir en ciment teinté et en pierre de basalte qui reflétait les environs et qui n'était autre que le musée des Beaux-Arts du Liechtenstein.

— *Sprichst du deutsch ?*[1] demanda Zacharie.

Neil fit la moue.

— *Ja. Ich habe im Kollegium gelernt, aber ich glaube, daß du viel besser als ich sprichst.*[2]

— Alors tu me laisseras mener les débats, conclut Zacharie.

Et ils montèrent sur le perron pour pénétrer ensuite dans le bâtiment. Tandis qu'ils entraient, deux hommes habillés de longs imperméables gris les bousculèrent presque en quittant les lieux.

Zacharie se rendit à l'accueil, tenu par une ravissante femme blonde d'une trentaine d'années. La pièce, revêtue de papier peint défraîchi sur lequel étaient accrochées de guingois des croûtes à l'huile représentant des bergers et des moutons, donna presque la nausée aux deux adolescents.

Le géant blond annonça vouloir être reçu par le directeur afin de concrétiser une opération pour le moins lucrative pour l'agence : la location d'un Cessna Citation X à l'année. La secrétaire hocha la tête et se retourna pour ouvrir un des tiroirs métalliques du haut meuble situé derrière elle. Elle lut une information sur une pochette en plastique puis, tout en refermant le tiroir, demanda le nom et le prénom du visiteur, les nota sur un petit bout de papier rose et s'absenta après s'être excusée. Zacharie se tourna aussitôt vers Neil qui feuilletait une revue allemande consacrée aux avions d'affaires.

— Elle va prévenir le patron, vite !

---

1. Est-ce que tu parles allemand ?

2. Oui. J'ai étudié l'allemand au collège, mais je pense que tu le parles bien mieux que moi.

Le géant blond passa derrière le comptoir et ouvrit le casier qui contenait la pochette.

— Tu ne savais quand même pas qu'elle allait se rendre chez son patron ?

— Tu as vu l'ameublement de cette agence ? Les casiers, le téléphone à cadran, l'absence d'ordinateur ? On se croirait revenu dans les années soixante. C'était sûr que la secrétaire se déplacerait pour prévenir le boss. Mais va plutôt guetter son retour. Si elle pousse la porte avant la fin de ma petite inspection, tombe-lui dans les bras. Avec un peu de chance, elle aura des vapeurs et je continuerai tranquillement à fureter.

Neil ne releva pas la provocation et se posta près de la porte par laquelle la blonde avait disparu. Il entendit la conversation en allemand mais ne put en décoder que quelques mots.

Soudain, il sursauta. Zacharie venait de refermer le casier, un large sourire sur le visage. Ils reprirent aussitôt place de l'autre côté du comptoir. Cela tombait à pic car la femme revenait.

— M. Messerheim va vous recevoir, leur annonça-t-elle en allemand.

— Ce n'est pas trop tôt, bougonna le grand blond, jouant parfaitement son rôle de gosse de riche.

Ils pénétrèrent alors dans une pièce qui n'avait plus rien à voir avec la précédente. Ici, c'était pire. Le voyage dans le temps continuait. Les murs fissurés, le lustre disparaissant sous la poussière, la moquette tachée. Un régal !

— Bonjour, messieurs. Asseyez-vous, dit en allemand le directeur de la RitaFlug GmbH en désignant deux chaises qui ne semblaient plus tenir que par la peinture.

C'était rassurant, au moment de louer un avion privé ! Le gérant était un homme obèse, la soixantaine, qui devait s'éponger le front toutes les trente secondes malgré la température fraîche qui régnait dans son bureau. Il était vêtu d'une chemise en soie violette qui avait dû nécessiter trente mètres de textile et dix couturières pour en venir à bout.

— Vous souhaitez louer un Cessna Citation X, c'est bien cela ? commença-t-il d'une voix mielleuse.

— Non, répondit Zacharie.

— Comment ça, non ?

— J'ai dit cela pour être sûr que vous nous receviez.

Neil réprima un sourire. Zacharie manipulant son monde… Il ne l'avait pas encore vu dans ce rôle.

— En fait, nous sommes les neveux de Mathieu Viata à qui vous avez loué un Cessna Citation X, il y a trois jours.

Neil enregistra le nom de famille que Zacharie avait trouvé en consultant le dossier. Nul doute que Mandragore le fit également.

À l'évocation de ce nom, l'homme dodelina de sa grosse tête, l'air triste.

— Quel désastre ! Je travaillais avec lui depuis si longtemps… Un client fidèle, et qui payait rubis sur l'ongle.

— Nous ne sommes pas certains de sa présence dans l'avion au moment de l'accident, continua Zacharie. Et nous cherchons à établir ce fait. Il aurait très bien pu simuler un accident pour disparaître.

— C'est absurde. Pourquoi votre oncle aurait-il disparu sans laisser de traces ? Sans prévenir sa famille, ses proches ?

— On observe souvent ce type de disparition, rétorqua Zacharie. Un ras-le-bol de l'existence… Disparaître pour passer à autre chose. Simuler sa mort en est le degré ultime. Il faut être riche pour acheter sa liberté à ce prix. Et Mathieu l'était à millions.

M. Messerheim s'étrangla presque.

— En attendant, c'est moi qui me retrouve avec un accident sur les bras. Et l'assurance ne me remboursera pas l'intégralité de l'appareil si Viata a intentionnellement descendu mon avion !

— Monsieur Messerheim, continua Zacharie, imperturbable. Nous sommes prêts, mon cousin et moi, à vous offrir une somme conséquente si vous nous aidez à faire la lumière sur cet accident.

— Mais je ne sais rien ! se lamenta le gérant, dont la mention de la somme conséquente avait subrepticement allumé le regard. Je l'ai déjà dit, je n'ai pas vu M. Viata cette fois. C'est le pilote qui a signé les papiers à l'aéroport de Saint-Gall-Altenrhein. Puis il a décollé pour Teterboro, un des aéroports d'affaires de New York.

— Donc notre oncle ne se trouvait pas à bord à cet instant ? demanda Neil, qui avait longuement préparé sa question en allemand avant de la délivrer.

— Je suis affirmatif. Seuls le pilote et le copilote étaient à bord pour le vol aller. Mais c'est pendant le vol retour qu'a eu lieu l'accident.

Il se prit la tête à deux mains.

Zacharie et Neil observèrent une pause. Cela signifiait soit que Mathieu se trouvait déjà à New York, soit qu'il n'avait pris le vol ni à l'aller ni au retour.

— Je vous prie de m'excuser un instant, dit Zacharie en montrant son téléphone portable à l'homme qui, à sa réaction, semblait découvrir là un instrument du diable. Un appel urgent…

Il composa le numéro de Nicolas Mandragore et sortit à toute vitesse sur le perron de l'immeuble.

— Nicolas ?

— La recherche est en cours, lui lança la voix de son mentor. Mathilde est à la manœuvre.

— *Welcome back*, ma belle, lança l'Effacé avec enthousiasme.

— Pour le moment, aucun Mathieu Viata sur les listes d'arrivée des aéroports américains et canadiens dans un rayon de mille kilomètres autour de New York et avec un historique de deux semaines. Vols des compagnies aériennes et vols privés. La destination fait sens, précisa l'ancien médecin. Mathieu Viata a un fils de trois ans, Théo, qui vit avec sa mère dans le Lower Manhattan. Le couple est séparé mais il semblerait que le père vienne souvent à New York voir son enfant.

— Et si le type avait pris un faux nom pour arriver aux États-Unis ? Pour noyer le poisson ?

— Impossible, trancha Mandragore. Les contrôles sont trop stricts. Viata est peut-être immensément riche, mais il n'a pas les « connexions » pour jouer avec de fausses identités.

— L'algorithme a fini ses recherches, lança Mathilde. Résultat négatif.

— Alors... murmura Zacharie.

— Alors cela signifie que Mathieu Viata n'était pas dans le jet qui a explosé au-dessus d'Angers. Viata est toujours vivant.

Zacharie hocha la tête.

— J'en informe Neil.

Zacharie regagna le bureau de Messerheim. Celui-ci tournait les pages d'un catalogue d'aviation en papier glacé en les commentant à l'intention de Neil qui comprenait environ un mot sur dix.

— Votre cousin m'a dit que vous souhaitiez tout de même louer un appareil. Il paraît que vous pilotez...

Neil fit un clin d'œil discret à son compagnon pour lui signifier que Mandragore lui avait bien transmis le message. Mission accomplie. Ils pouvaient laisser le directeur de l'agence baigner dans son jus.

— Nous reviendrons, s'excusa Zacharie. Une affaire de la plus haute importance.

Les deux adolescents se glissaient déjà hors de la pièce.

— Bah ! Je ne suis pas la meilleure source de renseignements à propos de M. Viata, grogna Messerheim. Je l'ai déjà dit.

Neil se retourna malgré le soupir de désapprobation de Zacharie.

— Qu'insinuez-vous par là ? demanda-t-il, heureusement dans un allemand correct.

— On m'a déjà questionné à son sujet, il y a une dizaine de minutes. Avant votre arrivée, en fait. Vous les avez peut-être croisés.

Là, Zacharie se retourna à son tour. Oui, les hommes en imperméable gris.

— Des policiers français, continua l'homme, haletant. Et ils avaient l'air de le chercher eux aussi. Ils en savent certainement plus que moi. Leurs questions étaient en tout cas bien plus précises que les vôtres. Cela vaudrait certainement le coup de les interroger.

Neil sut immédiatement quelle conduite adopter dans cette situation. Son sens inné de la manipulation, probablement. Il posa sa main sur le bras de Zacharie pour éviter que son compagnon ne reprenne l'initiative.

— Oh, ce serait tellement formidable ! Ils ne vous ont pas laissé leurs coordonnées, un numéro de portable à joindre au cas où mon oncle Mathieu se manifesterait auprès de vous ?

— Si, mais en me disant expressément de ne le communiquer sous aucun prétexte.

Il triturait nerveusement la poche de sa chemise en soie violette. Là où selon toute vraisemblance devait se trouver le numéro de téléphone laissé par les deux policiers.

— Pourquoi la police refuserait-elle que des concitoyens, à plus forte raison la famille du disparu, la joignent pour réclamer des éclaircissements ? demanda Neil d'un ton innocent.

— Parce que le disparu en question est recherché pour une sombre affaire, susurra le directeur de la RitaFlug GmbH.

Il éluda sa remarque d'un geste de la main.

— Et puis, au Liechtenstein, une parole donnée est une parole donnée.

Cela valait comme une sentence définitive.

— Il ne nous communiquera pas le numéro, dit Zacharie à voix basse et en français.

— Non, mais on va le lui prendre, affirma Neil.

Et l'Effacé fit deux grandes enjambées, tendit son bras au-dessus du bureau de Messerheim, et plongea sa main dans la poche de sa chemise. Il en retira un carton blanc sur lequel il distingua un numéro écrit en tout petit.

— *Danke schön, Herr Messerheim*, lança Neil.

Médusé par l'outrecuidance de ce jeune homme, le directeur n'esquissa pas le moindre geste.

Lorsqu'il appela sa secrétaire afin qu'elle alerte la police, les deux adolescents se trouvaient déjà loin.

— Ça repose, une mission comme ça ! déclara Zacharie en déverrouillant les portes de la Lexus. Ça change de notre escapade à Guernesey. Ici, pas de course-poursuite, ni de coups de pistolet, une simple discussion...

— Ouais, manquait plus que le feu de bois. Je me plains pas. Avec mes points de suture à la cuisse, ça serait un peu compliqué.

Ils s'installèrent et le géant blond démarra aussitôt. Neil avala un comprimé antidouleur puis sortit de sa poche le papier volé et son téléphone portable crypté.

— On va tout de suite être fixés, dit-il en composant les deux premiers chiffres.

« Tu es fou ! » hoqueta Mandragore dans l'oreillette.

Au même instant, une demande de visioconférence apparut sur la tablette tactile de Neil. L'adolescent accepta en soupirant.

— Communiquez-moi plutôt le numéro afin que je lance une identification, continua Mandragore.

— Je croyais qu'on ne risquait pas d'être repérés avec les téléphones que tu nous files.

— Oui, mais on n'est jamais trop prudent. Et puis si le type décroche, tu vas lui demander quoi ? À part attirer son attention, ton coup de fil ne servira pas à grand-chose.

— Bon, d'accord.

Neil tapa le numéro dans la zone de chat et pressa le bouton « envoi ».

Dix secondes passèrent durant lesquelles Mandragore disparut complètement de l'écran.

— Alors ? demanda Zacharie, qui s'engageait sur l'autoroute.

— C'est bien ce que je pensais, souffla Mandragore.

— Accouche, siffla Neil.

— La ligne n'existe pas. Elle n'est répertoriée dans aucun réseau, dans aucun annuaire officiel.

— Et dans les « pages noires » de Mandragore ?

— C'est là que ça devient intéressant. Le numéro est rerouté vers un poste fixe situé au 55, rue du Faubourg-Saint-Honoré à Paris.

— L'adresse du palais de l'Élysée ! s'exalta Neil.

Là où on avait retrouvé l'auriculaire d'une femme. Tout se tenait.

Pendant un bref instant, le temps sembla s'être arrêté. Puis Mandragore brisa le silence :

— Repartez à l'aéroport et préparez-vous à décoller. Nous attendons le retour d'Ilsa et d'Anouar à la villa et je lance le briefing 02. Émile le suivra depuis Saint-Raphaël. Zacharie, tu effectueras ta check-list le plus vite possible. Vous n'allez pas tarder à jouer à nouveau les oiseaux...

Engagés sur l'autoroute, Neil et Zacharie ne remarquèrent absolument pas qu'une voiture, du même gris que les imperméables de ses deux occupants, les suivait.

SAMEDI, 7 H 05, HEURE DE NEW YORK CITY (13 H 05, HEURE DE PARIS) SILVERMAN BROTHERS TOWER, NEW YORK CITY

Mayenne d'Ascoyne posa les quatre dents de sa fourchette en argent au centre de son œuf au plat, sur la demi-sphère jaune, parfaitement composée. Elle marqua une pause, se força à discipliner les tremblements de sa main puis appuya fermement. Un geste sec. Le vitellus gicla, se répandit sur le blanc et gagna rapidement le reste de l'assiette. Elle épongea le liquide avec un toast en triangle qu'elle avala aussitôt, sans même le mâcher. Puis elle engloutit ses *baked beans* à la tomate en trois lampées, sauça son assiette et but une grande rasade de thé blanc. Alors vint l'instant des tranches de bacon tout juste croustillantes. Elle les déchiqueta en quelques coups de dents comme, dans la savane, le lion l'antilope.

Mayenne d'Ascoyne observait ce même rituel lors de ses petits-déjeuners pantagruéliques au siège de sa banque. Elle aimait les prendre seule dans son large penthouse du cent deuxième et dernier étage de Silverman Brothers Tower, qui dominait la pointe de Manhattan et toute une partie de Brooklyn. Le panorama s'avérait particulièrement fascinant à cette heure précise où le soleil se lève, quand la chaude couleur de l'astre enrubanne les gratte-ciel pour en faire des offrandes.

Son majordome était le seul habilité à entrer dans ce fabuleux appartement-terrasse que Silverman Brothers Inc.

mettait à la disposition de son président-directeur général. Son bureau, à l'étage en dessous, était, lui, ouvert aux quatre vents.

Mais lorsque Mayenne se retirait dans ses quartiers, personne n'osait venir la déranger, ni même l'appeler. C'est ici qu'elle se ressourçait comme nulle part ailleurs.

Pourtant, ce matin, et malgré la beauté du spectacle au-dehors, Mayenne était de très méchante humeur. Le mois dernier, Silverman Brothers avait perdu la bagatelle de neuf cent soixante-dix millions de dollars et vingt-quatre *cents* sur les marchés. Comment allait-elle annoncer la nouvelle à ses principaux actionnaires ? Et à la presse ? Et tout cela à cause de ce maudit algorithme qui les possédait tous ! Tous sans exception ! Pas un trader, pas un mathématicien embauché à prix d'or par la banque n'avait réussi à percer le secret.

Ce fichu algorithme l'empêchait déjà de dormir auparavant. Mais comment qualifier ses insomnies depuis qu'elle avait appris qui se tenait derrière tout cela...

Mayenne ôta sa serviette blanche tachée à cent endroits différents et se dirigea vers la psyché qui trônait à côté de son bureau. Elle n'avait pas à rougir de ses quarante-huit ans. Pas une seule ride, une peau hâlée, des lèvres charnues, un nez fin et pointu. Sans parler de son corps, à faire pâlir un mannequin lorsqu'elle revêtait ses pantalons de cuir qui la rendaient si singulière.

Elle abandonna la contemplation d'elle-même et vint s'asseoir sur l'immense lit de son penthouse. Elle dut, pour cela, marcher deux bonnes minutes. L'appartement faisait cinq cents mètres carrés, sans murs ni cloisons, et seules la salle de bains et les toilettes étaient isolées de cette pièce unique. Cela laissait la part belle aux vastes volumes et aux grands espaces. Des meubles de designers, et de l'équipement informatique et audiovisuel dernier cri complétaient ce loft qui aurait fait saliver tous les milliardaires du pays.

Mathieu.

Oui, c'était bien lui.

Mathieu Viata. Elle en avait la certitude.

Mathieu qu'elle avait tant aimé sans que cet amour soit, à aucun moment, réciproque.

Elle se rappela leur première rencontre dans la salle des marchés du quatrième étage. Elle l'avait aimé au premier regard, ce grand échalas qui n'était pas comme les autres. Quelle prestance, quelle intelligence derrière ce regard de dilettante toujours affirmé ! On s'était beaucoup gaussé, dans la banque, de ce coup de foudre à sens unique. Elle, Mayenne d'Ascoyne, la femme qui faisait la une des magazines du monde entier en vantant son célibat, en ne voyant point d'autre salut pour la femme… Elle était amoureuse d'un garçon de vingt-trois ans, situé à dix-sept ou même dix-huit échelons en dessous d'elle, et dont les parents roumains ne parlaient pas un mot de français. Alors, après avoir fait taire ses détracteurs en les licenciant le plus salement du monde, elle avait pris Mathieu sous son commandement direct. Et ce fut à cet instant qu'il connut la gloire.

Elle le construisit. Il la détruisit. À aucun moment il ne lui laissa penser qu'il l'aimait. Jusqu'à ne pas lui annoncer sa démission lui-même. Mayenne l'apprit par le directeur des ressources humaines du groupe, un matin, lors d'une réunion. Elle crut alors qu'il s'agissait là de l'ultime camouflet du trader.

Elle s'était pourtant ouverte à lui, lui confiant les détails les plus intimes de sa vie.

À un homme. À un subalterne.

La rencontre de ses parents tout d'abord, épisode gardé secret entre tous. Sa mère était une chanteuse de music-hall française, se produisant chez *Patachou*, un célèbre cabaret de la butte Montmartre, quelquefois seule, d'autres fois avec Georges Brassens qui débutait et dont elle était secrètement amoureuse sans que cela soit réciproque – une sorte de tradition familiale. Et son père, banquier promis à un flamboyant avenir, alors en poste à Paris, dont des ancêtres avaient siégé à la Chambre des lords en Angleterre, et issu d'une des plus riches familles des Hamptons.

Elle était née de cette union contre nature et devait à sa mère d'avoir été baptisée de ce prénom ridicule qui s'accolait si mal avec son délicieux patronyme.

À la fin de son mandat en France, son père les avait ramenées à New York et présentées à sa famille. Mais la mère de Mayenne ne supporta pas cette vie confinée d'épouse, tout juste bonne à recevoir d'autres épouses pour le thé et à écumer les boutiques de luxe de la Vᵉ Avenue. Elle quitta un jour les États-Unis, seule, sans emmener sa fille. Mayenne ne revit jamais sa mère. La pauvre femme vivota de quelques tours de chant puis tomba dans la misère. Recueillie par son frère, constatant son échec de chanteuse, elle se jeta sous un métro un soir de Noël. Mayenne avait alors huit ans mais n'apprit le décès de sa mère que dix ans plus tard, par son père, le jour de son remariage avec une célèbre actrice de cinéma. Le banquier se vantait devant sa nouvelle femme d'avoir tout de même eu un dernier geste pour sa première épouse en adressant à son enterrement une botte de chardons.

Mayenne d'Ascoyne se leva de son lit, le pas plus traînant que jamais. À quoi bon toujours remuer ces terribles souvenirs ? Ne pourrait-on pas, dans le futur, acquérir une puce que l'on implanterait dans votre cerveau pour effacer à loisir les moments pénibles de la vie ?

Elle gagna son bureau devant lequel trônait fièrement sa dernière acquisition de prestige : *Dora Maar au chat*, une peinture de l'égérie de Picasso par le maître du XXᵉ siècle. Elle l'avait acquise pour quatre-vingt-quinze millions de dollars aux enchères à Sotheby's en 2006, ce qui correspondait à trois années pleines de ses bonus. Mais ce qui importait plus encore à Mayenne était ce qui se trouvait à l'envers du tableau.

Pour la énième fois, Mayenne retourna le chef-d'œuvre.

Elle y retrouva cette simple feuille de papier Canson blanche sur laquelle figurait un portrait de Mathieu dessiné par un artiste de la place du Tertre à Montmartre lors du seul et unique week-end qu'ils aient passé ensemble dans leur pays natal. Le jeune homme s'était laissé convaincre par le PDG de sa banque et avait accepté de poser, en faisant la moue. Cette moue que l'on retrouvait parfaitement représentée sur ce dessin sur papier Canson, cet autre chef-d'œuvre, plus précieux encore que le précédent. Cette moue, accompagnée de ces yeux toujours ironiques, ces oreilles légèrement décollées et cette ride qui barrait horizontalement son front et faisait de lui un homme.

Elle tenait à ce dessin plus qu'à tout au monde.

Un jour pourtant, il y avait de cela trois ans, elle l'avait réduit en miettes. Ou, pour être plus précis, en trente-deux morceaux de tailles inégales. Elle venait d'apprendre que Mathieu était père d'un petit garçon. La mère, une étudiante en littérature française à la Columbia University, une boursière, était aussi pauvre que Mayenne était riche. Alors elle s'était acharnée sur le portrait de la place du Tertre. Puis elle était restée enfouie dans son penthouse pendant deux jours entiers, en pleine semaine, ce qui provoqua une panique boursière sans précédent sur le titre de la banque qui se fit massacrer de plus de vingt pour cent en séance.

Mayenne avait pleuré devant le portrait déchiré. Elle avait pleuré quarante-huit heures, sans discontinuer, debout, sans jamais plier. À la fin, aucune larme ne sortait plus de ses yeux. Mais elle avait continué pourtant à gémir.

Elle avait vite trouvé le seul remède possible à son chagrin et était partie pour Paris, sous prétexte de visiter l'implantation locale. On ne la vit jamais dans les bureaux parisiens de Silverman Brothers Inc. Mayenne avait écumé Montmartre à la recherche du portraitiste qui avait vendu sa concession place du Tertre pour prendre une retraite bien méritée. Elle avait remué ciel et terre pour le retrouver et avait fini par obtenir son adresse. L'artiste habitait un vieux corps de ferme près de Levroux, dans l'Indre, un département dont Mayenne ignorait jusqu'à l'existence. Elle l'avait trouvé et supplié de refaire un dessin d'après les morceaux qu'elle avait patiemment recollés dans sa cabine de première classe durant le vol New York-Paris. Il avait essayé une fois, deux fois, sans trouver le ton. Elle lui avait fait un chèque de deux millions de dollars. Il était alors parvenu à retrouver son trait et avait exécuté le portrait de Mathieu en dix minutes à peine. En voyant la moue du jeune homme, il avait demandé à Mayenne si elle souhaitait qu'il dessine un sourire à la place.

— Et vous voulez aussi que la Joconde fasse la gueule ? avait-elle répliqué, hallucinée, à deux doigts de planter ses ongles dans le visage du malheureux. Je vous donne cinq cent mille dollars de plus si vous parvenez à refaire la moue à l'identique, au millimètre près.

Cinq jours après son départ de New York, Mayenne était revenue accrocher le portrait au dos de son Picasso. Le lendemain, elle avait fait un grand discours à Wall Street qui rassura les investisseurs. L'action reprit vingt pour cent dans la journée. Elle licencia sans indemnités quelques cadres qui avaient médit sur elle durant son absence et clôtura définitivement l'épisode de l'enfant de Mathieu.

Elle s'était alors efforcée de penser de moins en moins à cet amour impossible et s'était concentrée sur la gestion de son entreprise. Elle s'y était jetée pour s'y noyer. Elle avait fait de Silverman Brothers la troisième banque la plus solide et rentable au monde. La plus influente aussi. Elle avait travaillé ses réseaux politiques et était parvenue sans mal à ce qu'elle voulait : chuchoter à l'oreille des chefs d'État.

En deux ans, au prix d'un surmenage intense, elle avait presque oublié Mathieu et ne retournait guère plus son tableau de Picasso.

Jusqu'à ce qu'il resurgisse voilà six mois. Lui et son algorithme. Et, depuis, la banque avait perdu des sommes folles. Il menaçait la viabilité de Silverman Brothers et d'autres établissements. Pourtant, Mayenne ne put s'empêcher d'apprécier la réussite insolente de ce gamin, qui possédait toujours une idée d'avance sur les autres.

Mais là, il voulait aller trop loin. Elle devait le stopper. De source sûre, elle savait qu'il s'apprêtait à déclencher une apocalypse financière. À mettre en scène la fin d'un système qui la laisserait nue, sur le carreau.

Que de sacrifices avait-elle faits pour arriver en haut de sa tour... Elle, une femme dans un milieu d'hommes particulièrement phallocrate. Elle n'allait pas se laisser détruire ainsi. Il lui avait déjà fait assez de mal.

Alors, Mayenne se décida enfin.

Elle regarda une dernière fois le portrait de la place du Tertre. Puis elle le détacha et revint à son bureau. Là, elle prit la photo sous verre la représentant avec son père le jour de la remise des diplômes à Harvard. Elle se rappelait bien cet instant, cette toque ridicule avec ce gland qui lui chatouillait le cou et, affront suprême, les éclats de rire de ses condisciples à l'énoncé de son prénom.

Elle sortit la photo du cadre, la mit dans la corbeille, où la rejoignit le portrait sur papier Canson. Puis elle prit un briquet Dupont en or massif dans l'un de ses tiroirs.

Le feu prit instantanément.

En quelques secondes, du portrait de Mathieu et de la photo de Harvard avec son père, il ne restait plus que des cendres.

Mayenne, pour la première fois depuis six mois peut-être, se surprit à sourire.

Elle appela aussitôt son majordome.

— Archibald, vous porterez cela en personne à Fresh Kills. Et dans les meilleurs délais.

Elle désignait les cendres mais aussi le sous-verre.

Son majordome eut un froncement de sourcils. Pourquoi Mlle d'Ascoyne voulait-elle faire porter toutes affaires cessantes ces ordures à la plus grande décharge publique de New York ? Il n'avait même pas débarrassé le petit-déjeuner.

— Archibald, quand je dis « dans les meilleurs délais », cela signifie immédiatement, vous l'aurez compris.

Le majordome s'exécuta aussitôt. Et avec un art consommé du ménage, il fit disparaître les cendres et le cadre dans un sac hermétique puis sortit sans un bruit.

Voilà. Une bonne chose de faite. Elle ne pouvait plus perdre de temps avec de tels enfantillages. En plus de tout le reste, elle devait mener les derniers préparatifs pour son bal costumé annuel qui réunirait, dans sa propriété de North Brother Island, tout le gotha de la finance mondiale. L'échéance se rapprochait dangereusement car le bal était prévu pour... le lendemain à 20 heures.

Et elle n'avait pas encore choisi son déguisement !

Peu lui importait. Elle se sentait tellement mieux depuis quelques secondes.

Mayenne d'Ascoyne se tourna vers l'immense baie vitrée de son appartement et fixa, au loin, le Brooklyn Bridge incendié sous le soleil. Se sentirait-elle enfin heureuse maintenant qu'elle s'était définitivement débarrassée de lui ?

La sonnerie de son téléphone portable la fit sursauter.

Qui osait la déranger à cette heure ? Et surtout ici ?

Elle lut le nom sur l'écran et décrocha aussitôt.

— Oui ?

Son interlocuteur parla pendant près de treize minutes sans qu'à aucun moment Mayenne d'Ascoyne l'interrompe. Le PDG de Silverman Brothers ne trahit aucune émotion durant la conversation. Excepté à la toute fin, juste avant de raccrocher. Son visage portait les stigmates de l'angoisse.

— Trouvez-le ! conclut-elle alors. Et surtout, surtout, ne le tuez pas. Je le veux vivant.

(13)

SAMEDI, 13 H 10
VILLA DE NICOLAS MANDRAGORE,
VALLÉE DE CHEVREUSE

Ilsa avait rejoint Nicolas Mandragore dans la *situation room*, quelques minutes seulement après son arrivée. L'ancien médecin accorda quelques secondes à Anouar pour le saluer et lui exposer l'urgence de la situation. Puis il entraîna le jeune garçon dans la pièce tapissée d'écrans plats. Elissa en connut également les honneurs pour la première fois depuis son arrivée. Les deux nouveaux venus étaient éberlués de découvrir le dôme des Effacés et gênés de prendre place dans des fauteuils qui n'étaient pas les leurs. Mathilde les attendait, l'air toujours fatigué mais le visage plus déterminé que jamais. Ilsa lui tomba dans les bras.

Nicolas contacta sans plus attendre ses ouailles.

Lorsque Émile se connecta à la visioconférence sur sa tablette, Ilsa nota qu'il se trouvait en bordure de mer. Elle distinguait très distinctement, derrière lui, une longue jetée et des mâts de bateaux.

— Émile ? La liaison est-elle bonne ?

L'Effacé approuva :

— Parfaite. Je suis arrivé à Saint-Raphaël depuis quinze minutes à peine. J'ai loué une bagnole à l'aéroport de Nice mais, comme d'hab, ça bouchonnait en direction de Cannes. J'attends les instructions.

Neil et Zacharie se connectèrent à leur tour. Là, l'endroit leur était familier. Les deux adolescents se trouvaient à bord du *Faria*, confortablement installés devant le centre de communication.

— Neil, Zacharie ? Pas de souci ? Vous nous recevez bien ?

— Comme si tu étais devant nous, répondit Neil.

Ils se saluèrent tous, puis l'ancien médecin fit signe qu'il était temps de le laisser parler.

— Au fait, bravo pour l'intuition à propos des doigts, continua Neil. Y avait bien quelque chose de pourri derrière tout ça.

Mandragore approuva sobrement.

— Oui. J'en profite pour vous dire que vous avez tous fait du bon boulot.

— Tu parles ! lâcha Émile.

— Tous, sans exception. Mais on ne va pas se reposer sur nos lauriers. L'enjeu n'aura jamais été aussi important pour nous. Ni l'échéance aussi proche.

En quelques phrases, il exposa à Émile, Neil et Zacharie l'existence du puissant algorithme conçu par Anouar et son mode de déclenchement unique par la reconnaissance digitale des cinq membres du groupe piloté par Mathieu Viata.

— L'algorithme a, semble-t-il, été créé avec deux objectifs bien distincts : tout d'abord enrichir ses créateurs puis, et c'est en cela qu'il nous faut agir, provoquer une panique financière à l'échelle mondiale. Un krach qui aurait les plus funestes conséquences. Mais peut-être Anouar vous expliquera-t-il cela mieux que moi…

La tête du jeune garçon apparut à l'écran et le fait de s'apercevoir dans les différents écrans face à lui le désarçonna tout à fait. Les yeux écarquillés, il semblait un peu ahuri. Se trouvait-il dans un film ou dans la réalité ? Où était-il au juste ? Qui était cet homme au regard intense qui sem-

blait régner sur ces adolescents comme un roi sur sa cour ?
Anouar demeura muet.

— Mathilde est là, mais je suis étonné que tu aies invité
Elissa pour ce briefing, lança Neil.

— Il m'a paru judicieux de réunir toutes les intelligences
autour de cette table, répondit sèchement Mandragore.
Maintenant, nous n'avons plus une minute à perdre.
Anouar, nous t'écoutons.

Celui-ci sortit de sa torpeur.

— Oui, notre algorithme est en sommeil depuis deux
semaines environ. On s'est dit que ça rassurerait les banques,
les institutions financières, nos adversaires. La stratégie mise
au point par Mathieu pour préparer le grand jour, c'était
que les autres croient avoir trouvé enfin une manière de
contrecarrer la puissance de mon concept. Afin qu'ils baissent leur garde et que notre dernier coup de massue les
assomme pour qu'ils ne se relèvent plus jamais.

Sa voix était chevrotante. Mais elle gagna en assurance
au fil de son discours.

— Son déclenchement est prévu pour lundi matin
à 9 heures, heure de Paris. Les premières instructions partiront dans la nuit vers la Bourse de Tokyo qui ouvre à
2 heures du matin, heure de Paris toujours, mais rien de
bien inquiétant. Quelques opérations sur devises, une vente
massive de dollars contre des yens qui préparera le terrain
à la chute vertigineuse du marché européen. Ensuite, la deuxième salve, ce sera à 15 h 30, l'ouverture de Wall Street,
la Bourse américaine. Là, ce sera vraiment la curée. Pire que
le 11 Septembre et la faillite de cette grosse banque en 2008
réunis. Et ils auront beau fermer le marché, ou les marchés,
le ver sera dans le fruit. En fait, c'est pas la bonne expression,
car le ver aura déjà mangé tout le fruit, il ne restera plus
rien, juste un trognon pourrissant.

Neil haussa les épaules, lâchant :

— Ouais, quelques millions de personnes vont se retrouver ruinées, celles qui ont du pognon à la Bourse. Les journalistes vont s'agiter un peu, y aura des duplex avec New York, on verra des types pleurer en déchirant des papiers face aux cours affichés parce qu'ils ne pourront plus se payer la dernière Lamborghini. Et alors ? Les Effacés protègent la veuve et l'orphelin, pas les rentiers et les nantis...

— Anouar ?

L'invitation à continuer provenait de Mandragore en personne. Le surdoué s'exécuta aussitôt :

— On parle là d'une panique financière sans précédent, d'une incroyable complexité, que le monde n'a jamais connue, et pour cause, car jamais les systèmes économiques n'ont été aussi interconnectés qu'aujourd'hui. C'est une chance lorsque tout va bien, mais une faiblesse fatale lorsque tout va mal. E⊥ quelques heures, le marché interbancaire se gèlera. Les banques, qui se prêtent de l'argent entre elles vingt-quatre heures sur vingt-quatre pour honorer leurs engagements, ne se feront plus confiance et se retrouveront toutes acculées à la faillite. Leur chute entraînera dès lors l'interruption de tous les règlements financiers dans le monde. Cartes bancaires, chèques, virements, plus rien ne sera honoré. Alors les gens se rueront aux guichets des banques et réclameront du liquide. Et quand il n'y en aura plus, ils se révolteront. Et puis la plupart des entreprises gèrent tout de façon automatisée. Devant l'absence de règlements, les portables cesseront d'émettre, on coupera l'électricité et le gaz, on ne pourra plus faire le plein de sa voiture, ni retirer d'argent aux distributeurs pour faire ses courses. Ce sera le black-out total. La panique mondialisée. S'il s'agissait seulement de ruiner les rentiers et les nantis... Tu vois, c'est un brin plus complexe que ça, Nils.

Personne ne pensa à corriger l'erreur sur le prénom.

— Enfin, et c'est là le plus grave, compléta l'ancien médecin, après le black-out, le chaos. Si les politiques prendront certainement des mesures de première nécessité, il sera difficile pour eux de reconstruire un système financier détruit, de remettre sur pied les banques et le reste, surtout dans l'état actuel de l'économie. On comptera les nouveaux chômeurs par millions, les pauvres, les sans-abri par dizaines de millions. Alors ce seront des rixes, des émeutes, et les policiers ne riposteront pas car ils auront faim, comme les autres, puisqu'ils ne seront plus payés.

Mandragore marqua une pause.

— Puis, après les émeutes, souvent, la guerre...

— Vu sous cet angle... balbutia Neil.

Il préparait un trait assassin à l'intention d'Ilsa qu'il savait révoltée par les injustices de ce monde. Il voulait lui demander si ce scénario était à son goût. Mais là, il n'avait vraiment plus envie de faire de l'humour. Il n'était pas spécialement le plus rebelle de la bande, sans porter pour autant les grandes entreprises dans son cœur, ces mastodontes sans âme qui broient les personnalités de leurs collaborateurs. Sa mère l'avait suffisamment mis en garde contre elles. Mais de là à ruiner tout le système... Ne pouvait-on pas juste faire une petite exception et couler seulement la banque Scheuster & Scheuster qui avait commandité l'assassinat de sa mère et, accessoirement, le sien ? Il entendait déjà le ton réprobateur de leur mentor : « Les Effacés ne doivent être animés d'aucun esprit de vengeance. »

— De toute façon, quelle est notre marge de manœuvre à ce stade ? demanda Zacharie, qui s'adressait à l'assistance pour la première fois depuis le début du briefing. Il nous faudrait réunir les quatre doigts plus celui de Mathieu pour interrompre le processus, si j'ai bien compris.

— C'est exact, répondit Mandragore. Et nous ne savons pas encore quelles sont les forces qui se sont lancées à la recherche des doigts et qui les ont sauvagement coupés aux membres du groupe. Mathieu, lui, le sait très certainement. Il connaît ses plus farouches opposants. Si nous le trouvons vite, alors…

— Mais peut-être ceux qui possèdent les doigts poursuivent-ils le même but que nous au fond… dit Ilsa. Réunir les cinq doigts pour désactiver l'algorithme avant lundi matin.

— Oui, c'est une possibilité, concéda l'ancien médecin en se levant. Mais nous n'en savons rien. Et il serait trop risqué de seulement compter là-dessus. Quand bien même l'opération de lundi serait annulée, il se pourrait que l'algorithme volé serve ensuite à de plus noirs desseins encore.

Il se tourna vers le surdoué.

— Anouar, as-tu une idée de l'identité de vos ennemis ?

— Nous avons fait perdre des fortunes colossales aux plus grandes banques de la planète. Et chez Silverman Brothers en particulier. Mais on ne peut pas exclure aussi des ramifications politiques… L'enjeu est si important.

— Ça ferait sens avec le numéro secret de l'Élysée laissé au loueur de zincs à Vaduz, l'interrompit Neil.

— On en apprendrait plus si on savait déjà qui a lâché le morceau avant le jour fatidique, intervint Anouar. Mais je suis certain que Mathieu le sait, lui. Il avait bien insisté pour qu'on lance le compte à rebours bien en amont – il devait déjà se douter que quelque chose n'allait pas. On a bien fait.

Grisé par son invention, le jeune garçon ne semblait pas éprouver le moindre remords face au tableau apocalyptique qu'il venait de peindre à quatre mains avec Nicolas Mandragore. Laisser le carnage se produire célébrerait la victoire de son algorithme et donc de son génie. Un chaos mondial provoqué par un gamin de douze ans habitant à Angers…

— Maintenant, ajouta le surdoué, si, comme vous le dites, la vie de Mathieu est en danger, je suis prêt à vous aider. Même si ça provoque l'anéantissement de l'algorithme.

— Mathieu pourrait être derrière tout cela ? demanda Neil. Je veux dire : s'il avait changé d'avis et qu'il souhaitait se servir de l'algorithme pour lui tout seul, non plus pour détruire le système mais pour en profiter et lui faire cracher le maximum…

— Non, c'est impossible, trancha Anouar. On parle là d'une opération qu'il médite depuis des années. Depuis son départ de Silverman Brothers, il cherche à détruire le système. Ce n'est pas une simple lubie, c'est une vengeance savamment orchestrée qu'il accomplit. Il veut détruire pour rebâtir une société meilleure. Quel qu'en soit le prix.

— Et le porteur du cinquième doigt ? se risqua Elissa, d'une toute petite voix. On ignore qui il est. S'il pilotait toute l'opération, dans l'ombre ?

— Là, je dis pas… concéda Anouar. Seul Mathieu connaît son identité. Moi, je ne sais rien de lui.

— Ou d'elle, corrigea Ilsa. Si c'est son doigt que l'on a trouvé dans la poubelle de l'Élysée, il s'agirait plutôt d'une dame.

Mandragore, d'un geste ferme de la main, fit cesser le dialogue.

— Ne perdons pas notre temps avec cette cinquième personne. Il nous faut suivre notre seule et unique piste. Et cette piste mène à Mathieu Viata.

Il pressa une touche sur son ordinateur et le portrait de l'ancien trader apparut à l'écran.

— Le voici. Il s'agit là de la dernière photographie en date que nous possédions de lui. Tenez-vous bien : c'est celle qui figurait sur son badge pour accéder à la Silverman Brothers Tower à New York. Depuis, impossible de dénicher quoi que ce soit. Anouar, la photo est-elle ressemblante ?

— En tout point.

— Bien. Nous en savons très peu sur lui. Il possède deux appartements, un à Paris, dans le XVIᵉ arrondissement, boulevard de Beauséjour, et un autre à New York, dans le Lower Manhattan. Bien sûr, il est inconcevable de commencer notre recherche en se focalisant sur ces deux adresses. L'homme se sait traqué. Il a même simulé un accident d'avion pour tromper ses ennemis. Sans succès, car il n'a pas l'habitude de tels subterfuges. Il se terre. Et je suis prêt à parier qu'il a mis quelqu'un dans la confidence. Quelqu'un à même de l'aider, de le protéger. Et ce quelqu'un, c'est son meilleur ami.

Une nouvelle photo apparut à l'écran, en complément de la première. Un visage jeune, aux cheveux très noirs et aux yeux très clairs.

— Nikolaï Vsévolodovitch Stavroguine.

— Ce nom me rappelle vaguement quelque chose, dirent Neil et Ilsa en chœur.

— Vingt-quatre ans et sept mois. Son père est la cinquième fortune de Russie. Mines de potasse, immobilier et mafia, bien entendu. Il pèse plusieurs milliards de dollars en Bourse. Dans son pays, on le surnomme le Roi, en toute simplicité bien entendu. Nikolaï a vécu toute son enfance seul avec sa mère absente, le père étant parti très tôt vivre avec une starlette locale de vingt ans sa cadette. Ils n'ont plus aucun contact mais le père se montre généreux. Il ne refuse rien à son fils. On peut dire sans crainte que le petit Nikolaï possède des moyens financiers illimités.

— Et ce type aiderait Mathieu, alors que son pote s'apprêterait à le ruiner ? questionna Neil, dubitatif. Ça ne tient pas la route.

— Il ne l'a peut-être pas mis dans la confidence, dit Anouar.

— Je pense que si, coupa Mandragore. Nikolaï Vsévolodovitch Stavroguine n'est pas un gosse de riche comme les autres. Durant toute son enfance, sa génitrice s'est fichue de lui comme d'une guigne. Et je ne parle même pas de son père qui, même s'il le couvrait d'or, ne le voyait jamais, parce qu'il était totalement concentré sur ses affaires et ses frasques sentimentales…

— Comment sais-tu tout ça ? demanda Anouar, pas encore habitué à l'omniscience de son hôte.

— Des recoupements divers entre des articles de presse et une biographie non autorisée du père de Nikolaï qui a fait fureur en Russie. Mes algorithmes savent aussi travailler, Anouar. Vous trouverez ces documents sur vos tablettes. Ils sont en russe, mais le traducteur intégré vous permettra de dégager les grandes lignes des textes. Bref, depuis toujours, Nikolaï rêve de la ruine de son père, qui a toujours préféré son argent à sa progéniture. Il s'emploie avec une certaine constance et un grand plaisir à dépenser sans compter l'argent de son père – partout, tout le temps, des sommes astronomiques. Mais cela n'entame en rien le capital du magnat. Je ne serais dès lors pas surpris qu'il prête main-forte à Mathieu dans son entreprise de destruction programmée. Ce jeune homme d'à peine vingt-cinq ans est un écorché vif. Mathieu l'a rencontré lors d'une vente aux enchères à New York chez Sotheby's. Nikolaï raflait tout, à n'importe quel prix, sous le regard bienveillant de son père. Et s'il rata une seule pièce – un tableau de Picasso, si je me souviens bien –, c'est parce qu'il était parti se battre à coups de poing avec son voisin qui ne cessait de soupirer à chacune de ses acquisitions. Depuis l'amitié entre les deux hommes n'a cessé de croître.

— Et un type comme ça ne passe jamais inaperçu, enchaîna Neil. Donc, l'idée, c'est de le rencontrer au plus vite et de le faire parler au sujet de Mathieu.

— Exact ! fit Mandragore en pointant l'index vers la caméra. En cette saison, Nikolaï Stavroguine se trouve dans la gigantesque villa de son père, à Saint-Tropez. Et c'est à une heure trente de vol de Vaduz, ça tombe bien.

L'impressionnante bâtisse aux horribles colonnades grecques apparut à l'écran.

— Et c'est donc à Neil et à moi que tu confies la lourde charge de cuisiner notre tsar en herbe ? demanda Zacharie.

— Non, on ne cuisine pas un tel énergumène. La viande est bien trop ferme, la cuisson prendrait trop de temps. Neil se contentera d'entrer dans la cocotte tandis qu'Ilsa et toi entretiendrez le feu.

— Tu peux préciser ? demanda celle-ci.

— Nikolaï est inaccessible au commun des mortels. Il ne fréquente que des personnes de son acabit. Riches ou célèbres. Ou bien les deux.

— Un partisan de la mixité sociale, quoi... plaisanta Neil.

La villa disparut pour laisser la place à l'image d'un passeport. La photographie n'était autre que celle de Neil.

— Jean-Christophe Malescot, commenta l'ancien médecin. De nationalité suisse. L'inventeur d'un réseau social helvète ultra-secret, fédérant les banquiers de la place, concept que son jeune et génial créateur aura revendu pour plusieurs millions d'euros à un consortium qui ne souhaite pas communiquer à ce sujet.

— Tu plaisantes ? s'étrangla Neil. Tu veux que je joue les gosses de riche ?

— Non. Pas le gosse. Juste le riche. Cette fortune, tu l'as acquise, non héritée. Ton argent sera la carte de visite qu'il te faudra montrer pour te mettre Nikolaï dans la poche. Tu auras crédit illimité et la carte bancaire qui va avec. Une Seven Royal, une carte en or 18 carats, le summum en la matière. Aucune porte de Saint-Tropez ne résistera à ce sésame. En pratique, il faut déposer cinquante millions de dollars de garantie et payer une cotisation annuelle de cent mille dollars. En contrepartie, tout est permis. La tienne sera fausse, bien entendu, mais aura tous les attributs d'une vraie, et personne ne détectera la supercherie, y compris les services de la banque si tu appelles la hotline pour une raison ou pour une autre. Tout est bien net dans leur système. Tu n'auras qu'à graver le nom sur la carte avec le dispositif adéquat. Tout se trouve à bord du jet. Ce n'est pas sorcier. Il te faudra découvrir si Nikolaï protège vraiment Mathieu. Et débusquer l'ancien trader. Zacharie et Ilsa t'aideront sur place. Ils assureront la logistique. Si on t'interroge, tu les feras passer pour des assistants. Ilsa partira dans quelques instants par le vol régulier de 14 heures à destination de Toulon. Je l'ai déjà enregistrée.

Ilsa se leva d'un bond et sortit de la *situation room*. Elle n'avait plus qu'une demi-heure pour rejoindre l'aéroport d'Orly.

— Et Émile vous rejoindra dès qu'il en aura terminé à Saint-Raphaël. Il n'est qu'à une heure de route de Saint-Tropez. Ça se fera sans détour.

— Et nos nouveaux papiers d'identité ?

— À charge pour vous de les fabriquer. Il y a tout le matériel nécessaire à bord du *Faria*. Neil s'en chargera pendant le vol. Je vous envoie les fichiers. Pour les fringues et le reste, vous vous débrouillerez une fois arrivés à Saint-Tropez. Vous n'aurez que l'embarras du choix. Je ne me fais aucun souci à propos de ta composition, Neil. Le risque principal à propos de ta couverture réside dans le background. Est-ce que Nikolaï mordra à l'hameçon ? Mathilde, Anouar, Elissa et moi resterons en contact étroit avec vous. Nous nous adapterons.

Mandragore marqua une nouvelle pause. Deux lourdes rides horizontales barraient son front.

— Zacharie, il est temps de mettre les gaz.

Puis, il demanda une dernière fois :

— Anouar, tu nous confirmes bien que seule la réunion des cinq doigts peut stopper le déclenchement de l'algorithme ?

— Il faudrait demander à Marc, qui s'est occupé de la conception informatique, mais je crois que oui. L'algorithme peut aussi se détruire lors d'une phrase de réplication, opération très délicate, c'est-à-dire si, pendant que l'on copie l'algo, on débranche les ordinateurs. Mais pour le répliquer, il faut aussi le scan des doigts, alors c'est le serpent qui se mord la queue…

À l'énoncé du prénom de Siniac, Émile s'était relevé d'un bond. Muet depuis le début du briefing, il semblait absent, comme s'il ne se sentait pas concerné. Nicolas Mandragore l'avait noté mais ne semblait pas plus inquiet que cela. Car il en connaissait la cause. Et discernait très clairement le remède.

— À partir de maintenant, il nous reste un peu plus de quarante heures pour mettre la main sur Mathieu avant les autres. Je compte sur vous. Les Effacés se doivent de réussir. Terminé.

Ainsi avait parlé Mandragore.

Et une quarantaine d'heures pour éviter le chaos, c'était bien peu.

(14)

SAMEDI, 14 H 15
QUARTIER DE BOULOURIS, SAINT-RAPHAËL

Émile se sentait bien faible, envahi par une profonde torpeur qui le laissait groggy. Sur le chemin qui le menait jusqu'au petit centre commercial, au bout de l'avenue des Mimosas, il dut s'arrêter à deux reprises et s'accrocher à un grillage pour ne pas flancher.

Il avait passé là toutes ses vacances mais il n'y était pas venu depuis quatre ans. Depuis le cancer soudain de sa grand-mère.

Boulouris, le quartier où habitaient ses grands-parents, enterrés dans le cimetière, comme ses parents. Comme lui, surtout. Il avait décidé de ne pas se rendre sur sa tombe.

Rien n'avait changé. Il reconnut les vitrines, les enseignes, le clocher de l'église, la boulangerie *Le Cornet d'amour* et ses succulentes amandines. La Citroën Méhari du propriétaire était toujours garée devant, à la même place. Le temps s'était comme figé.

Émile se trouvait devant un tableau, au musée de son enfance.

Il s'arrêta au kiosque de presse, qui faisait l'angle, se faufilant entre les présentoirs de cartes postales, et, soudain, des images le terrassèrent. Des flashes de sa vie passée. Il se revoyait avec son grand-père. Le vieil homme, sa casquette blanche vissée sur la tête, lui achetait des magazines, des bandes dessinées. Le petit repartait toujours avec un sachet de bonbons acidulés, des bouteilles de coca, ses sucreries préférées, et une main collante, gadget qui laissait de grandes traces sur les vitres de la villa blanche de ses grands-parents, cette maison entourée de bambous immenses et où se nichait, en son centre, une bibliothèque poussiéreuse, où Émile passait le plus clair de son temps.

Pour assouvir sa boulimie quotidienne de presse, il demanda *Var-Matin*, *Le Monde*, *Libération* et *Le Figaro*. Sa voix chevrotait. Il ressentait les pulsations de son cœur dans son corps tout entier, jusque dans ses tempes qui battaient la chamade.

Émile sortit. Le restaurant était toujours là, *Chez Moustache*, avec cette caricature de cuisinier italien portant, sous sa toque, des cheveux frisés noirs et une longue moustache en guidon de vélo.

Allait-il oser ? Il s'attabla sous le soleil doux du printemps. Le vent frais qui venait de la mer, derrière la voie ferrée, lui apportait des odeurs d'algues et de sable. Les fragrances de son enfance.

— Je vous sers quoi ? dit l'employé.

Émile était aux trousses d'un informaticien qui détenait très certainement des renseignements capitaux, à même d'éviter un krach planétaire. L'heure était à l'action, chaque minute comptait. Et il s'apprêtait à déjeuner, tout simplement. Assis à une terrasse. Triste et heureux à la fois.

— Une pizza quatre saisons.

Voilà. Impossible de reculer.

Émile s'en voulut terriblement mais sa vie d'avant revenait, sa vraie vie. Celle où il était encore vivant, où il était cet adolescent insouciant – quoique pas si insouciant que cela, avec ses doutes, ses secrets aussi –, un fils unique que ses parents choyaient. Des bouffées de nostalgie montaient en lui, irrépressibles. Il ne cherchait même pas à lutter.

Le serveur lui apporta la pizza et il en avala une bouchée sans attendre. Oui, rien n'avait changé. Ce goût de levain presque âcre au palais, si délicieux. La couche épaisse d'emmental fondant et cette sauce tomate maison, à peine salée, parsemée de basilic frais.

Il leva son verre d'eau vers là-bas, au loin, où se trouvait encore la villa de ses grands-parents qui avait dû être liquidée par quelques oncles et tantes, et il sourit, des larmes plein les yeux.

Maintenant, il était un Effacé. Il avait eu le choix entre ça ou la mort. Non, en fait, il n'avait même pas eu le choix. Si son père n'avait pas écrit cet article qui accusait certains politiciens corses d'être liés à la Brise de mer, la mafia de l'île, où serait-il à présent ? En terminale, en train de préparer le bac, traînant de temps à autre avec ses potes au café, au cinoche… Le quotidien d'un ado ordinaire, peut-être un peu plus concerné par le monde dans lequel il vit car mis en garde depuis longtemps par ses deux parents journalistes que tout est loin d'être idyllique dans la société humaine. Qu'aurait-il fait de sa vie ? Une brillante carrière dans un journal, dans une entreprise. Cadre bien sage, bien lisse, désigné par son seul matricule, un compte en banque bien rempli, un peu d'amour, un peu de passion, et puis…

« Émile ? »

Il s'en serait douté. Mandragore intervenait.

« Émile, pardonne-moi. Tu vas me trouver intrusif. Je voulais simplement que tu saches que je ne t'en veux absolument pas. Je sais que ce n'est pas un moment facile. Ilsa a connu la même détresse à Lyon, il y a quelques jours. Et Mathilde, Zacharie et Neil la connaîtront aussi. Votre condition n'est pas aisée, j'en conviens. Il ne s'agit pas simplement de vaincre la douleur d'avoir perdu vos parents, mais, en un sens, d'accepter de faire votre propre deuil, pour vous reconstruire. Ta venue à Saint-Raphaël devrait t'y aider, Émile. »

— Tu l'as fait exprès ? demanda Émile à voix basse.

Mandragore ne répondit pas. Plus tard, Émile relèverait un mail sur sa tablette où l'ancien médecin avait écrit :

J'ai simplement laissé le hasard bien faire les choses.

Dès son arrivée à Saint-Raphaël, quelques instants plus tôt, Émile s'était rendu au magasin de jeux vidéo, une boutique d'une vingtaine de mètres carrés tout au plus, à la vitrine tapissée de jaquettes en tout genre et située rue Charles-Gounod, non loin de la basilique. Là, il avait trouvé un vendeur, un jeune à peine plus âgé que lui, un an peut-être, à la tête de zombie, les paupières lourdes et les yeux rougis. Émile lui avait demandé si Marc était là. L'autre avait haussé les épaules, l'air de dire : « Ça se verrait, non ? » L'Effacé avait voulu savoir si le patron devait passer dans la journée. Le vendeur lui avait répondu que Marc ne venait jamais le samedi, avant de replonger dans sa somnolence.

À présent, Émile se trouvait chemin de la Palmeraie, dans le quartier de Boulouris. Il devait entrer dans la résidence où habitait Marc. Un splendide bâtiment ocre où tous les balcons donnaient sur la Méditerranée. Son idée était tout d'abord d'interroger la voisine qui avait appelé le commissariat. Elle disait avoir vu Siniac sortir de son appartement, le visage tuméfié et la main bandée après avoir reçu la visite de types encagoulés. Mais les volets de la vieille dame étaient fermés et la gardienne informa Émile qu'elle était partie chez son fils, en région parisienne, pour quelques semaines.

— C'est tout du moins ce que son fils m'a dit lorsqu'il m'a appelée pour que je garde son courrier. Z'êtes de la famille ?

La gardienne n'avait pas, à vrai dire, le physique de l'emploi. Il s'agissait d'une jeune femme de vingt-cinq ans, tout au plus, au visage ponctué de grains de beauté. Sa loge se situait au pied de la résidence, sous trois hauts palmiers qui lui faisaient de l'ombre.

— Non, je suis un ami de son voisin, Marc Siniac, se présenta Émile avec l'accent. Je voulais simplement savoir si tout allait bien. Ça fait plusieurs jours qu'il ne répond plus au téléphone et qu'il ne passe plus à la boutique, alors je me demandais si la voisine...

— Oh, lui! Faut pas vous en faire! C'est le genre à s'enfermer chez lui pendant trois jours pour bidouiller ses machines. Paraît que c'est un crack de l'informatique.

Elle ne pouvait pas choisir un terme plus approprié.

— Quand on n'a pas de famille... se risqua Émile.

— Je ne vais pas le plaindre. Son divorce a fait les gorges chaudes de la résidence, car on aimait bien sa femme. Une fille charmante, dans mes âges. Mais c'est avec un ordinateur qu'il devrait se marier, Siniac...

Émile approuva pour mettre son interlocutrice en confiance :

— Oui, c'est sûr... Mais enfin il m'avait donné rendez-vous ce matin au port de Santa-Lucia et Marc n'est pas du genre à poser des lapins. J'espère qu'il ne lui est rien arrivé. À force de manipuler de l'électronique...

— Vous me faites peur... Tenez, j'ai les clefs. Je fais quelquefois le ménage chez lui, pour le dépanner.

— Pas de panique, tempéra Émile. Mais c'est vrai que j'ai lu un article terrifiant, l'autre jour, dans un journal. Un type qui s'est électrocuté en réparant son PC et que la police a retrouvé seulement deux semaines après... Je ne vous dis rien de l'état du cadavre.

Il observa la mine déconfite de la jeune femme avant d'ajouter, du ton le plus sérieux :

— Vous m'accompagnez ?

La brune poussa un petit cri aigu, jeta le trousseau de clefs aux pieds d'Émile, regagna sa loge et claqua la porte. Émile l'imaginait tremblante et suffocante, adossée contre le battant, priant pour que rien d'aussi macabre ne survienne dans sa résidence.

L'Effacé était satisfait. Il ne voyageait jamais sans sa trousse de crochetage, parfaitement indécelable sous les scanners des aéroports, mais les clefs lui éviteraient de perdre du temps et de l'énergie.

Il monta au troisième étage et ouvrit la porte qui faisait face à l'ascenseur.

L'antre de Marc Siniac se découvrit à lui, trois pièces sombres, où chaque centimètre carré était occupé par un ordinateur, un périphérique ou un composant informatique quelconque. Le salon et la chambre débordaient littéralement d'écrans et d'unités centrales. Des odeurs de tabac et de détergent flottaient dans l'appartement. Émile tenta de circuler dans ce capharnaüm. Dans la chambre, il trouva un lecteur biométrique d'empreintes digitales de la forme d'une main. Il glissa l'objet dans son sac, sans trop savoir encore à quoi cela pourrait lui servir.

La cuisine était l'unique pièce où l'on pouvait à peu près circuler. L'Effacé remarqua des traces de sang séché sur le sol, près d'une chaise renversée.

Soudain Émile entendit un choc très distinct, comme si on frappait à la porte de l'appartement. Un coup sec qui ne se répéta pas.

Il resta debout, interdit, ne sachant quelle attitude adopter. Émile n'était pas armé. Son périple aérien ne lui avait pas permis de prendre une arme avec lui.

Il décida d'attendre.

Plus rien. Une fausse alerte, très probablement.

Mais il ne devait pas s'éterniser ici. Siniac ne s'y trouvait pas et les traces de sang dans la cuisine donnaient de la véracité au témoignage de la voisine.

Comme son départ subit pour Paris, d'ailleurs.

Où pouvait donc se cacher Siniac ? Était-il parti loin comme Jeanne Dervaux ? Ou bien était-il encore dans les parages, prêt – pourquoi pas ? – à rejoindre Mathieu si ce dernier se trouvait vraiment sur la Côte ?

Avant de quitter l'appartement, Émile nota un élément d'importance qui le fit sourire en premier lieu mais qui devait l'aiguiller ensuite vers la solution de l'énigme.

Marc Siniac était fan de Tintin. Les bandes dessinées constituaient le seul ensemble d'ouvrages présent dans l'appartement et, pour toute décoration murale, l'informaticien avait punaisé au mur, dans chaque pièce, salle de bains comprise, des posters des différentes couvertures de *L'Île noire*, son album de Tintin préféré, aucun doute à ce sujet.

Émile s'apprêtait à frapper à la porte de la gardienne afin de lui rendre son trousseau, mais il n'eut pas même besoin d'effleurer l'huis. La porte s'entrouvrit. La jeune femme le guettait par l'œilleton.

— Alors ? demanda-t-elle, inquiète.

— Rien. Il doit être parti en vadrouille, ça lui arrive souvent.

— À bord de son bateau peut-être. Il possède un hors-bord très puissant qu'il amarre au port du Poussaï, un peu plus loin, si...

— Je connais, l'interrompit Émile.

— Mon père a un bateau au port lui aussi. Il dit que Siniac vient souvent faire tourner le moteur de son monstre. Même que les habitués entre eux le surnomment Freaks.

— Freaks ?

— Ben oui, ne me dites pas que vous ne saviez pas... C'est pas très gentil ni très fin, mais bon... C'est rapport à son sixième doigt.

Le cœur d'Émile fit un bond dans sa poitrine. Pire que s'il était à bord d'un avion qui décrochait de mille pieds en trois secondes à peine.

— J'avais pas remarqué, au début. C'est mon père qui me l'a dit un soir qu'il me raccompagnait. Siniac a deux annulaires à la main gauche. Un don de la nature pour un type qui passe son temps à pianoter sur des claviers.

Elle fit une pause. Une rafale de vent décoiffa les palmiers au-dessus d'eux.

— Vous l'aviez pas vu, vous non plus, hein ?

— Vous êtes sûre qu'il s'agit bien de l'annulaire ? demanda Émile.

— Oui, il l'avait fait remarquer à mon père au moment de son divorce. Il lui avait dit qu'il avait toujours hésité entre ses deux annulaires pour savoir auquel il devait porter son alliance. Pourquoi cette question ?

— Non, pour rien.

Le dernier morceau du puzzle. Il retint un sourire de triomphe, remercia encore la gardienne et se précipita à l'extérieur de la résidence.

Son portable se mit à vibrer aussitôt.

— Beau travail, Émile !

C'était Mathilde.

— Tu es branchée sur les mêmes ondes que Nicolas ?

— C'est lui qui a suivi votre conversation et il vient de me demander de faire un point sur la polydactylie de Siniac. Ce serait dingue que les types n'aient rien remarqué et se soient plantés. Mais ça expliquerait aussi sa fuite précipitée. En tout cas, j'ai déjà vérifié. Les deux annulaires ne peuvent porter les mêmes empreintes digitales. Si les cagoules noires se sont trompées, elles devront absolument le retrouver pour trancher l'autre doigt. Tu dois trouver Marc le plus vite possible et tirer ça au clair. Si tu le repères avant eux, nous aurons alors un doigt en notre possession. Plus celui de

Mathieu, si Neil réussit à Saint-Tropez. Une bonne base de négociation pour discuter avec ceux qui sont en face de nous.

— Bien reçu. Je pense savoir où il se cache. Et l'endroit pourrait même faire un repaire de choix pour Mathieu.

— Ah oui ? Et tu as déduit ça grâce à quoi ?

— À qui, plutôt... Grâce à Tintin, ma chère.

Voilà, Émile était de retour dans le jeu. Mathilde retrouvait le ton entraînant de son Effacé préféré.

— J'espère que tu garderas ce coup d'avance sur eux, ajouta la jeune fille.

Là, le sourire de l'adolescent disparut.

— Oui, j'espère aussi. Les cagoules noires n'ont pas l'air d'être de grands rigolos...

(15)

SAMEDI, 14 H 55
AÉROPORT DE LA MÔLE

Le *Faria* atterrit à l'aéroport de La Môle à l'horaire prévu.
Cette petite structure, distante d'une vingtaine de kilomètres
de Saint-Tropez, accueillait en toute saison les avions privés
des milliardaires et des capitaines d'industrie qui avaient
bouté depuis belle lurette les vedettes du cinéma et de la
musique hors de la ville. À Saint-Tropez l'heure n'était plus
aux rêves de gloire mais à la réalité de l'argent. Avant, dans
les années soixante, être célèbre suffisait pour être accepté
dans la jet-set de la région. À présent seul importait le solde
de votre compte en banque.

Pour faire bonne figure, Mandragore avait commandé une
limousine pour leur arrivée. Zacharie gara le jet dans un
petit hangar dévolu à cet effet et ils prirent place à l'arrière
de la Lincoln Millenium Wave dont les sièges de cuir pouvaient accueillir une bonne dizaine de convives. Une bouteille de champagne givrée n'attendait plus qu'à être
débouchée – ils n'y touchèrent pas, Mandragore interdisant
la moindre consommation d'alcool à ses ouailles. Comme
tout semblait facile quand vous projetiez l'image d'une fortune considérable !

Le tout allait être pour Neil de ne pas se laisser griser.

Ils parcoururent les vingt kilomètres dans l'arrière-pays
varois en à peine dix minutes. Le chauffeur donnait du

« monsieur Malescot » à la fin de chacune de ses phrases et n'avait pas eu un regard pour Zacharie dans le rétroviseur. L'air restait frais malgré un beau soleil. Le conducteur avait pour instruction de les déposer au *Byblos*, le célèbre palace de la ville, mais Neil donna pour contrordre de les conduire rue François-Sibilli, où se trouvaient les boutiques de luxe de la ville. Il devait absolument troquer son jeans et son blouson de cuir contre une tenue plus adéquate. En plus de préparer les papiers d'identité et de graver le nom sur la fausse carte bancaire, il avait bien potassé sa tablette et emmagasiné une profusion de renseignements sur Saint-Tropez, ses environs et les lieux où il fallait être vu.

Il choisit la plus luxueuse boutique et poussa la porte. Un vendeur immense et vêtu d'un costume parfaitement coupé leur sauta dessus et, lorsque Neil se présenta comme un client solvable à habiller des pieds à la tête, alors il n'y eut plus que lui sur terre.

Neil opta pour un costume uni Paul Smith et un autre rayé Ermenegildo Zegna, des pantalons en lin noir et blanc Cerruti, des mocassins Tod's en harmonie ainsi que pour plusieurs chemises Charvet demi-mesure blanche, violette et bordeaux. Il s'offrit aussi des boutons de manchettes Gucci, des chaussettes en fil noir Brooks Brothers, une paire de lunettes Ray-Ban ainsi qu'une cravate Zegna. Grand prince, il acheta également une tenue pour Zacharie, quoique moins luxueuse.

Le tout pour la modique somme de cinquante-cinq mille euros.

Il refusa la retouche de l'ourlet offerte pour le pantalon, arguant qu'il préférait les porter long. Le regard désapprobateur du vendeur ne dura guère.

Lorsque Neil sortit sa carte Seven Royal, l'employé se voûta pour perdre quelques centimètres et afficha un sourire aussi grand qu'imbécile. Et comme si le précieux sésame dégageait une odeur bien particulière, le directeur du magasin jaillit en trombe de son bureau pour aider à l'emballage des achats, félicitant Neil sur chacun de ses choix. On aurait dit que ses pupilles se composaient pour former le symbole de l'euro, en alternance, à la façon des machines à sous, avec ceux du dollar et de la livre sterling.

— Pauvres types ! cracha Neil en sortant de la boutique.

Zacharie tentait tant bien que mal de rester en équilibre, les bras chargés des achats de son compagnon.

— Attends, je vais t'aider…

Mais Zacharie recula.

— Tu es fou ? Ils nous regardent depuis le magasin. Je suis là pour ça, ne l'oublie pas. Pour te faciliter la vie. Je suis ton aide de camp. L'idée, c'est de ne pas gâcher ta couverture dès notre arrivée. Je sais que tu n'en abuseras pas. De toute façon, si tu oses, je te le ferai payer à notre retour à Milon.

Ils en rirent. Le chauffeur sortit de la limousine en trombe et proposa son aide, tout penaud de ne pas être intervenu plus vite. Neil lui donna l'ordre de porter les paquets à l'hôtel. Eux s'y rendraient à pied. Le *Byblos* se trouvait à cinq cents mètres.

— Ça me dégoûte un peu de lâcher autant de fric pour quelques mètres de tissu frappés d'un écusson, enchaîna Neil.

— Bah, dis-toi que Mandragore ne paiera rien. Nos cartes sont cent pour cent contrefaites. Du travail de maître. À chaque fois que Nicolas émet un nouveau numéro, je hacke le serveur des cartes bancaires pour qu'il soit considéré comme valable. Le paiement se passe comme sur des roulettes, l'autorisation est accordée, mais dans un second temps le système est incapable de relier la carte à un compte bancaire. Il faut juste changer souvent de numéro. C'est le commerçant qui va payer, ou sa banque, on s'en fout après tout.

Une sorte de vol électronique parfait. Ça t'aidera à faire passer la pilule.

À ces mots, Neil avala un nouvel analgésique. Il ressentait toujours des points de douleur à la cuisse.

Ils n'eurent aucun mal à trouver le plus célèbre hôtel de la ville dont l'entrée, située près de la route qui menait à la citadelle, se faisait assez discrète.

Les deux adolescents furent agréablement surpris par l'endroit, qui n'avait pas grand-chose du palace ronflant, avec lustres en cristal et grandes tapisseries accrochées aux murs parmi des dorures, auquel ils s'attendaient.

Accueillis par une mosaïque représentant une femme en tenue d'Ève allongée contre un animal ressemblant à un chien, Neil et Zacharie se rendirent aussitôt à la réception pour prendre possession de la carte d'accès de leur suite.

Le concierge s'exécuta, précisant que les quelques affaires de monsieur Malescot et de son majordome avaient d'ores et déjà été déposées dans leurs chambres.

Neil le remercia vaguement, d'un air blasé.

Ils traversèrent un patio où une petite fontaine coulait doucettement, entre deux touffes de jasmin. Neil aimait l'air du Sud, et cette odeur un peu huileuse des cistes et des arbousiers qui ponctuaient les jardins.

Ce palace était un labyrinthe d'escaliers, de couloirs et de recoins, un enchevêtrement de maisonnettes aux façades plus colorées les unes que les autres, et les deux Effacés ne durent leur salut qu'au groom qui les orienta vers leur fameuse suite Riviera.

Et là, ce fut un choc. La plus grande suite du *Byblos* que leur avait réservée Mandragore mesurait cent quatre-vingts mètres carrés et comprenait un salon ainsi que deux chambres. Si Zacharie tint à explorer chaque coin et recoin de l'endroit, Neil se contenta de s'asseoir sur la terrasse, qui surplombait la piscine et où avait été dressée une petite table mettant à disposition une bouteille de champagne millésimé et trois flûtes. Attention délicate de l'hôtel.

Un argument de plus, se dit Neil, pour passer outre à l'interdiction de Mandragore, faire sauter le bouchon et boire une rasade, une seule, directement au goulot.

« Pour le goût, parce que je n'en goûterai pas d'autre avant longtemps. Et pour vaincre cette atmosphère étrange, ce calme avant la bataille... Et tant pis si le mouchard, dans notre cerveau, là, envoie mon alcoolémie à Nicolas. »

Personne ne se baignait, mais l'eau turquoise de la piscine faisait envie. À l'inverse, sur le deck en bois qui entourait le bassin, de charmantes créatures tentaient de se dorer sous le soleil capricieux du printemps. S'il avait eu un maillot de bain, Neil aurait presque pu piquer une tête depuis son balcon. Et certainement même le faire sans maillot. On pardonnait tout aux riches comme on pardonnait aux fous.

Le rejoignant sur la terrasse, Zacharie se passait une main sur le ventre.

— J'ai faim, pas toi ?

Neil approuva. Il n'avait rien avalé depuis 4 heures du matin, à part ces foutus comprimés.

— On se fait monter un plat ? proposa le géant blond.

— Non, je vais prendre une douche, me changer et on sortira déjeuner quelque part. Il faut que je me montre, pour que Stavroguine sache qu'un jeune millionnaire vient de débarquer. Ça pourra lui donner envie de me rencontrer. Sinon, il faudra forcer le destin. Et vite.

— Si Stavroguine ne vient pas à Malescot, plaisanta Zacharie, alors Malescot ira à lui ! En attendant, je vais me changer aussi et me donner un coup de peigne. Il y a trois salles de bains dans cette piaule, ça devrait le faire.

Neil descendit dans le hall pour attendre son acolyte. Il en profita pour poser quelques questions au concierge qui les avait accueillis à leur arrivée.

— Pourriez-vous me recommander un lieu pour le déjeuner ? questionna-t-il.

— Eh bien, il y a notre restaurant, bien sûr, susurra l'employé, engoncé dans son uniforme. *Le Spoon*, créé par Alain Ducasse. Je vous recommande particulièrement le homard bleu rôti, ou bien, si vous préférez viande, le piccata de veau.

— Pour ce soir, peut-être. Je cherche un endroit où il est possible de déjeuner « à la va-vite », si l'expression ne vous choque pas.

Neil se délectait.

— Rien ne me choque plus, monsieur Malescot, ou bien je chercherais à changer de métier. Il y a bien le *Bistrot Canaille*, rue des Remparts. Mais il faut aimer ce que les Espagnols appellent les « tapas ».

Ce mot semblait évoquer pour lui quelque nourriture du diable à en juger par l'intense grimace de dégoût qui surgit sur son visage.

— Cependant, la carte des vins est assez originale.

Neil le remercia et fit mine de s'éloigner.

— Ah, et puis… je cherche à rencontrer Nikolaï Stavroguine. Le connaissez-vous ?

L'homme en uniforme ne répondit même pas à cette question.

— Vous le croiserez forcément sur le port en compagnie de ravissantes demoiselles. Il les attire comme le miel attire les mouches.

— Chez *Sénéquier* ? osa l'Effacé, qui avait bien potassé les guides de la ville.

Le concierge eut un haut-le-cœur.

— Monsieur Malescot, avec tout le respect que je vous dois, n'allez pas vous montrer chez *Sénéquier* ou vous êtes...

Il se pencha à l'oreille de Neil et continua en chuchotant :

— ... foutu ! Il n'y a que de vieux hommes politiques, des chanteurs sur le retour et des vieilles rombières pour aller boire un verre dans cet endroit. Préférez plutôt le *Café*, place des Lices, et le *Papagayo*, en soirée.

Il consulta sa montre.

— Mais, à cette heure, M. Stavroguine doit se prélasser sur la plage des Graniers. Elle est située à l'est du port, en dessous de la citadelle, et on y accède en longeant le cimetière marin. Ce n'est pas la plus belle de notre jolie cité et la plage sauvage de sable fin de sa villa est bien plus agréable, mais le jeune Stavroguine aime les contre-pieds.

— J'avais cru le comprendre, répliqua Neil. Vous semblez, apparemment, tout connaître de lui.

— C'est qu'il prend plaisir à ce que l'on connaisse tout de lui, monsieur Malescot. Cela ne demande guère d'efforts de suivre M. Stavroguine à la trace.

— M. Stavroguine loge quelquefois au *Byblos* ? demanda Neil innocemment.

Le concierge eut un petit ricanement entendu.

— Quelquefois, oui. Quand son père descend à la villa et que son yacht est occupé.

Puisque Zacharie sortait enfin de l'ascenseur, Neil remercia le concierge et rejoignit son ami.

— Alors, tu as une bonne adresse ?

— Oui, mais on ne va pas perdre de temps. Un sandwich fera l'affaire. Je sais où se trouve Stavroguine. On va établir le contact fissa.

Neil répéta alors à Zacharie les informations glanées auprès de l'employé de l'hôtel.

Avant de prendre la direction de la plage, les deux acolytes se rendirent place des Lices, le centre névralgique de la ville, et commandèrent des sandwichs dans un fast-food qui ne payait pas de mine mais qui, localisation oblige, proposait indifféremment coca ou champagne Mumm pour accompagner vos en-cas. La bonne humeur régnait en ce début d'après-midi sous les platanes où des joueurs de pétanque se livraient un combat sans merci.

L'insouciance de toutes ces personnes qui ne se doutaient pas de ce qui allait arriver lundi... À mille lieues de s'imaginer qu'un ordinateur – ou plusieurs –, quelque part – ou à divers endroits –, allait dans quelques dizaines d'heures transmettre à d'autres ordinateurs une suite d'instructions qui provoquerait l'implosion du système financier mondial.

Les deux Effacés hâtèrent le pas. Eux savaient. Et ils étaient au centre de l'échiquier où plusieurs forces, inconnues encore, se mouvaient. Personne ne s'était encore pleinement dévoilé. Surtout pas Mandragore.

« Tout de même, pensa Neil, avec ses côtés manipulateurs, c'est un sacré bonhomme. »

Le chemin, qui menait à la plage, dominé par la haute silhouette de la citadelle, obliqua le long du cimetière et se rétrécit d'un coup, devenant exclusivement piétonnier.

Ils ne déballèrent leurs sandwichs qu'une fois arrivés à la hauteur des premières tombes et trouvèrent un rocher accueillant, légèrement en hauteur, pour s'y installer. La Méditerranée s'étendait derrière, calme et bleue. Ils distinguaient même un petit bout de la plage des Graniers, peu remplie à cette saison.

Mais leur répit fut de courte durée. Ils entendirent tout d'abord un cri. Un cri de femme, vibrant, strident. Un appel à l'aide.

Zacharie bondit le premier. Neil se releva plus précautionneusement à cause de sa suture. À une trentaine de mètres devant eux, sur un sentier tracé entre des arbustes sauvages qui montait vers la citadelle, deux hommes encadraient une frêle jeune femme. Le plus imposant des deux lui assena une violente gifle, alors que l'autre tentait de s'emparer de ses chevilles pour la soulever du sol.

— *Help ! Help !*

En cinq secondes à peine, les Effacés parvinrent à la hauteur des hommes.

Et l'un des deux agresseurs fit volte-face, en lançant son bras en avant. Il tenait un couteau à cran d'arrêt. La lame effilée entailla la veste de Zacharie.

(16)

SAMEDI, 15 H 30
CIMETIÈRE MARIN, SAINT-TROPEZ

Le géant s'était écarté dans un réflexe, ce qui eut deux incidences immédiates. Le couteau déchira seulement du tissu, et l'agresseur, décontenancé par ce saut de cabri, prit un air des plus ahuris. Zacharie profita de cet instant pour emprisonner fermement le poignet de son adversaire. Il le tourna, d'un coup. Et, dans un craquement d'os, le type lâcha le couteau.

Un homme normalement constitué aurait crié sous l'effet de la douleur. Mais là, rien. Ce n'était pas pour rassurer Zacharie.

Neil courait en direction du second agresseur, qui s'éloignait en montant le sentier, brutalisant toujours sa victime. Puisqu'elle se montrait récalcitrante, il avait fauché ses jambes d'un coup de pied habile et la jeune femme s'était écroulée sur le sol. Maintenant, il la tirait avec, dans une main, le bras droit de la malheureuse et, dans l'autre, ses longs cheveux auburn. Elle continuait à pousser des cris dont l'intensité, cependant, diminuait au fil de la progression.

Lorsqu'il dévorait des thrillers, Neil s'était toujours demandé si l'habitude qu'avait le héros de balancer une petite phrase ironique avant de frapper était une attitude sensée en de telles circonstances.

Il se révéla que non.

Lui n'avait pas envie d'ironiser. Juste de frapper. D'ailleurs, son esprit ne lui souffla aucun trait d'esprit. L'agresseur l'avait vu et il accélérait encore le rythme. Mais bientôt Neil le rattrapa. L'autre lâcha sa victime pour farfouiller dans la poche de son imperméable gris et fit face au garçon.

Il n'eut pas le temps d'ébaucher un autre geste. Neil décocha un formidable coup de pied de sa jambe valide qui atteignit son adversaire en plein plexus solaire.

La jeune femme, étendue en plein milieu du chemin, aux premières loges, accueillit cet exploit par un cri. Son bourreau se courba en deux. Neil s'empara avec autorité de ses épaules et le poussa vers la pente qui bordait le sentier. L'homme ne put rien faire d'autre que de tomber, et il roula, roula, pendant plusieurs secondes avant de s'arrêter net, sa tête percutant un rocher.

Zacharie ne se dépatouillait pas du premier type. Malgré la douleur au poignet – ou bien à cause d'elle, peut-être –, l'homme témoignait d'une belle ardeur dans l'affrontement. Lorsqu'il vit, en un éclair, que la fille venait d'être libérée, il se figea un bref instant. Zacharie en profita pour lui décocher un violent uppercut à la mâchoire, mais il para le coup et répondit par un crochet qui, lui, atteignit le géant blond à la cage thoracique. Mais puisque celle de Zacharie était partiellement enfoncée, cela ne lui causa pas la moindre douleur.

À cet instant, l'autre, le visage en sang, se releva. Il découvrit la scène après sa brève perte de conscience : la pierre tachée de sang contre laquelle il avait échoué, la fille libre, les deux adolescents combatifs. Il mit deux doigts dans sa bouche et siffla la fin de la partie.

Son comparse cessa aussitôt la lutte et ils détalèrent en direction de la ville, sans regarder derrière eux à aucun moment.

Dans un réflexe dû à l'abus de films et de séries à suspens, Zacharie épousseta sa veste et rejoignit Neil, un peu plus haut. Un gros nuage qui virait au gris sombre cachait le soleil. Il faisait presque nuit sur la colline.

— Je n'aime pas ça, lâcha Neil entre ses dents.

— Quoi, ça ?

Ils étaient tous deux bien essoufflés. Neil se massait la cuisse, là où les points de suture se faisaient sentir plus âprement.

— Le combat rapproché, là... les coups... C'est pour ça que j'avais choisi le tir. Le judo, le karaté, la boxe, j'ai jamais pu sentir...

Ils entendirent un toussotement derrière eux.

La jeune femme ! Ils l'avaient complètement oubliée depuis la fuite de ses deux agresseurs... Elle s'était relevée et tentait tant bien que mal d'enlever la terre de ses longs cheveux. Elle tremblait encore.

— Ça va ? demanda Neil. Vous souhaitez que...

Il s'approcha d'elle, voulut lui poser une main sur le bras mais se figea net.

Elle avait relevé la tête vers lui, un visage mignon quoique assez joufflu, adorable, entouré de cheveux auburn qui frisaient à leurs extrémités. Mais surtout, Neil se fit happer par ses deux grands yeux qui consentaient, en cet instant, à l'échange. Deux yeux dorés et scintillants, généreux.

Il resta ainsi, la bouche entrouverte, en plein milieu de sa phrase. On aurait dit la grimace d'une de ces carpes empaillées que les pêcheurs émérites accrochent au-dessus de leur cheminée pour se rappeler leurs exploits.

— Faites voir...

Zacharie s'était approché à son tour de la jeune femme et posait un œil expert sur les deux ecchymoses qui grossissaient sur sa pommette gauche et sur son épaule droite dénudée.

— Betty. Je m'appelle Betty.

Elle parlait avec un fort accent anglais.

Ou américain. Oui, plutôt américain.

Cette dernière déduction fut l'œuvre de Zacharie car Neil restait dans sa grâce de statue. Zacharie lui adressa une tape amicale sur le crâne, accompagné d'un « Hé, mon pote, terminus, tout le monde descend ! » qui fit sortir Neil de sa torpeur.

Les alentours étaient à nouveau calmes. Seuls quelques arbustes écrasés et avachis garderaient le témoignage de la rixe qui venait d'avoir lieu sur le sentier.

Le regard de Betty passait de l'un à l'autre de ses sauveurs. Elle observait avec un peu plus d'attention le plus petit des deux, ce petit air voyou et cette tignasse châtaine dont une petite mèche, une seule, descendait sur le front.

— Jean-Christophe. Et voici Benjamin, mon majordome. Désolé pour tout à l'heure mais...

— Désolé de quoi ?

Son accent était délicieux.

— Vous m'avez tirée d'une mauvaise passe. Merci.

Puis, après une pause :

— Vous me conseillez d'aller à la gendarmerie pour porter plainte ?

— Les gendarmes ne sont pas forcément très efficaces dans le coin, plaisanta Zacharie. Tu connaissais tes agresseurs ?

— Non. Je me rendais à la plage, comme tous les jours à la même heure, pour rejoindre une bande de copains. Peut-être voulaient-ils me...

Elle s'arrêta net et réprima un frisson qui la saisit tout entière.

— Oui, peut-être que tu ferais bien d'aller porter plainte, tout compte fait. Il ne faudrait pas qu'ils cherchent à se venger. Ça va aller ?

— Oui. Je vais m'y faire conduire par un ami.

Elle les remercia de nouveau et, encore chancelante, s'apprêtait à reprendre le chemin de la plage.

Neil se décida alors à ouvrir la bouche pour balbutier un « On se reverra peut-être ? »

— Je suis au *Papagayo* tous les soirs, sauf aujourd'hui. Demain, je vous offrirai volontiers une bouteille de champagne pour votre aide. Ce serait la moindre chose.

Elle s'efforça de sourire.

— Vous êtes là pour quelques jours ? À l'hôtel ?

— Au *Byblos*, répondit Neil.

En s'empressant d'ajouter :

— J'ai loué la suite Riviera.

Betty acquiesça et, cette fois, partit pour de bon. À l'endroit où elle obliqua en direction de la plage des Graniers, l'Américaine adressa un petit geste de la main aux deux adolescents.

— Neil, ça va ? C'est ta gorgée de champagne qui te monte à la tête avec retard ? Ou bien l'effet des médicaments miracles du docteur Mandragore ? C'était cool, ton petit séjour au paradis ?

— Qu'est-ce que tu racontes ?

Ils regagnèrent leur rocher où leurs affaires les attendaient.

— Elle t'a tapé dans l'œil, l'Américaine.

— Arrête tes conneries… Elle a au moins vingt-cinq balais. Et puis est-ce que je t'en cause, moi, de tes baisers volés avec Ilsa ?

— Tu ne la laissais pas indifférente, c'est évident, compléta Zacharie, absolument pas touché par la pique de son compagnon.

— Ferme-la, tu veux ? On est en mission. Termine ton poulet-bacon et on y va.

Zacharie s'exécuta, sans se départir de son sourire, ce qui eut le don d'exaspérer Neil qui s'éloigna sur le rocher, et s'assit, face à la mer, tournant le dos au géant.

Une seule question le taraudait en cet instant… Quelle était la probabilité statistique d'un coup de foudre ? Il faudrait le demander à Anouar. Seul un mathématicien était capable de calculer de telles âneries.

Neil avala sa tarte tropézienne sans grand plaisir et siffla la fin de la pause. Il était temps de rejoindre la plage avant que la météo ne se gâte et chasse Nikolaï Stavroguine de son matelas.

Mais, une fois en bas de l'escalier qui menait au rivage, ils s'aperçurent que Nikolaï, qu'ils identifièrent immédiatement, n'était pas le genre de fils de milliardaire à s'étendre sur un transat, en plein désœuvrement. La photographie projetée par Mandragore devait être récente et correspondait trait pour trait. Vêtu d'un simple caleçon de bain et allongé à même le sol, Nikolaï était plongé dans un épais roman intitulé *Le Don paisible*. Une demoiselle, vêtue d'un simple bikini, était serrée contre lui, sa tête amoureusement enfouie au creux d'une des larges épaules du Russe, si bien qu'il était impossible d'en distinguer le visage. On ne pouvait néanmoins que s'extasier devant ce corps parfait, ce dos délicatement creusé et à la peau veloutée.

— Étrange de lire ce chef-d'œuvre de la grande période soviétique en français, lança Neil.

— D'autant que la traduction ne vaut pas un pet de lapin, répliqua Stavroguine, sans la plus petite trace d'accent russe et sans même relever le nez de son bouquin.

Mais Neil fut incapable de trouver la moindre repartie.

La jeune femme s'était retournée vers eux pour les saluer.

Et Betty leur adressa un grand sourire où éclatait, une fois encore, toute sa reconnaissance.

(17)

SAMEDI, 15 H 30
PORT DU POUSSAÏ, COMMUNE DU DRAMONT,
SAINT-RAPHAËL

Émile avalait à grande vitesse les quatre kilomètres qui le séparaient du port du Poussaï.

Polydactylie : du grec poly, *nombreux, et* dactyle, *doigts. La polydactylie se définit comme la présence d'un ou plusieurs doigts supplémentaires ou d'un ou plusieurs orteils au niveau du pied. L'hexadactylie (six doigts, 1,7 cas pour mille naissances) est la plus fréquente des polydactylies. C'est dans la Bible, au deuxième livre de Samuel, chapitre 21, verset 20, que l'on trouve pour la première fois la consignation écrite de cette malformation.*

Il y avait donc peut-être une chance de sauver un doigt de plus. Il s'en était expliqué avec Nicolas Mandragore lors du trajet sur cette jolie route qui épousait les contours de la côte. Souvent, au détour d'une courbe, la mer s'offrait au conducteur.

— Tintin... Pas croyable, tu ne sais pas ça ?

— Quoi, ça ? avait répondu Mandragore. Nous n'avons pas trop le temps de jouer aux devinettes, Émile.

— L'île Noire qu'Hergé a dessinée dans l'album du même nom est censée se trouver au large de l'Écosse. En fait, il s'est inspiré de l'île d'Or, ici même, un petit lopin de rocher surmonté d'une curieuse tour gothique. J'en étais fou quand j'avais dix ans, je me voyais construire un radeau de bambous pour partir à l'assaut de la tour… Elle se situe à trois cents mètres à peine du rivage, exactement en face de la plage du cap du Dramont où a eu lieu une partie du débarquement en 1944 et pas loin du port du Poussaï où Marc Siniac possède un emplacement. J'avais lu, il y a quelques mois, qu'elle venait d'être rachetée par un type qui souhaitait conserver l'anonymat. Je vais tenter de louer un bateau pour accoster sur l'île. Je suis presque sûr que c'est là que Marc se cache.

— Et peut-être même Mathieu…

— Oui, concéda Émile. Peut-être même Mathieu. Il y a une chance en tout cas pour que les types n'aient pas sectionné le bon annulaire. Ce serait la double raison de son départ précipité : se cacher, et prévenir Mathieu.

Anouar, Mathilde et Elissa participaient également à cette conversation.

— Jeanne aussi a fui, rappela Anouar. Et pourtant on l'a aussi mutilée.

— Tu étais au courant de la malformation de Marc ? demanda Émile au jeune garçon, sans prendre la peine de rebondir sur sa remarque.

— Non, absolument pas.

Question superflue. Ça ne changeait rien à l'affaire. Mandragore donna lui aussi son opinion :

— Ces professionnels ont dû trancher les deux. Mais ça vaut le coup de tenter notre chance. Si on peut rapatrier Marc à la villa, on aura deux membres du groupe avec nous. Parmi les plus influents. Peut-être pourrions-nous alors trouver une faille dans le système pour éviter la catastrophe de lundi.

L'Effacé au volant acquiesça en silence.

— Émile, pas de risque inconsidéré. Et ne perds pas de vue que Marc ne va pas t'accueillir à bras ouverts. Il doit être dans un état psychologique déplorable. Si tu parviens à le convaincre, ce dont je ne doute pas, vous rentrerez à Milon en voiture. Pas de train, ni d'avion. Trop risqué.

— Je ne pars pas rejoindre Neil, Zacharie et Ilsa à Saint-Tropez ?

— Tu m'as très bien entendu, répliqua l'ancien médecin d'un ton sec.

Son stress était palpable, ce qui était plutôt étonnant chez lui.

— J'ai programmé votre heure d'arrivée à la villa vers minuit. Terminé.

Émile réduisit sa vitesse. Pour la première fois, un panneau indiquait la plage du cap du Dramont. Il devait la passer puis prendre à droite pour accéder au Poussaï, caché de la route, au pied du gros rocher qui accueillait le célèbre sémaphore de la région.

Le petit port, un des plus charmants de la Côte, un « joyau », selon les connaisseurs, se fondait dans le paysage, entre les montagnes de l'Esterel et les roches rouges du chemin des douaniers. On y comptait quatre-vingt-dix places, et pas une de plus. Le président du port écartait formellement toutes les demandes des propriétaires de grands yachts, milliardaires russes et moyen-orientaux qui ne pouvaient, en ce paradis, que dénaturer le paysage.

Émile gara la voiture et avisa un plaisancier au milieu du ponton. Devant lui, les pierres de la tour de l'île d'Or, et même l'île tout entière, livraient sous le soleil leur plus belle teinte orangée. Il entama aussitôt la conversation avec son meilleur accent :

— C'est possible de louer un bateau pour quelques heures ?

L'autre le dévisagea. Il était en train de charger à bord de son embarcation quelques victuailles en prévision d'une sortie.

— Ça dépend pour où.

Émile fit un geste ample avec son bras.

— Le long de la côte, vers Saint-Raphaël. Pour prendre quelques photos…

Le loup de mer du dimanche ricana.

— Y a pas beaucoup de stars par là. C'est la classe moyenne de la Riviera, ici. Faudrait plutôt remonter vers Cannes.

— Je ne suis pas un paparazzo.

Son interlocuteur se gratta le menton.

— Vous avez un permis ?

— Oui, mentit Émile. Mais pas sur moi.

— Bah… J'ai un hors-bord si vous voulez, six chevaux, pas besoin de permis. C'est plus maniable, plus pratique à conduire. Mais pour ce qui est de l'autonomie…

— On peut aller jusqu'à l'île, là-bas ? demanda l'Effacé en désignant la tour.

— Oui, bien sûr ! Mais c'est une propriété privée. À moins que vous ne soyez attendu…

— Personne n'y vient jamais ?

— Des fanas de plongée sous-marine, de temps à autre. Mais ils restent autour et n'accostent pas. Le dernier proprio est mort en 1994. C'était un officier de marine. La famille a vendu depuis, mais personne ne sait à qui.

Il marqua une pause, dubitatif.

— Enfin, quand je dis personne… Y a bien un notaire dans le coin qui doit être au courant.

Émile se fit pressant.

— Combien pour votre hors-bord ?

— Pour combien de temps ?

Il venait de terminer son chargement et s'épongea le front avec un mouchoir en tissu rayé.

— Une heure ou deux.

L'autre haussa les épaules.

— Bah. Cent euros plus le carburant.

Émile sortit un billet de cent euros et un autre de vingt de son portefeuille.

— Je pars tout de suite. Où se trouve l'embarcation ?

— Un peu plus loin, sur la droite. Suivez-moi.

Et, d'un pas nonchalant, trop nonchalant au goût d'Émile, l'homme le guida vers un Zodiac Classic gris, un bateau pneumatique léger équipé d'un moteur Yamaha six chevaux.

— Il vous suffit de gérer la barre. Pour démarrer...

— Je connais, merci, le coupa Émile en sautant déjà à bord de l'embarcation.

Sous le poids de l'adolescent, le Zodiac tangua pendant quelques secondes. Émile n'avait encore jamais conduit un pareil engin mais il se souvenait des cours théoriques dispensés par Mandragore à ce sujet. On démarrait le moteur en tirant sur la bobinette. Puis on orientait l'hélice en fonction de la trajectoire voulue. Pour Émile, après un court slalom entre les pontons pour quitter le port du Poussaï, ce serait droit devant, direction l'île d'Or.

Il couvrit la courte distance avec assurance, les cheveux au vent, les yeux piqués par les embruns. Le plus difficile allait être d'amarrer le Zodiac au petit ponton qui se trouvait à l'est de l'îlot, non loin de la tour. Émile devait doser les gaz afin de ne pas arriver trop vite, ce qui risquerait d'endommager la coque de l'embarcation.

Par prudence, il ralentit son allure à bonne distance, manœuvrant la barre pour se positionner dans un angle de quarante-cinq degrés par rapport au ponton. Encore une réminiscence des cours de Mandragore. Prérequis indispensable pour être un Effacé opérationnel : une excellente mémoire.

Il n'était pas au bout de ses peines car, après avoir enfin arrêté le moteur, il dut s'y reprendre à trois fois pour envoyer la corde autour de la bitte d'amarrage. Passage obligé s'il voulait retrouver son hors-bord au moment de quitter l'endroit.

Émile posa enfin le pied sur les rochers roux de l'île et gravit un petit escalier escarpé qui montait jusqu'à la porte principale de cette étrange tour carrée et crénelée de cinq étages, à l'allure moyenâgeuse.

L'Effacé remarqua que tous les volets étaient clos. Mais un homme traqué n'aurait bien évidemment pas pris la peine de les ouvrir. Ce n'était pas une indication quant à la présence de Marc et peut-être même de Mathieu en ce lieu.

Émile attendit quelques instants devant la lourde porte de bois. Il regarda la côte, la plage du Dramont et le paisible port du Poussaï. Tout semblait calme.

Alors, il frappa, mais n'obtint pas la moindre réponse.

C'était couru d'avance.

Il frappa une deuxième, puis une troisième fois, sans obtenir plus de résultats. L'Effacé entreprit de faire le tour du bâtiment pour voir s'il n'existait pas une seconde entrée.

Mais il revint bredouille et frappa cette fois avec force sur l'énorme battant, sans avoir d'autres choix que de se dévoiler.

— Marc ! Je sais que vous êtes ici...

La phrase type qui n'impressionnerait guère l'informaticien s'il se trouvait là. Émile devait partir du principe que le fugitif était aux aguets. Il devait se poser comme l'homme, ou plutôt le jeune homme providentiel, celui qui lui ferait entrevoir la fin du cauchemar.

— Marc, je viens de la part d'Anouar, ouvrez-moi, je suis ici pour vous aider.

L'énoncé de ce prénom connu ne provoqua aucune réaction visible.

— Nicolas, si tu m'entends, tu peux demander à Anouar s'il n'existe pas un code entre eux pour se parler... Une sorte de phrase afin qu'ils s'identifient entre eux ?

Mais il ne reçut aucune réponse de la villa. Donc, pas de code.

Émile se donna encore trois minutes. Si, au bout de ce temps, il ne détectait aucun mouvement, aucun son, aucune présence, il devrait admettre qu'il avait fait fausse route une seconde fois après son échappée inutile à Biarritz.

— Marc, Anouar m'a demandé de venir vous trouver. Je ne vous veux aucun mal, je ne porte pas de cagoule. Je n'ai, sur moi, ni couteau ni scalpel. Mais je sais ce que vous avez subi… Il est arrivé la même chose à Anouar et à Jeanne…

À cet instant, au moment exact où il cessa de parler, Émile crut percevoir un bruit derrière la porte. Un bruit de verrou.

Il en eut la confirmation lorsque le battant s'entrouvrit.

Il ne vit personne, mais entendit une voix grave, caverneuse.

— Entrez… Vite !

Il se rua à l'intérieur de la tour, sans même goûter à l'euphorie de sa première victoire, et sentit la lourde porte claquer derrière lui.

Ses yeux mirent un bon moment avant de s'accoutumer à l'obscurité du lieu. Il se trouvait dans une salle carrée, ponctuée de quatre piliers de pierre rousse. Des ordinateurs traînaient dans tous les coins de la pièce sombre, certains éventrés mais d'autres en activité.

— Qui êtes-vous ?

L'homme qui lui faisait face était grand, très grand même, deux mètres peut-être, parfaitement chauve et parfaitement glabre. Il portait un tee-shirt avec un motif de smiley qui faisait la moue et un jean déchiré aux genoux.

Émile baissa le regard vers les mains de l'homme et nota qu'elles comportaient toujours cinq doigts. Sauf que, sur celle de droite, il y avait un moignon encore sanglant.

Et dans celle de gauche, un revolver pointé sur son abdomen.

Émile devait aller droit au but.

— Vous êtes Marc ? Est-ce que Mathieu est avec vous ?

L'autre ne bougea pas d'un cil. Le revolver ne tremblait pas.

— Qui êtes-vous ?

— Je m'appelle Émile. Anouar nous a mis au courant pour l'algorithme. Il vous savait en danger et nous a demandé de vous secourir.

— Qui, nous ? Vous dites « Anouar nous a mis au courant »... Pour qui travaillez-vous ? Et quel âge avez-vous ?

— Je travaille à un monde meilleur.

Marc ricana.

— Vaste programme !

— Vous pouvez baisser votre arme... Vraiment... Je ne vous veux aucun mal.

— Prouvez-moi que vous connaissez Anouar.

Émile approuva d'un hochement de tête.

— C'est de bonne guerre. Vous permettez que j'utilise mon téléphone portable ?

Il composa un numéro et, après trois sonneries, la voix du jeune garçon retentit dans le haut-parleur.

— Marc, c'est bien moi. Tout va bien ?

L'informaticien sembla décontenancé par cet appel improvisé.

— Anouar, je peux croire ce type ?

— Oui, tu peux.

Émile raccrocha aussitôt.

— Ce que je déteste ces machins-là... dit Marc en glissant son revolver dans sa ceinture.

— Viens, dit Émile, qui passa au tutoiement, nous devons fuir. Je vais t'emmener dans un endroit sûr. Ma voiture est garée au Poussaï.

Marc expira longuement.

— Je t'ai vu venir avec ton Zodiac. On ne va pas repartir avec. J'espère que tu n'as pas versé de caution. On va prendre mon rafiot. C'est un quarante chevaux. Il m'attend dans une petite crique dissimulée des regards, à l'arrière de l'île. Tu m'emmènes où ? Où est Anouar ?

— Déjà, quittons cet endroit…

— Et Mathieu ? Vous avez des nouvelles de Mathieu ? L'accident de son jet…

— Nous le cherchons aussi, répondit Émile sans autre précision.

L'informaticien rafla un grand sac à dos de randonnée et l'emplit avec divers objets qui traînaient sur une table, dont quelques boîtes de médicaments et d'étranges composants électroniques. Il pressa ensuite un bouton situé sur un des piliers et, instantanément, tous les ordinateurs de la pièce se mirent en veille.

— Au fait, tu m'as trouvé comment ?

— Les posters de Tintin, ton emplacement au Poussaï. Je suis de la région.

— C'est fort. Bravo. J'espère seulement que personne ne t'a suivi.

Émile posa la question fatidique, maintenant que Marc éprouvait pour lui une fragile confiance :

— Ils t'ont coupé le bon ou le mauvais annulaire ?

— Le bon… souffla Marc. Enfin, à ce qu'ils croient. Je modifiais souvent le système de reconnaissance digitale pour qu'il identifie l'un ou l'autre de mes annulaires – facile, puisque j'étais le programmeur. Une fois c'était l'annulaire 1, une fois l'annulaire 2. Jusqu'à vendredi soir, c'était l'annulaire 1. Sauf que, à minuit, on est passé sur le 2, une intuition de ma part, comme ça… Je n'ai toujours pas compris pourquoi ils ne m'avaient pas sectionné les deux. Mais lorsqu'ils s'en apercevront…

Émile souffla. Enfin une bonne nouvelle et un succès à son actif.

— Ce qui signifie que tes ennemis, nos ennemis, possèdent un annulaire parfaitement incapable de gérer en quoi que ce soit l'algorithme d'Anouar.

— Oui. C'est pour ça que je me planque.

Le temps pressait. Émile regarda sa montre. Il se trouvait déjà depuis dix minutes sur l'île.

— Il faut y aller. On aura tout le temps de discuter dans la bagnole. On sort par la porte ?

Marc secoua la tête. Il venait de lacer la poche avant de son sac à dos.

— J'ai un accès souterrain vers la crique. Suis-moi…

Mais ils s'immobilisèrent. Derrière la porte, un son net couvrait le bruit des vagues. Un son qui se rapprochait.

Ils se dévisagèrent. Émile lut dans le regard de Marc les prémices d'une violente angoisse.

Ils se risquèrent à entrebâiller la porte et à y passer la tête.

Un puissant Zodiac fonçait droit sur eux.

Et, à moins de dix mètres des premiers rochers, les quatre passagers enfilèrent leurs cagoules noires.

ARCHIVES SECRÈTES DES EFFACÉS
JOURNAL DE MATHIEU

Samedi, 15 h 45

Je savoure mes derniers moments de calme. Les clapotis lancinants de la Méditerranée me rassurent. Je suis bien ici. J'aimerais y rester enfermé jusqu'à lundi soir. Pour alors sortir et goûter à l'air nouveau, l'inspirer à pleins poumons.
Et entendre tes cris et tes pleurs, Mayenne. Les entendre de là où je suis, très loin de là où tu es. Il y a toujours eu un océan entre nous.
Je ne me fais cependant aucune illusion. Je vais devoir fuir, à nouveau. Trouver un autre refuge. Tes sbires se rapprochent. Tu as su passer de bonnes alliances. Vos armées sont prêtes à déferler. Je le sais. Mon métier a toujours été de prévoir, de sentir les événements plus vite qu'un autre. Je sens que tu es à mes trousses, Mayenne. Et que, cette fois, tu ne lâcheras pas la partie. Tu veux ma tête au bout d'une pique, tu veux me faire payer ça, et autre chose. Tu veux me faire tout payer : l'affront que je t'ai fait, ceux que les autres t'ont faits. Mais surtout, tu veux me voir à terre pour essuyer tes semelles sur moi. Car cela a toujours été pour toi la seule et unique façon de montrer ta puissance factice, Mayenne. Ta fonction s'est fondue en toi. Tu n'es plus un être humain, mais une entreprise, Mayenne. Tu es ta banque.

Bientôt, tu ne seras plus rien.

Il faut détruire ce système qui ne profite qu'à une poignée, ce système tenu par les banques dont Silverman Brothers est un des sept piliers. Non contents de tondre vos clients pendant des dizaines d'années, vous vous attaquez à présent aux États, aux seuls auxquels il reste encore un peu d'argent dans le portefeuille. Et votre connivence avec le monde politique, monde sans scrupule s'il en est, vous facilite bien la tâche. Ces États qui vous ont sauvés voilà quelques mois et que vous remerciez aujourd'hui en les terrorisant. Jusqu'alors, vous étiez les victimes des hold-up. Mais, à présent, tout s'est inversé, vous les commettez. Cet ultime hold-up planétaire est mené de main de maître, avec méthode, une certaine nonchalance, et, bien entendu, dans la plus parfaite légalité. Et lorsqu'il n'y aura plus rien à tondre sur cette vaste Terre, vous irez sur Mars, sur Pluton peut-être, à la recherche de nouveaux moutons.

Notre algorithme a la puissance de plusieurs bombes nucléaires. Sauf que notre guerre sera propre. Le sang versé — ne soyons pas angéliques, il y en aura — ne sera pas forcément celui auquel vous vous attendez. Pour respecter la règle immuable, on décapitera le haut des buildings avant de s'attaquer au bas. Les bonnes vieilles règles de la maçonnerie stipulent qu'une construction doit s'élaborer sur de solides fondations. On les a trop souvent oubliées. Puisque, bientôt, tout sera par terre, nous les ferons appliquer sans détour.

Le compteur tourne.

Nous veillons à ce qu'il ne s'arrête pas malgré vos menaces, vos pressions. Tout a été fait dans ce but.

Et puisque tu es loin d'être au bout de tes surprises, Mayenne, sache que l'équipe que j'ai réunie autour de moi partage mes points de vue, mes amours et mes haines.

Tu vas pousser des cris d'orfraie devant ce mot.

Nos haines sont saines, Mayenne, les tiennes sont sales.

Anouar, Marc et Jeanne sont des désaxés, à mon image. Le mot serait une insulte dans ta bouche, il est un compliment sous ma plume. Ils ne se reconnaissent pas dans le monde que tu as fabriqué, que tu conserves et que tu chéris. Ils haïssent l'autorité et la cupidité. Ils chérissent la liberté.

Je suis le MAJEUR, le plus long, celui qui dirige.

Anouar est l'INDEX, celui qui a montré la voie, qui a engendré l'algorithme. À dix ans.

Marc est l'ANNULAIRE, le doigt qui porte l'anneau, le concepteur de notre système informatique, celui qui a assuré l'alliance entre nous tous.

Jeanne est le POUCE, celui qui a été nécessaire à la préhension de ce projet, qui a pris les fonds nécessaires çà et là, grâce à son formidable carnet d'adresses.

Reste l'AURICULAIRE, celui avec lequel on se gratte l'oreille, qui déblaie le passage, celui avec qui tout devient plus facile. Le membre le plus vulnérable parce que, au fond, avec le recul, j'ai été trop naïf. Il ne pouvait être aussi radical que nous. Ses visées n'étaient pas forcément les nôtres.

Est-ce lui qui nous a trahis ? Qui nous a vendus ?

Est-ce lui, Mayenne ?

Tu auras peut-être l'occasion de me le confier bientôt. Seront-ils ces derniers mots que tu susurreras à mon oreille avant de m'achever, pour me punir d'avoir déclenché l'apocalypse financière ?

Mais il te faudra courir vite, ensuite. Car moi, si je meurs, ce sera en martyr.

Et toi en bourreau.

(18)

SAMEDI, 15 H 50
ÎLE D'OR, COMMUNE DU DRAMONT,
SAINT-RAPHAËL

Une île réputée inhabitée… Un endroit idéal pour se sous-traire aux regards de tous.

Oui, mais si vos ennemis vous débusquent, alors l'île fait de vous son prisonnier.

Le moteur du Zodiac s'était tu et les quatre hommes encagoulés devaient être en train de monter l'escalier taillé dans la roche. Et, une fois parvenus à la tour, ils ne feraient pas de détail pour ouvrir la lourde porte.

Émile s'en voulut. Ils devaient le guetter à la jumelle quelque part depuis la côte. Lorsqu'ils l'avaient vu s'engouffrer dans la tour, il n'y avait plus eu aucun doute pour eux. Marc était bien venu se réfugier ici.

L'Effacé s'était fait avoir. Et de belle façon.

— C'est foutu ! lâcha Marc. Va-t'en ! Ça ne sert à rien qu'ils nous trouvent tous les deux. Si tu peux encore trouver Mathieu, va-t'en…

— Non, insista Émile. On va partir avec ton bateau et gagner le port. Si nous parvenons à l'atteindre, ils n'oseront pas nous capturer ou te charcuter en public.

Marc haussa les épaules.

— Je parie que les types du port sont trempés jusqu'à la moelle là-dedans. Ils m'ont certainement vendu. Ils ne diront rien. On se bat contre beaucoup plus puissant que nous.

— Tu sais qui ils sont ? demanda Émile.

— Ce que je sais, c'est qu'ils n'existeront plus mardi prochain.

Ils avaient pris la direction d'une petite pièce, dans la continuité de la salle carrée. Dans le renfoncement d'un mur s'ouvrait une volée de marches.

— C'est ici, souffla Marc. En bas de l'escalier tu trouveras deux couloirs creusés dans la roche et éclairés avec des néons. Celui de droite mène à mon bateau. Celui de gauche s'enfonce peu à peu dans la mer. Tu vas prendre celui de gauche et fuir.

— Tu plaisantes ? On part ensemble et...

Ils entendirent un sifflement strident provenant de la grande salle. Puis une explosion, très brève, qui secoua les murs.

— Non. Je suis dans un état physique lamentable. Je n'ai pas fait de sport depuis le lycée et je fume comme un pompier. J'ai perdu la partie. Mais toi, tu peux encore aider Mathieu.

La voix de Mandragore résonna dans les tympans du garçon :

« Émile, ton temps est compté. Marc a raison, vous ne pourrez pas vous échapper tous les deux. Je viens d'intercepter une de leurs communications. Deux types sont partis vers la crique où est amarré le bateau. Ils connaissent cette sortie de secours. La seule chance, c'est de partir à la nage et Marc n'en a pas les capacités. Demande-lui s'il existe un moyen d'arrêter l'algorithme sans scanner les empreintes des cinq doigts. Vite... »

L'Effacé répéta la question.

Marc secoua la tête.

— Non, tout est verrouillé.

— Et si on parvenait à reproduire les empreintes digitales de vous cinq sur des gants de caoutchouc ? insista l'Effacé.

— Non, le système que j'ai mis en place est bien trop sophistiqué pour se laisser berner par des gants. Cette solution, on ne la voit que dans les mauvais films.

Il dévisagea Émile.

— Pourquoi tu me poses cette question ? Toi aussi tu cherches à désactiver l'algorithme ?

Des bruits de pas se rapprochaient d'eux. Ils virent de puissants faisceaux lumineux scruter les murs de la grande salle.

— Je cherche surtout à faire en sorte qu'il ne tombe pas entre des mains peu recommandables. Je préfère le savoir en ma possession, répondit l'adolescent.

— Il y a quelques jours à peine, personne ne savait quoi que ce soit de notre invention. Et maintenant, c'est un peu comme si tout un monde obscur le cherchait, coûte que coûte... Pour le détruire, ou se l'approprier. Pour éviter l'apocalypse ou bien faire en sorte qu'elle se produise bien.

Une dernière intuition vint à l'esprit de l'Effacé. Si Marc avait mis en place concrètement ce système de reconnaissance digitale alors...

— Tu connais certainement la cinquième personne. Anouar, Jeanne, Mathieu, toi et... ? C'est un secret que tu partages avec Mathieu, non ?

Mandragore s'insurgea dans l'oreillette :

« Le temps presse. On se fout de l'identité du porteur du cinquième doigt ! Essaie plutôt d'apprendre s'il sait où se trouve Mathieu. »

De grosses gouttes de sueur perlaient sur le front de Marc. L'informaticien se trouvait dans un état de stress total. Pourtant, à l'énoncé de cette question, il ne put s'empêcher de rire. Un rire aigu qui cadrait peu avec sa voix d'homme des cavernes, un rire de fou.

— Bien essayé, l'ami. Si Mathieu change d'avis avant lundi matin pour une raison qui lui semble juste, alors dis-lui de se rappeler le 15 juillet, à 5 heures.

— C'est quoi, ça, une énigme ? Tu ne peux pas être plus clair ?

Une voix inconnue hurla subitement :

— Ici !

Et les lampes torches se pointèrent sur eux. Ils étaient faits.

— Et dis-lui aussi que « qui veut faire l'ange fait la bête », il comprendra…

Émile n'attendit pas une seconde de plus et dévala à toute vitesse la volée de marches qui le conduisit au sous-sol de la tour, taillé à même la roche de porphyre. Là, il se faufila dans le couloir de gauche et, quelques mètres plus loin, ses baskets baignaient déjà dans la Méditerranée. L'eau était glacée, son contact, agressif. Son pantalon se colla contre sa peau, accentuant l'impression de froid. Il s'enfonça pourtant jusqu'à la taille, puis, dans une grimace, s'immergea tout entier, son sac à dos contre le ventre pour atténuer la morsure glaciale.

Mais c'était sa seule chance.

Avant de plonger dans le monde du silence, Émile entendit Marc crier.

Un hurlement atroce qu'il n'était pas près d'oublier.

(19)

SAMEDI, 15 H 50
PLAGE DES GRANIERS, SAINT-TROPEZ

Neil resta muet, comme frappé de stupeur. Ce fut Zacharie qui lui redonna vie, en lui plantant discrètement un coup de coude dans les côtes, un peu à la manière de ces vieux jouets qui repartent après un bon coup de tatane.

La présence de Betty, lovée contre leur cible, avait sonné l'Effacé.

— Jean-Christophe Malescot, se présenta Neil. On ne se connaît pas encore.

— Tu me cherchais ?

Son accent français était réellement bluffant. Le Russe n'avait toujours pas laissé tomber son bouquin et continuait de lire, tout en conversant. La tête de Betty avait réintégré le creux de son épaule.

— Disons que je suis bien content de te trouver.

— Tout le monde me cherche, à Saint-Tropez, depuis quelques jours... Et je parie que c'est pour me quémander une invitation à la soirée que je donne ce soir dans ma villa du Capon ?

Neil ne répondit rien, pris au dépourvu.

— Non, décidément, elle est à jeter, cette traduction ! continua le Russe. Il faudrait que celui des petits livres beiges, là, celui qui a traduit Dostoïevski... Il faudrait qu'il s'attaque au *Don*... En fait, je m'en fous.

Il jeta le livre au loin et se décida enfin à se lever. Il le fit d'un coup, sans en avertir sa compagne. Sa tête atterrit brutalement sur le sable.

— Tu aurais pu juste me prévenir, dit-elle en se relevant à son tour, les cheveux et la bouche pleins de sable.

Neil compatissait. En plus de vouloir gifler le Russe, il aurait bien volontiers aidé Betty à se débarbouiller. Zacharie, d'un geste, l'empêcha de commettre cet impair.

L'Américaine s'enroula dans une épaisse serviette-éponge décorée d'une faucille et d'un marteau rouge sang et s'éloigna vers le restaurant en haussant les épaules.

Neil put enfin dévisager son interlocuteur. Ses cheveux étaient très noirs, savamment laissés en pagaille, il avait des yeux bleus d'une clarté absolue, presque blancs, paisibles et limpides, un visage pâle aux traits robustes, et des lèvres de corail d'où émergeaient des dents, comme de vrais rangs de perles. Stavroguine, de façon certaine, était beau, mais il y avait aussi chez lui quelque chose de repoussant. Dans son regard, peut-être, dans la composition de sa face, l'agencement des replis de sa peau lorsqu'il grimaçait.

— Elle n'a pas vu que le temps n'était plus à la bronzette ! s'esclaffa Nikolaï en frottant sa barbe de trois jours. Il faut tout leur dire, aux gonzesses.

« Il faudrait au moins leur dire que tu es un abruti et un macho », songea Neil, qui accompagna sa pensée d'un sourire de la plus parfaite hypocrisie.

Mais il chassa violemment ce premier jugement qui, même s'il était le bon, ne devait pas s'imposer à lui comme le seul et l'unique. Stavroguine était très certainement celui qui allait les mener vers Mathieu. Peut-être même l'ancien trader logeait-il dans l'immense villa de son ami... Neil devait sympathiser, prendre sur lui. Il jouait un rôle. Celui d'un jeune millionnaire.

— C'est qui, lui ? demanda Nikolaï en désignant Zacharie d'un coup de menton.

Neil ne se retourna même pas.

— Benjamin. Il m'accompagne quand je voyage. Il me facilite la vie, il s'occupe de tout.

— Tu as fait fortune dans quoi ?

L'interrogatoire commençait donc.

— J'ai créé un site communautaire professionnel dans mon pays, en Suisse, qui réunissait la crème des banquiers. Un Facebook du pouvoir financier, quoi. Et puis un consortium me l'a racheté pour vingt millions de francs suisses. Ça fait cher de l'adresse et du profil des membres inscrits, mais placés à cinq pour cent, ça me laisse de quoi voir venir.

— Ah... Alors tu es un vrai entrepreneur, toi. Un as de l'informatique, en plus, le filon inépuisable par excellence. Ton fric t'appartient. Tu n'es pas un gosse de riche, comme moi, et comme les autres.

Il désigna la plage qui se vidait peu à peu. Les gros nuages gris s'accumulaient au-dessus de leurs têtes. La pluie menacerait-elle ?

— Et tu as quel âge ? continua Nikolaï.

— Vingt-deux ans.

Il ricana.

— Ouais. Et moi cinquante-cinq. Enfin je ne t'en veux pas, je me vieillissais, moi aussi, quand je comptais encore mes poils de barbe, le matin. Les nanas préfèrent sortir avec des mecs plus âgés qu'elles.

— Tu veux voir mon passeport ? répondit Neil du tac au tac.

— Non, je m'en tamponne, de ton passeport. Tu me prends pour un flic ? Comme je me tamponne de ton âge d'ailleurs, et même de toi. Si tu crois que tu es le premier qui vient chialer pour obtenir une invitation pour ce soir... Mais enfin je ne vais quand même pas les distribuer comme ça, les invitations ! Note bien que je pourrais. Je me fous éperdument de savoir si tu possèdes vraiment tes vingt millions. Si tu me mens et que tu es en fait un cambrioleur d'élite, un Arsène Lupin d'aujourd'hui, je vais même te dire : tant mieux !

Il ricana à nouveau, posant une main sur l'épaule droite de Neil.

— Si tu peux embarquer quelques toiles achetées par mon père et quelques croûtes peintes par ma mère... Si tu veux, je peux même te laisser les clefs, d'ailleurs. Et ma montre, par-dessus le marché. Tu n'auras pas besoin de me braquer pour me la piquer.

Le Russe défit le bracelet de sa montre et la lança contre la poitrine de Neil qui ne fit pas le moindre geste. C'était une Reverso à triptyque de Jaeger-LeCoultre, dix-huit complications et trois cadrans pour marquer le temps civil, le temps sidéral et le temps perpétuel. Cent exemplaires dans le monde. Trois cent cinquante mille euros. Une paille.

— Tu pourras la revendre sur eBay.

Stavroguine se pencha vers une pochette en cuir à moitié ensevelie dans le sable et en sortit un trousseau comprenant trois clefs de sécurité.

— Voilà, avec ça, pas besoin d'invitation. Tu entres, tu prends ce que tu veux, tu saccages même un peu, ça fera plus chic et moi, je préviens mon père dans la foulée qui te lance aux fesses tous les flics et les détectives privés de la planète, juste pour te faire payer l'affront. En attendant, je l'emmerde, ce vieux con.

— Donc, tu ne me crois pas ?

— Prouve-le.

— Te prouver quoi ? rétorqua Neil, les sourcils froncés.

Derrière lui Zacharie trépignait. Son rôle de majordome muet était un véritable supplice.

— Prouve que tu peux faire partie de mes amis. J'ai mis au point un test, une succession de trois épreuves qu'il te faut remporter l'une après l'autre.

Neil se demanda, à cet instant précis, ce qu'il devait répondre. Pourquoi souhaiterait-il à tout prix devenir l'ami de Stavroguine ? Et si cela paraissait suspect aux yeux du Russe... Mais en fait il lisait de l'amusement dans le regard de son interlocuteur. Ces épreuves n'étaient qu'un simple jeu. Une façon comme une autre de tromper son ennui.

— Tu recrutes tous tes potes par ce biais ?

— Nan ! Je viens d'inventer ces épreuves. C'est juste pour toi. Parce que tu as une gueule qui me revient.

Neil se lança :

— Bah ! Je m'en fous un peu, d'être ton ami. Mais je relève tes défis. Ça m'amuse. Je fais mes premiers pas dans ce monde de l'ultra-richesse. Je n'ai pas encore mes marques. Vaincre Stavroguine me conférera mes lettres de noblesse.

— Tu ne doutes de rien.

Le Russe enfila enfin un tee-shirt rouge vif et un pantalon blanc, immaculé. Puis il se pencha pour ramasser sa montre et la remit à son poignet.

— Tu conduis quoi, comme bagnole ?

Neil se trouva sec sur la question. Il n'y connaissait strictement rien. Zacharie intervint :

— Une Audi R8.

Là, Nikolaï partit d'un rire énorme.

— Et pourquoi pas une Fiat, aussi ? Bon, on arrête de plaisanter maintenant. Tu vas louer une McLaren MP4-12C. Je te donnerai une adresse. Et nous irons nous mesurer sur une route d'hommes. Seize morts l'année dernière. Seize morts pépères, des vacanciers, des vieux qui revenaient de leurs courses et qui ont mal négocié un virage. Alors, tu imagines, à deux cent cinquante à l'heure...

Il adressa à Neil un sourire gourmand. Des éclairs de cruauté perçaient de son regard.

Ça commençait fort. Une course-poursuite sauvage dans l'arrière-pays varois pour lui qui parvenait à peine à faire démarrer une Clio sans caler !

— Alors seulement, je te dévoilerai la troisième épreuve.

— Et la première ? Elle commence quand ?

— Mais immédiatement, mon petit.

Il fit signe à Neil de le suivre sous la paillote qui servait des rafraîchissements.

Trois épreuves pour se mesurer au fils Stavroguine. Trois épreuves pour qu'il lui accorde sa confiance et lui en apprenne plus sur Mathieu. Il devait y croire.

Le Russe vint s'asseoir à côté de Betty, qui, rhabillée, feuilletait une revue devant une citronnade. Il lui passa la main dans les cheveux tout en s'adressant à elle, en russe :

— Остался еще песок, а мне, знаешь ли, не нравится, когда что-то шуршит на подушке.

La jeune femme ne dit rien et continua de tourner les pages de papier glacé, sans un regard pour lui ni ses compagnons.

Plus tard, Mathilde, dont les grands-parents maternels étaient russophones, traduisit à Neil cette réplique. Elle signifiait : « Il reste encore des grains de sable et tu sais que je n'aime pas quand ça crisse, sur l'oreiller... »

Nikolaï commanda deux bloody mary, snobant outrageusement Zacharie.

— Donc, pour cette première épreuve, reprit-il, tu vas sortir ton téléphone portable.

Neil se mit sur le qui-vive. Où voulait donc en venir le Russe ?

— Et tu vas appeler un de tes compatriotes. Une célébrité suisse.

— Par définition, un Suisse n'est pas célèbre. Il préfère rester anonyme.

— Ne joue pas au plus fin avec moi. Tu as le choix. Deux critères à respecter toutefois : il faut que je connaisse le type, que je puisse reconnaître sa voix. Et tu évites les joueurs de foot. J'ai ce sport en horreur et encore plus depuis que mon père a racheté votre grand club, là, à Annecy, qui dispute bientôt la finale de la Ligue des champions.

Neil se tourna vers Zacharie. Il fallait gagner du temps.

— Tu as une idée, Benjamin ?

Un serveur déposa les cocktails rouge sang devant eux.

— Ne me dis pas que tu ne connais personne avec tes vingt millions. À ce niveau-là, on commence à attirer irrésistiblement les sangsues.

— Mais ça consiste en quoi, ce coup de fil ? Je lui passe juste le bonjour, c'est ça ?

— Je veux que tu me prouves que tu le ou la connais, c'est tout.

« Federer, le joueur de tennis. »

Mandragore venait de s'adresser à Neil par l'intermédiaire de son oreillette. Neil respira un bon coup. Qu'est-ce que cela signifiait donc ? Un coup de bluff ? Mandragore connaissait Federer au point de lui demander ce service ? Il ne chercha pas à savoir. Pas pour le moment du moins.

— On va appeler Roger Federer, annonça-t-il très simplement, en laissant traîner chaque syllabe du nom propre pour bien savourer la surprise du Russe.

« Il était à Miami la semaine dernière. A perdu en demi-finale. »

— Il était encore à Miami la semaine dernière, enchaîna Neil, mais il s'est fait éliminer en demie par je ne sais plus trop qui. Il doit être revenu, je crois que la saison continue en Europe.

Zacharie se retint pour ne pas lever les yeux au ciel.

— La classe ! Et maintenant, trinquons ! fit Nikolaï en cognant brutalement son verre contre celui de Neil. Notre premier pot ensemble. Pas encore celui de l'amitié, mais ça viendra peut-être.

« Neil, tu vas appeler le 071 352 19 34. »

Par quel prodige Mandragore allait-il bien leur arranger ce coup ? En tout cas, c'était fou ce qu'il faisait confiance à Nicolas, à présent.

Neil composa le numéro dicté par l'ancien médecin et actionna le haut-parleur de son portable.

Il y eut trois sonneries.

Puis on décrocha.

(20)

SAMEDI, 16 HEURES
PLAGE DES GRANIERS, SAINT-TROPEZ

— Oui ? C'est toi ?

C'était une voix d'homme, à l'accent suisse. Neil n'était pas spécialement fan de tennis mais il avait déjà entendu Roger Federer lors de plusieurs interviews. Il lui semblait bien reconnaître les intonations caractéristiques du champion.

— Salut, Jean-Christophe.

Le prénom avait été dit de façon hachée. D'abord Jean, puis après Christophe. Mais la liaison n'était pas des plus nettes.

Neil était réellement bluffé. Avait-il vraiment Federer au bout du fil ? Nikolaï, lui, semblait y croire. Il leva son pouce vers l'Effacé en clignant de l'œil.

— Salut, Roger, balbutia Neil. Comment tu vas ?

— Bien, et toi ?

Puis après une pause :

— Tu es dans le coin, à Bâle ?

« Ne réponds pas trop vite, prends ton temps afin que je puisse suivre. »

L'indication venait de Mandragore, par l'oreillette interne.

— Non, je suis à Saint-Tropez. Comment s'est passé Miami ?

— Pas terrible. Perdu en demie. Je prends un peu de bon temps avec mes filles en attendant.

Soudain, le Russe arracha littéralement le téléphone des mains de l'Effacé.

Neil tenta de discipliner son angoisse. Si Nikolaï en demandait trop…

— Roger, je suis Stavroguine. Tu as peut-être entendu parler de moi ?

— Jean-Christophe, tu es toujours là ? demanda le champion.

— Oui. Ton compatriote est là, en face de moi, l'air un peu abruti, mais ça ne t'étonnera pas. Dis-moi, ça te plairait de venir à la fête que j'organise ce soir ? Je t'envoie un avion privé. Tu n'auras qu'à sauter dedans. Nous avons un court dans le jardin, près de la plage de la villa. On pourrait faire un match, toi et moi.

— Je ne comprends rien. Tu es un ami de Jean-Christophe ?

Il y avait quelque chose d'un peu étrange dans les réponses du Suisse, des changements d'inflexion dans la voix, des variations peu ordinaires dans le ton d'une telle conversation. Mais Nikolaï, tout à sa jubilation, ne semblait avoir rien remarqué.

— Ouais. Un ami, ouais, si on veut. J'ai mon petit niveau en tennis. Tu n'auras pas affaire à un ingrat, crois-moi.

La réponse tarda quelques secondes, pendant lesquelles Nikolaï crut qu'il avait remporté cette partie.

— Écoute, je prends un peu de bon temps avec mes filles. Ton invitation est sympa mais je vais devoir dire non.

— Laisse tomber !

Le visage défiguré par une violente contrariété, le Russe balança le portable sur la table.

Neil ramassa l'appareil, adressa un vague au revoir à son interlocuteur et raccrocha aussi sec.

— Un tocard de plus. Incroyables, ces mecs qui sont riches et célèbres et qui restent avec la même bonne femme, et qui font des mômes. Quelle idée. Je comprends maintenant pourquoi il est sur le déclin, ce type. Une fille dans chaque port, oui, et pas d'attaches. Voilà la recette d'une vie longue et ambitieuse.

— Tu es satisfait ? demanda Neil. J'ai passé la première épreuve avec succès.

— Épreuve à la con, marmonna Nikolaï. Mais enfin je te l'accorde, va.

Le Russe leva alors les yeux au-dessus des têtes de Neil et Zacharie. Il fronça prodigieusement les sourcils, à en faire disparaître ses grands yeux.

— Tu es qui, toi ? éructa-t-il. Si c'est pour me réclamer une invitation…

Il se saisit de son verre de bloody mary aux trois quarts vide, menaçant de le jeter à la figure de ce personnage mystère.

— Je suis avec ces messieurs, répliqua, le plus calmement du monde, une voix de jeune femme.

Zacharie fut le premier à se retourner en reconnaissant l'intonation de celle qu'il chérissait entre toutes.

Ilsa était enfin avec eux.

— C'est ta sœur ? cracha le Russe. Elle a une gueule qui me revient pas.

— On ne te demande pas de lui rouler une pelle, répliqua Neil, que l'attitude insensée de ce gosse de riche commençait à exaspérer au plus haut point.

Zacharie serra les poings. Ilsa le calma instantanément en posant une main sur l'épaule du géant.

— Ce n'est pas ma sœur, continua calmement l'Effacé. C'est une amie.

— J'ai pensé que c'était ta sœur, parce qu'elle a les mêmes oreilles que toi. Décollées avec le lobe pendant... Et puis un peu les mêmes lèvres aussi. Ou tout du moins la même absence de lèvres... C'est ta gonzesse ?

— Tu vas m'insulter encore longtemps ? C'est une nouvelle épreuve ? C'est une amie, point barre. D'ailleurs je ne suis pas du tout son genre et je ne m'en plains pas. Elle préfère les grands mecs blonds et baraqués, qui haussent souvent les épaules.

Il lança un regard torve en direction des amoureux.

Cette réplique fit mouche et Stavroguine partit d'un tonitruant éclat de rire qui secoua presque le toit de la paillote. Il invita même Ilsa à prendre place près de lui, offre que déclina l'Effacée.

— Et comment se prénomme notre belle amie ?

— Ilsa, lâcha Neil.

Il sut immédiatement qu'il avait fait là une bourde. Dans le feu de la conversation, il avait révélé le vrai prénom de sa coéquipière. Une faute grave à ne jamais commettre. Il s'était déjà trahi, à Guernesey, lors de sa première mission, en donnant son propre prénom à la serveuse d'un salon de thé.

— Ilsa, c'est mignon, dit le Russe. Mais c'est le prénom d'Ingrid Bergman dans *Casablanca*, la bouse préférée de mon père. Combien de fois j'ai eu à me farcir ce navet en noir et blanc ! Je crois bien qu'il était amoureux de Bergman, ce connard. J'aurais préféré qu'il soit amoureux de ma mère, enfin bon...

Neil en profita pour se tourner vers Betty mais cette dernière était partie sans un bruit.

— Bien, c'est pas tout ça mais la deuxième épreuve nous attend.

Le Russe se leva et jeta négligemment un billet de cent euros sur la table.

— Tu vas te rendre chez *Prokat*, un loueur de prestige, à Gassin, sur la route de Ramatuelle.

— Je me fous de ton adresse, dit Neil.

Il commençait à prendre goût à jouer les types sûrs d'eux.

— J'ai une carte Seven Royal.

— Bienvenue au club !

— Si je veux, j'appelle leur numéro et ils me livrent ton tacot ici, sur la plage, en hélicoptère.

— Chiche ? dit Nikolaï, que la proposition semblait amuser.

Neil sortit sa carte et composa le numéro. Après avoir décliné son identité, il détailla sa requête. L'opératrice demanda s'il souhaitait acheter ou louer la McLaren MP4-12C.

— Une location pour vingt-quatre heures.

Mais le Russe lui fit un signe de négation avec le doigt.

— Si tu as un accident pendant la course, ou si tu érafles juste la bagnole, ça te coûtera moins cher de la faire réparer que de payer la caution.

Neil approuva. Après tout, il s'en fichait.

— Non, je vais l'acheter. Le plafond de ma carte est-il suffisamment élevé ?

L'opératrice ne répondit pas immédiatement, comme si la question l'avait laissée pour morte. Elle lui rappela finalement que la carte Seven Royal offrait un plafond de deux cents millions de dollars.

Puis elle lui indiqua le montant de cette petite folie : quatre cent mille euros.

— Vous me livrez dans combien de temps ?

On lui répondit qu'une trentaine de minutes devraient être suffisantes. Et on s'excusa ensuite pour ce délai.

— De quelle couleur est la tienne ? demanda Neil.

— Quoi ?

— Ta McLaren, elle est de quelle couleur ? Je ne vais certainement pas en commander une de la même teinte que la tienne.

— Bien joué. Elle est orange.

— Je la prends noire, précisa l'Effacé, qui se piquait au jeu.

Mais Neil étouffa un juron.

— Un problème ? ricana Stavroguine.

— Ils n'en ont pas de disponible sur place. On m'annonce un délai supplémentaire de cinquante minutes pour la noire.

— Fais un scandale. Demande à parler à la direction. Menace-les de faire fondre leur carte pourrie et de récolter l'or pour refaire les plombages de ta grand-mère. Ils mettront un hélicoptère plus puissant à ta disposition. Ils se démerdent. Après tout, on les paie pour ça.

Oui, c'était simple, en somme. On n'allait pas se gêner. Un vertige s'empara de Neil devant tant d'indécence.

Il haussa donc le ton sur les conseils du Russe, devant les regards inexpressifs d'Ilsa et Zacharie. Mais son show fit son petit effet. L'opératrice céda la place à un responsable et ce dernier s'engagea sur un délai de quarante minutes, sans supplément.

— Il faut savoir se battre dans la vie, conclut Nikolaï dans un grand sourire, donnant une bourrade à son nouvel ami suisse. Bon, le temps de prendre mon bolide et on se retrouve sur la D558, juste avant Le Cannet-des-Maures, à un lieu-dit qui porte un nom à la con dont les Français ont le secret : Chante-Coucou. C'est à une quarantaine de bornes d'ici. Je te file mon numéro de portable, si tu as un souci.

La voix du Russe savait, dans la même phrase, être caressante et mélodieuse, puis tout en sécheresse. Il tendit une carte de visite argentée à Neil. En échange, l'Effacé lui communiqua son numéro.

— Observe bien la route à l'aller car c'est celle sur laquelle on va s'affronter au retour. C'est cool. J'ai hâte. Tu me plais.

Il lui redonna une bourrade et s'éloigna enfin, avant de se retourner, après quelques pas.

— Un conseil : dis-leur de ne pas livrer la bête au milieu de la plage, sinon…

— Ouais, la police va me coller une prune.

— Non, ça, ça serait plutôt comique ! Qu'ils viennent, les flics, qu'ils me coffrent avec toi, tiens… La dernière fois, mon père a appelé le président russe, son pote, et je suis sorti du commissariat avec une haie d'honneur des poulets. Non, le problème si ta bagnole est livrée sur la plage, c'est que tu risques de rester enlisé dans le sable et d'arriver en retard pour le départ.

Cette fois, il s'éloigna pour de bon.

Les Effacés attendirent d'être loin de la paillote pour partager leurs points de vue. Ils s'accoudèrent contre des petits rochers près de l'escalier et Nikolaï Vsévolodovitch Stavroguine en prit pour son grade. Neil rappela l'opératrice pour lui dire de lui apporter plutôt la voiture au *Byblos*, ce qui lui sembla plus sage.

— J'espère qu'on ne fait pas ça pour rien et que ce taré va nous mener à Mathieu, soupira Ilsa.

— Pas trop déçu pour Betty ? demanda Zacharie sur un ton légèrement ironique.

— Tout le monde n'a pas envie de se caser comme toi, répliqua Neil, cinglant.

Puis il se tourna vers Ilsa.

— Tu as des nouvelles d'Émile ? Il ramène Marc et son doigt à Milon ?

Ilsa secoua la tête.

— Nicolas m'a informée de l'échec de sa mission lorsque j'ai débarqué à l'aéroport de Toulon. Il a trouvé Marc mais n'a pas pu le sauver. Les autres lui ont remis la main dessus et Émile a dû fuir. Il est en route pour nous rejoindre, il ne devrait pas tarder à arriver.

— Décidément, on n'avance pas, pesta Neil.

— Un peu, tout de même. Marc a confirmé ce que nous disait Anouar, à savoir qu'il est impossible de déconnecter l'algorithme sans le scan des cinq doigts. Mais Mathieu posséderait tout de même une solution qu'il ignore peut-être. Marc nous a demandé de lui parler du 15 juillet à 5 heures, dès que nous le verrons. Nicolas a lancé des recherches sur ce point pour en savoir plus.

Neil hocha la tête. Il sortit à nouveau le téléphone portable de sa poche et composa cette fois le numéro de leur mentor.

Un déclic. Neil activa le haut-parleur.

— Neil ?

— Comment tu as fait pour Federer ? lança l'Effacé sans préambule.

— Je me suis débrouillé avec les moyens du bord. Des enregistrements de sa voix que j'ai incorporés dans un logiciel qui les a retraités syllabe par syllabe. Le truc n'est pas infaillible mais a plutôt bien fonctionné.

— C'est bluffant !

— C'est du passé, corrigea Mandragore. Restez bien concentrés sur votre but : séduire Stavroguine pour qu'il vous renseigne sur Mathieu. Neil, c'est toi qui es en première ligne.

— Sauf que je suis incapable de gagner la course de bagnoles... Je n'ai même pas passé mon code !

— Ilsa t'accompagnera, trancha Mandragore. Vous échangerez vos places quelques secondes avant le départ. J'ai appelé le service de conciergerie de Seven Royal pour leur demander des vitres teintées sur la McLaren. Tu aurais pu y penser.

Ilsa approuva le plan, même si elle appréhendait un peu de se mettre au volant d'un tel engin. Zacharie accepta la décision de se voir sur la touche pour un temps. Il n'aimait guère la conduite, Mandragore le savait. Cela datait de son terrible accident avec ce camion roulant en sens inverse sur les Maréchaux à Paris, qui avait tué son père et l'avait laissé lui-même dans le coma, la cage thoracique défoncée, durant deux semaines pleines.

— Je vais attendre Émile à l'hôtel, dit Zacharie.

— Émile ne doit pas loger au *Byblos*, dit Ilsa. Il vaut mieux nous séparer. Qu'il me rejoigne plutôt aux *Lauriers*. C'est à deux cents mètres de votre palace, un hôtel qui passe totalement inaperçu.

— Quant à moi, termina l'ancien médecin, je cherche ce que signifie ce fameux 15 juillet à 5 heures. Avec Anouar et Elissa, on est en train de passer au peigne fin les volumes de transactions sur les principales Bourses à ce jour et à 17 heures très précises. On vous tient au courant.

Ils se quittèrent en se souhaitant bonne chance. Sur le chemin du retour, Neil regretta de ne pas avoir revu Betty en tête à tête.

Vingt minutes plus tard, une scène surréaliste se déroula avenue Paul-Signac, juste devant l'entrée du prestigieux palace. Des curieux s'agglutinèrent sur les trottoirs pour observer le ballet de cet hélicoptère qui, après plusieurs tentatives infructueuses, parvint à déposer une McLaren MP4-12C rutilante, entre deux véhicules garés sur la chaussée. Des hommes descendirent alors en treuil pour défaire les sangles autour de l'objet de leur livraison, et repartirent aussi sec après avoir tendu les papiers du bolide au jeune et heureux propriétaire, Jean-Christophe Malescot. Celui-ci prit aussitôt place sur un des sièges passagers situés de part et d'autre du siège du conducteur qui, lui, était au centre exact de l'habitacle. Au grand dam des touristes masculins présents, ce fut une jeune femme brune qui prit le volant de cette voiture hors norme, dont le châssis aux lignes futuristes était entièrement réalisé en fibre de carbone.

Ilsa démarra en faisant rugir le moteur. Le temps de compter jusqu'à trois et ils étaient déjà à plus de cent kilomètres-heure ! Une sensation ahurissante. Cependant, l'Effacée se garda bien de jouer avec le véhicule durant ce trajet qui se déroula en silence. À de nombreuses reprises, le visage d'Ilsa se crispa en découvrant la route qu'elle devrait affronter à tombeau ouvert dans quelques minutes. Sinueuse et tortueuse à souhait, la départementale, heureusement peu fréquentée à cette époque de l'année, était surtout très étroite, avec des virages raides en aveugle qui rendaient les dépassements difficiles, voire impossibles à certains endroits.

Voilà encore une situation qu'il n'était absolument pas nécessaire d'intellectualiser. Oui, pour mettre la main sur un type qui s'apprêtait à détruire le système financier mondial, Ilsa devait risquer sa vie, et celle de Neil, au volant d'un monstre de puissance, car telle était la lubie d'un gosse de riche.

— Au fait, merci pour les amabilités, tout à l'heure sous la paillote, grinça la jeune femme, tandis qu'ils approchaient du lieu de leur rendez-vous.

— Je joue un rôle, ne l'oublie pas, rétorqua Neil.

— J'ai l'impression que tu n'as pas à beaucoup forcer ta nature. Tu as un grief particulier contre moi, Neil ?

L'adolescent balaya la question d'un geste de la main.

— Écoute, c'est pas le moment de lancer ma psychanalyse. Après, si tu veux… Lundi, autour d'une tasse de thé et d'une assiette de sandwichs au concombre, en regardant les cours de la Bourse, monter, monter, monter au ciel…

Mais là, pour le moment, il va falloir la jouer fine contre le Russkoff. Alors concentre-toi plutôt. Pas d'énergie négative.

Ils parvinrent enfin au lieu-dit Chante-Coucou. Nikolaï était déjà là, apparemment seul, accoudé à la voiture jumelle, quoique d'une autre couleur – un orangé foncé.

— Alors ? Content de ton nouveau joujou ? Ça te change de ton tricycle allemand ?

Neil et Ilsa sortirent de la voiture.

— Peux pas te dire encore. Je me suis fait conduire. Pour étudier la route.

Stavroguine s'était changé et portait maintenant un pantalon en velours côtelé, des baskets blanches et une chemise à col Mao, très chic.

— Elle n'a pas trop frôlé le ravin ?

Neil demanda où se situait la ligne d'arrivée.

— Vingt-cinq kilomètres plus loin, au panneau qui annonce l'entrée dans Grimaud. En général, je couvre la distance en neuf minutes à peine, mais je crois que je vais faire mieux aujourd'hui, je me sens en pleine forme, le ciel est dégagé, les conditions climatiques excellentes, la route bien sèche. Il y a même un peu de cette torpeur du printemps qui pourrait gêner un pilote en herbe tel que toi...

Il se mit à rire à nouveau, un rire à gorge déployée, tellement puissant qu'il se répercuta en écho contre les rochers environnants. Un rire de fou.

— Bonne chance ! Moi, en tout cas, je détesterais conduire avec une gonzesse derrière moi.

Et Nikolaï sauta dans l'habitacle de sa McLaren.

— C'est devant lui, qu'il va l'avoir, sa gonzesse, cet abruti... hoqueta Ilsa de rage.

Elle dit cela pour évacuer un peu de pression. L'appréhension de cette course était toujours aussi vive.

Neil imita le Russe et Ilsa s'installa à l'arrière, mais sur le qui-vive, prête à échanger leurs places lorsqu'il le faudrait.

L'adolescent parvint à placer son véhicule à côté de celui de Stavroguine qui faisait déjà hurler son moteur. Il baissa la vitre teintée et leva le pouce vers son adversaire.

— Jusqu'à trois...

Neil remonta la vitre.

— Un...

Le moment crucial. Les Effacés intervertirent leur place. Dans la manœuvre, Neil tapa rudement sa cuisse blessée contre le baquet du siège conducteur et retint un cri de douleur.

— Deux...

Ilsa attacha sa ceinture et prit le volant en main, le pied droit posé sur l'accélérateur.

— GO !

La jeune femme pressa violemment la pédale et le monstre bondit, comme collé à l'asphalte.

Mais le Russe avait pris un peu d'avance et faisait déjà la course en tête.

C'était mieux ainsi. Ilsa devait garder la distance pour que Nikolaï ne s'aperçoive pas de la substitution sans pour autant le laisser s'éloigner pour avoir une chance de le doubler dans les derniers kilomètres.

Le paysage au relief accidenté défilait à toute allure, succession de collines ponctuées d'oliviers, de pins parasols et de plantes aromatiques.

Les premières portions du parcours n'étaient pas les plus difficiles. Ilsa suivait le Russe sans trop forcer, avec des pointes à deux cent trente kilomètres-heure sur la longue ligne droite du départ. Les automobilistes doublés martyrisaient leurs klaxons pour exprimer leur désapprobation. Malgré sa puissance, la voiture se conduisait en douceur. Un système embarqué hyper-sophistiqué, qui freinait la roue arrière intérieure, permettait d'éviter le sous-virage en entrée de courbe et d'accélérer franchement à la sortie sans risquer le tête-à-queue.

Au début d'un virage, justement, Nikolaï se rata et glissa sur le bas-côté de la route, léchant le bord du ravin et soulevant d'épaisses volutes de poussière. Ilsa, sur la bonne trajectoire, eut l'occasion de le doubler mais s'en abstint.

— Petite joueuse ! lâcha Neil.

— Il faut le dépasser à la toute fin, guetter le bon moment. Derrière nous, ce taré serait trop dangereux.

Neil approuva en silence. Des gouttes de sueur firent leur apparition sur le front de l'Effacée. Il ne dit rien, bien sûr. Lui suait abondamment depuis les cent premiers mètres…

Sensation grisante de voir défiler cette nature luxuriante, ces petites maisons ocre à une vitesse vertigineuse, enrobé dans un cocon d'où vous parvenait le seul et unique vrombissement du moteur huit cylindres en V et de ses deux turbocompresseurs.

Soudain, le portable de Neil se mit à vibrer.

Pas le temps. Il regarda néanmoins l'écran.

Stavroguine.

Ce dingue appelait sur le portable alors qu'il slalomait entre les voitures comme un champion de ski dans une descente olympique. Neil décrocha.

— Tu prends ton pied ? hurla le Russe dans le combiné. Pas téméraire, hein, le Suisse…

— Je m'étais arrêté pour boire un café ! rétorqua Neil.

Puis il raccrocha.

Le slalom continuait et Ilsa tentait de maintenir l'allure pour ne pas provoquer d'écarts de conduite des autres conducteurs, hallucinés par ce rodéo sauvage en plein jour. Pourtant, un vieil homme, au volant d'une Citroën, prit peur en entendant le moteur de la McLaren du Russe et, au lieu de se ranger sur la droite, fit un écart sur la gauche, obligeant Nikolaï, une fois encore, à frôler le ravin.

Et avec lui, l'accident.

La mort.

Ilsa s'engouffra à son tour sur ce bandeau de terre, à peine plus large que les essieux de la supercar.

La manœuvre était risquée, d'autant qu'il fallait négocier ensuite un virage sec, à soixante degrés, sans visibilité.

Elle parvint à rétablir la voiture au milieu de la route – la Citroën fut contournée sans une éraflure. Puis elle négocia le virage un pied sur le frein, toujours en éveil maximum.

Mais ce ne fut pas suffisant.

En face d'eux, poussé à l'écart par la conduite suicidaire de Stavroguine, un camion de douze tonnes circulait lui aussi au milieu de la chaussée. Le conducteur ne put rien tenter pour éviter ce second monstre rampant.

L'impact semblait inévitable.

(21)

SAMEDI, 17 H 30
DÉPARTEMENTALE 558, PEU APRÈS L'OURLANTON

La McLaren s'engouffra dans ce conduit improbable, entre les roches d'un côté et les roues du camion de l'autre. Elle le parcourut sans ralentir le moins du monde. Pourtant la droite de la carrosserie, au contact de la pierre, crachait des gerbes d'étincelles dorées.

Il y aurait de la peinture à refaire. Mais les deux Effacés étaient sains et saufs.

Plus tard, Ilsa analysa les facteurs de ce miracle. Elle en plaça deux au-dessus des autres : un bref instant de panique qui s'était emparé d'elle et qui l'avait obligée, sans qu'elle en soit consciente, à desserrer son étreinte sur le volant, ainsi que l'extrême précision de la colonne de direction du véhicule.

— Ce camion, il l'a fait exprès ! éructa Neil, qui se toucha le bras pour se sentir vivant. Il s'est mis au milieu de la route pour qu'on s'emplafonne, je...

— Tais-toi ! le coupa Ilsa avec fermeté. Tu délires... Aide-moi plutôt à trouver le bon plan pour dépasser Nikolaï.

Stavroguine avait pris de l'avance, cent mètres peut-être. Elle devait réagir ou bien la course serait perdue. Ils se trouvaient déjà aux trois quarts de la distance et, bientôt, elle devrait porter une attaque. Elle n'aurait qu'une chance. Une seule pour parvenir à passer devant.

Ilsa prévoyait déjà sa tactique. Elle avait remarqué un virage très raide, avec peu de dégagements. Ensuite, la ligne d'arrivée se présenterait sans difficulté. C'était là qu'elle devait monter à sa hauteur, sur la gauche, l'obligeant à freiner, à moins qu'il ne choisisse le contact. Mais son plan nécessitait une route libre de tout véhicule pour tenter cette manœuvre et ce n'était pas gagné.

Pendant ce temps, Nikolaï accélérait encore son allure. Profitant d'une portion de route droite et sans surprise, il monta à deux cent cinquante, avant de taper dans ses freins.

Alors, un car scolaire apparut au loin, en face, sur la file de droite. Là, le Russe fut forcé de commencer à ralentir. Ilsa saisit l'occasion. C'était risqué, puissamment risqué. Elle comptait sur les réflexes du chauffeur du car. Et sur le fait que Nikolaï n'oserait pas s'attaquer à ce véhicule rempli d'enfants.

Le lourd engin approchait. Et Ilsa accéléra d'un coup, se plaçant sur la droite, augmentant encore sa vitesse. Le conducteur du car klaxonna, envoya des appels de phares. L'Effacée voulait le forcer à se déporter vers la gauche afin qu'il oblige Stavroguine à un écart.

Une manœuvre de précision.

Elle ne provoquerait pas d'accident. Si le type en face ne cédait pas, elle se rabattrait. Et aurait perdu la course.

— Là, hurla Neil, qui semblait avoir compris le sens de la tactique. Là-bas ! Maintenant !

Le chauffeur finit par céder et bascula sur l'autre file. Le gros véhicule se plaqua contre la carrosserie orange du bolide du Russe, l'empêchant d'accélérer.

Ce dont profita Ilsa.

« Pourvu que tout se passe bien, que le car ne se renverse pas. »

Mais Stavroguine ne s'avoua pas vaincu. Et, dans un geste d'une grande témérité, il se glissa sur le bas-côté, frôlant encore le ravin, écrasant avec force plusieurs arbustes, pour se rétablir plus loin et regagner l'asphalte.

Ils étaient à présent côte à côte. Et le sang de Neil se glaça en découvrant le rictus qui défigurait le visage de Stavroguine concentré sur la route.

Un rictus de démon.

Bientôt le virage. Ilsa devait garder sa vitesse et sa position. C'est à ce prix qu'elle parviendrait à prendre la tête à un kilomètre tout au plus de la ligne d'arrivée. Nikolaï serait obligé de freiner à l'extérieur, sans aucune chance de la dépasser.

Le Russe se douta certainement que la partie était perdue.

Il tenta bien une manœuvre d'intimidation, un léger écart à deux cents kilomètres-heure pour tester les nerfs de son adversaire. Mais l'Effacée tint bon, forçant Stavroguine à freiner à l'approche du virage.

La route entière lui appartenait. Folle de joie, presque possédée à son tour, Ilsa pressa de toutes ses forces la pédale d'accélération. Le moteur rugit comme jamais et les conduisit en quelques secondes devant le panneau annonçant la ville de Grimaud.

Nikolaï y parvint deux secondes et demie plus tard.

Mais il devait s'avouer vaincu.

Les deux bolides furent garés sur un terre-plein.

Ilsa et Neil avaient hâte de quitter l'habitacle, devenu irrespirable, et de goûter à l'air paisible du soir, mais ils intervertirent une dernière fois leur position. Et ce fut ainsi que le Russe les découvrit lorsqu'il ouvrit la portière, la mine réjouie, absolument pas rancunier.

— Quelle course, mon ami ! Bien joué... Grillé sur la fin. En huit minutes et trente-huit secondes, record battu.

Il donna sa bourrade favorite à Neil, puis il se tourna vers la « passagère ».

— La balade vous a plu, ma petite dame ?

Ilsa haussa les épaules.

— J'en sais rien. Je me suis endormie peu après le départ.

Nikolaï montra à Neil la partie endommagée de sa toute nouvelle McLaren.

— On aurait dû se mettre d'accord sur une pénalité de trois secondes si on abîmait la voiture, ricana-t-il en passant son doigt sur la tôle déchirée. Encore bravo, l'ami ! Il ne te reste plus que la troisième épreuve et tu seras admis dans le saint des saints.

— J'ai hâte, mentit Neil qui, après cette épreuve, aurait bien observé une pause d'une semaine ou deux, loin, très loin, sur une plage déserte à siroter des cocktails et à ne penser à rien. On commence maintenant ?

— Non ! Je t'appellerai un peu plus tard. C'est mieux ainsi. Faire durer le plaisir, toujours, toujours, voilà la règle.

Derrière lui, un automobiliste, qu'il avait imprudemment doublé lors de la course, le klaxonna furieusement et accompagna la partition de quelques noms d'oiseaux du plus bel acabit. Le jeune Russe ne daigna pas même tourner la tête vers lui.

— Tu ne m'as toujours pas parlé de mon prix... insista Neil.

— Le saint des saints, je te dis. L'accès illimité à ma villa du Capon. Tu verras, c'est la plus grande et la plus accueillante de la région. Elle a coûté cent cinquante millions d'euros à l'autre barge qui a été mon père un temps – quelques heures, quelques jours peut-être. Je donne une fête ce soir, ma fête de départ. Je retourne à Moscou dès demain. Bon, ce n'est pas aussi célèbre que le bal de la Rose à Monaco ou que le réveillon du Nouvel An à Gstaad, mais on s'éclate bien. Et puis, c'est en devenir...

Stavroguine ne semblait pas vouloir s'éterniser sur ce terre-plein, à l'entrée de cette petite ville qu'il devait estimer médiocre, peu digne de sa grandeur. Il sauta dans sa voiture et mit le contact.

— Tiens-toi prêt ! Je t'appelle dans une heure maximum.

Lorsqu'il fut hors de vue, Neil posa une main sur l'épaule d'Ilsa et la remercia.

Ils décidèrent de s'accorder quelques instants de repos. Durant le trajet de Grimaud à Saint-Tropez, Neil téléphona à Zacharie pour l'informer qu'ils revenaient bien entiers, et non pas en pièces détachées comme on aurait pu s'y attendre.

— Émile est arrivé, précisa le géant blond, soulagé par la nouvelle.

En somme, tout allait plutôt bien depuis leur arrivée dans le Sud.

— Vous nous rejoignez aux *Lauriers* ?

— Moi, je vais me reposer au *Byblos*, dit Neil. L'autre taré ne va pas tarder à me dicter sa troisième et ultime épreuve et je suis cassé.

Ilsa déposa donc son acolyte devant le palace et y gara la voiture endommagée par la même occasion. Un touriste qui avait assisté à l'arrivée du véhicule en hélicoptère faillit tomber dans les pommes en constant l'état de la supercar après seulement une heure de conduite.

Neil gagna la suite Riviera au radar, trouvant le chemin en se rappelant la position de leur appartement par rapport à la piscine de l'hôtel, soit juste au-dessous. Il entra après avoir glissé la carte dans le lecteur magnétique. Un geste simple et facile, donc rare dans le quotidien d'un Effacé.

Sa chambre se situait un peu plus loin sur la droite. Il s'agissait de la plus grande. Il avait laissé le cagibi de quarante mètres carrés à Zacharie. Neil jeta son portable sur la table basse du salon.

Il allait se laisser tomber sur le lit moelleux et somnoler jusqu'à ce que Stavroguine appelle.

L'adolescent poussa la double porte, comme le faisaient les cow-boys fatigués en arrivant dans le saloon de la ville.

Mais au lieu de l'abandonner, ses sens se mirent en éveil maximal.

Il reconnut la chevelure auburn de Betty, ses reflets surtout. Et il pouvait même sentir son parfum.

La jeune femme était assise sur le grand lit, lui tournant le dos. Tout le contenu du sac de voyage de Neil avait été méticuleusement disposé sur l'épaisse couette en plume.

À l'aide de son téléphone portable, Betty photographiait les objets et les papiers sous tous les angles.

(22)

SAMEDI, 18 H 10
HÔTEL *LE BYBLOS*, SAINT-TROPEZ

— Drôle de façon de nous remercier...

Betty fit volte-face. Lorsqu'elle aperçut Neil, elle sembla soulagée.

Bizarrement.

— La chambre de Benjamin est par là. Je peux t'y conduire. Ou, si tu préfères, j'apporte son sac et je le déballe sur le lit, ça t'évitera de te déranger.

Son ton se voulait neutre. Il se contenait. En lui, la déception le disputait à la colère.

— Ce n'est pas ce que tu crois, balbutia Betty.

— Je ne crois rien, lâcha Neil. Mais je vais écouter ce que tu vas me dire pour te justifier. Écouter attentivement, même.

Il jeta un bref coup d'œil sur le lit, puis détailla la silhouette de l'Américaine pour savoir si elle était armée ou non. Il ne décela aucun danger et décida de s'approcher à un mètre de la jeune femme, toujours assise. Lui resta debout.

— Je ne voulais pas entrer par effraction dans ta chambre. J'ai cru à la plage que tu allais m'inviter, après avoir vu comment Nikolaï me traite.

Son accent chantait aux oreilles de l'Effacé. Quelque chose de spécial émanait de Betty. Une attraction magnétique qu'il s'efforçait à présent de combattre.

— Tu ne doutes de rien… Belle entrée en matière pour sympathiser avec Stavroguine. Lui piquer sa copine… Tu n'as rien de mieux ? De toute façon, ta méthode ne m'apprend pas pourquoi tu es là à prendre des photos. Tu es flic ?

Il sourit alors.

— Oh, mais j'y suis… Tu travailles pour Nikolaï. Il voulait s'assurer de mon identité et t'a envoyée faire la fouine. Ce sont ces ordres qu'il t'a marmonnés, en russe, avant ton départ… C'est ton mec, non ? Tu es à lui ?

— Pas plus qu'il n'est à moi. Et c'est plutôt l'inverse, je le surveille.

— Tu cherches quoi ?

— Dis plutôt « qui ». La même personne que toi.

— Je ne vois pas de quoi tu parles, lança Neil.

Il y avait une tension palpable entre eux, dans la chambre luxueuse qui avait dès lors perdu son calme et sa volupté. Comme s'ils se trouvaient au cœur d'un réacteur nucléaire, près de la fission, sans combinaison, sans casque de protection, sans rien.

Au-dehors, la luminosité décroissait avec l'arrivée du soir. À l'approche de la nuit, des senteurs résineuses s'exhalaient des pins.

Betty se décida à se lever.

— Mathieu. Comme toi, je cherche Mathieu, Neil…

L'Effacé stoppa net sa progression. Elle venait de l'appeler par son véritable prénom.

Il y avait eu une faille, une fuite dans sa couverture. Mandragore se devait de réagir. Pour une fois, Neil attendit impatiemment son intervention.

— Pour le compte de qui ? Une banque, un gouvernement ? Les Américains, les Russes ? demanda-t-il.

— La guerre froide est terminée depuis belle lurette, Neil.

Ce « belle lurette », tellement français, semblait danser sur ses lèvres roses. Dire que Stavroguine l'avait embrassée et… Il se ressaisit.

— Tu sembles remarquablement bien renseignée pour quelqu'un qui travaille en free lance.

— Je n'ai pas dit ça non plus. AnWorld, ça te rappelle quelque chose ?

— Vaguement, répondit l'adolescent. C'est une organisation écolo américaine, non ?

— AnWorld pour AnotherWorld. Plutôt une organisation altermondialiste, pour un autre monde, si tu préfères.

— Je parle un peu anglais…

— Nous cherchons à faire pression sur les décideurs de la planète. Nous militons pour une société plus juste dans laquelle les richesses seraient mieux réparties. En façade, nous nous manifestons par des articles dans la presse, des lettres ouvertes, des bouquins. En coulisse, par tous les moyens mis à notre disposition. Et ils sont nombreux.

— Pourquoi recherches-tu Mathieu ?

Là, Betty dévisagea Neil à son tour. Ses yeux s'ouvrirent, sa respiration s'accéléra, imperceptiblement.

— Nous avons travaillé ensemble chez Silverman Brothers il y a quelques années. Nous sommes restés en contact depuis. Épisodiquement, on échange des mails. Je sais ce qu'il prépare avec son algorithme. Mathieu est un révolté, il ne l'a pas toujours été mais la naissance de son fils Théo a changé radicalement son point de vue. Je sais qu'il luttera jusqu'au bout, qu'il provoquera ce cataclysme. Et je pense, ou plutôt nous pensons à AnWorld, que sa disparition ces derniers jours annonce qu'il va bientôt passer à l'action.

Lundi, 9 heures. Neil se garda bien de le préciser à la jeune femme. Mais peut-être bluffait-elle.

— C'est par l'intermédiaire de Mathieu que tu as rencontré Nikolaï ?

— Oui. Il connaît ma liaison avec son ami russe. Cela dure depuis deux mois maintenant. Par contre, il ignore mon appartenance à AnWorld.

— Tu t'es jetée dans ses bras en service commandé ?

Là, Betty ne répondit pas. L'adolescent s'approcha encore.

— Nous voulons mettre la main sur cet algorithme, Neil. Comme toi. Je ne sais pas encore pour qui tu travailles, mais tu as pour but de trouver l'algorithme avant le grand jour.

— Comment as-tu appris mon vrai prénom ?

Betty cligna plusieurs fois des yeux.

— Je l'ai entendu quand vous êtes montés dans la McLaren avec Ilsa. J'étais dans la foule, tout près, vous n'avez pas pris assez de précautions. Ce qui me fait penser que vous n'êtes pas des professionnels. De toutes les façons, vous êtes trop jeunes pour ça…

Alors Neil perdit le contrôle. D'un geste, il agrippa les poignets de l'Américaine et l'attira vers lui. Leurs bustes se collèrent. Le contact avec cette poitrine de femme fit tomber ses dernières barrières. Il posa sa bouche avec violence sur celle de Betty, comme s'il voulait la bâillonner. Leurs dents s'entrechoquèrent.

Betty chercha à fuir. Elle se débattit et parvint à faire lâcher prise au jeune homme.

— C'est quoi, ça ? hurla-t-elle.

À cet instant, Neil exprimait sur son visage un sentiment inconnu, inédit.

— Je n'aime pas être forcée, ajouta Betty, cette fois parfaitement en colère.

Et elle passa ses bras autour des épaules de l'adolescent, se lovant contre lui, pour, à son tour, l'embrasser avec fougue.

Le temps s'arrêta. Le compte à rebours était loin, très loin. Ils se laissèrent tomber sur le lit et continuèrent leurs jeux.

L'intervention qu'il espérait tant voilà quelques minutes arriva au pire moment. Hasard ou choix délibéré ? Il décida de ne pas trancher la question.

« Neil, isole-toi sur le balcon quelques instants. Anouar veut te dire un mot. »

Ainsi avait parlé Nicolas Mandragore.

— J'ai besoin d'un peu de temps, dit pudiquement Neil en desserrant son étreinte.

Si leur mentor communiquait par téléphone, comme la majorité des personnes, il aurait jeté la batterie par la fenêtre. Mais on ne pouvait guère lutter contre une oreillette nichée dans sa boîte crânienne. L'Effacé n'allait pas continuer ses élans avec la voix de l'ancien médecin en accompagnement sonore…

Alors oui, bien sûr, il avait une mission à mener, Mathieu à débusquer avant leurs ennemis. Mais ce transmetteur était vraiment un cadeau empoisonné. À quelle intimité pouvaient-ils bien prétendre, eux, les Effacés, avec ce mouchard enfoui dans leur crâne ? Comment faisait Zacharie lorsqu'il souhaitait s'aménager un moment de paix avec Ilsa ? Neil était en colère. Si l'urgence n'avait pas été aussi grande, il aurait provoqué une discussion ici, et maintenant, avec Mandragore. Mais il se contint, ravala sa rancœur et sortit sur le balcon, se tournant vers la piscine pour que Betty ne puisse pas observer le mouvement de ses lèvres s'il devait s'exprimer.

« Neil, c'est Anouar… Je connais AnWorld. Mathieu m'en parlait souvent. Il craignait cette association autant sinon plus que les banques comme Silverman Brothers. Il était persuadé qu'AnWorld ferait tout pour mettre la main sur l'algorithme avant le lancement de notre grand krach planétaire. Ça me paraissait étonnant, car c'est ce que je cherche aussi, au final, *another world*, un autre monde. La destruction du système en place pour en construire un autre. Mais leur démarche fait sens. Ils veulent être, eux seuls, responsables de l'apocalypse. Ils ne veulent pas la partager. Ils veulent la signer de leur seul nom, avec leur sigle. Ils cherchent donc à la retarder. Ils ne souhaitent pas qu'elle survienne lundi. »

— Il t'a parlé explicitement de Betty ?

« Non. Mathieu ne citait jamais de nom. Et puis Betty t'a bien dit qu'il semblait ignorer son appartenance à l'organisation altermondialiste. Mais AnWorld est une nébuleuse, présente dans tous les pays du monde, très puissante, et qui recrute ses membres parmi les élites. On ne doit pas prendre cette menace à la légère. Betty n'est donc pas forcément une complice dans ta quête. »

— Je collabore ou pas ? demanda l'adolescent, un peu perdu.

Ce fut Mandragore qui lui répondit :

« Oui. On n'a plus le choix, car vous êtes démasqués. Et deux forces valent mieux qu'une. Au fond, si nos buts finaux divergent, eux veulent déclencher l'algo en leur nom, et nous, empêcher qu'il se déclenche, nous cherchons les uns et les autres à mettre la main sur Mathieu à tout prix. Ils ne veulent pas lui couper un doigt, comme nos ennemis encagoulés, ni même le supprimer. Cette collaboration me paraît dès lors convenable. Le temps presse. Il nous reste trente-huit heures pour empêcher le désastre. »

— On navigue à vue depuis le début, dans cette histoire, marmonna Neil. Les banques, les politiques et maintenant les altermondialistes, en plus des Effacés...

« Oui, nous devons nous adapter aux situations. Cela présente un certain charme et... »

Sur la table basse du salon, le portable de Neil se mit à vibrer.

« Stavroguine cherche à te joindre, constata l'ancien médecin, décidément omniscient en tout. Nous te laissons. Terminé. »

Neil se précipita dans le salon.

— Ton portable ! dit Betty en montrant l'objet en question.

Neil décrocha et activa directement le haut-parleur.

— Jean-Christophe, c'est Nikolaï. Ça tombe bien que tu décroches, je déteste laisser des messages. Je vais être bref.

— Je t'écoute.

— Encore heureux. Tu es près de la fin.

Betty s'était approchée.

— Ma dernière fiesta de la saison démarre à 21 heures. Il est 18 h 30. Tu as deux heures et demie, montre en main, pour commettre une excentricité.

Neil et Betty se regardèrent, interloqués.

— Tu peux préciser ? demanda l'Effacé.

— Non, à toi de trouver. Une excentricité. Épargne-moi simplement les tournées de champagne Perrier-Jouët aux *Caves du Roy* à cent mille euros la bouteille. C'est petit et ça n'a plus rien d'excentrique. Je veux un truc fascinant, qui me laisse sur le cul. Une heure et demie, mon ami. Quatre-vingt-dix minutes. Bonne chance.

Et il raccrocha.

— C'est vague, commenta Neil après un soupir.

— On n'a pas le choix...

— « On » ? Tu n'es pas obligée de me suivre dans cette galère. Pourquoi tu m'aiderais ? bluffa Neil.

— Le temps presse. On ne sera pas trop de deux.

Mandragore partageait cette pensée. Les deux jeunes gens se laissèrent tomber sur le canapé en tissu.

— Tu crois qu'il se doute de quelque chose à propos de toi, de moi ? interrogea Neil.

— Si c'est le cas, il ne laisse rien paraître. Mais c'est un type remarquablement intelligent. Je suis certaine qu'il cache Mathieu quelque part. Ou qu'il sait tout du moins où il se planque. Mathieu m'a toujours dit que le seul en qui il avait toute confiance était Nikolaï Vsévolodovitch Stavroguine. Ce sont tous les deux des désaxés, des types incapables de se fondre dans la société. Et cela pour des raisons diverses, mais ils se rejoignent dans ce rôle d'improbables bricoleurs d'apocalypse.

Ils se regardèrent sans un mot pendant quelques secondes. Replongés dans leur mission, ils se questionnaient chacun sur la réalité du moment passionné qu'ils avaient vécu dans la chambre.

— Il faut frapper là où Nikolaï aime qu'on le frappe, s'emporta Betty. Il aime la souffrance autant que les coups d'éclat. Une fois, en Russie, il était invité à débattre des affaires de son père sur une chaîne nationale. On l'invite souvent car il est le plus violent détracteur de Stavroguine Senior. Bref, il y avait un professeur d'université qui n'arrêtait pas de causer, coupant la parole aux autres invités, et qui disait à la fin de chacune de ses tirades : « Non, moi, messieurs, on ne me mènera pas par le bout du nez. » Un peu avant le générique de fin, Nikolaï s'est levé, très calmement, s'est rendu près du professeur, lui a pris le nez entre le pouce et l'index et l'a promené sur le plateau en poussant de grands éclats de rire. La scène a fait le tour de la Russie. À dix-sept ans, Nikolaï est, du jour au lendemain, devenu une icône pour les mouvements contestataires.

Neil ne put s'empêcher de sourire.

— Une autre fois, lors d'une réception officielle en l'honneur de son père à la Maison blanche, la résidence du Premier ministre russe, Nikolaï a mordu violemment l'oreille du chef du gouvernement en lui faisant croire qu'il souhaitait lui murmurer un secret. L'incident a été étouffé par le père, et le numéro 2 russe a porté un bandage pendant quinze jours. Son service de presse a communiqué sur l'opération bénigne d'un grain de beauté dans le pavillon de l'oreille, mais la vérité était ailleurs.

— Donc tu penses qu'il attend de moi un geste de ce genre. Pas question de dépenser sans compter, d'acheter un château dans le coin en trente minutes chrono ou un truc comme ça.

— Non, crois-moi.

— Je ne sais pas encore si je dois vraiment...

— Crois-moi, insista Betty. Nikolaï a trois vices : la vitesse, le poker et les filles. Et vous en partagez au moins un.

— Je ne vois pas lequel, fit Neil benoîtement.

— Moi, j'ai ma petite idée sur la question.

ARCHIVES SECRÈTES DES EFFACÉS
JOURNAL DE MATHIEU

Samedi, 18 h 40

Je me suis assuré une fois encore qu'il n'arriverait rien à Théo. Depuis ma retraite, je joins mes interlocuteurs toutes les deux heures pour leur rappeler l'importance de leur mission : protéger mon fils.

Après tout, c'est pour lui que je fais tout cela. Je lui dédie l'apocalypse et ce monde nouveau que l'on construira ensemble après avoir balayé les décombres de notre civilisation pourrissante.

La vraie question que j'ai envie de te poser, Mayenne, est la suivante : est-ce que nos fruits gorgés d'espoir, de liberté et de justice pousseront plus vite dans la terre où tu seras ensevelie, avec tes os pour engrais ?

Je sais que tu n'hésiteras pas une seule seconde à capturer Théo, si tu ne parviens pas à me mettre la main dessus par un autre moyen.

Un coup d'avance, toujours. Penser plus haut, plus loin. Ce que j'aime faire, ce que je fais.

Les puissants aux abois sont capables de tout. Ils le peuvent, ils en ont les moyens. Vous ne vous offusquez jamais, vous ne vous révoltez jamais. Car vous savez bien qu'à un problème correspond toujours une solution. Une solution favorable, bien entendu. Une grande personne telle que toi, Mayenne, ne crie jamais à l'injustice. Tu ne les subis pas, tu les crées. Tu me disais souvent : « Le plus important est de retomber sur ses pieds. » Tu n'as jamais su discourir, Mayenne, tu usais de formules toutes faites. Cette fois, tu auras du mal à te retourner, Mayenne. C'est bien tête la première que je vais te précipiter de ton building. Sans parachute doré, argenté ou autre. Sans rien.

De là où j'écris ce journal que mon fils lira un jour, je vois le clocher de Notre-Dame de l'Assomption plongé dans le crépuscule. Le noir remplace la couleur terre de Sienne. Les trois horloges égrènent les minutes qui me séparent de mon grand œuvre.

Mon seul ami m'a appris que tes sbires s'approchaient de lui, donc de moi. De pathétiques pantins, tout droit sortis d'un mauvais film d'espionnage, mercenaires ou agents gouvernementaux à ta botte ; mais aussi, surtout, un groupe d'adolescents, un groupe étrange qui ne semble appartenir à aucune organisation. Ce sont peut-être eux, après tout, les plus dangereux.

Et puis il y a Betty.

Mon seul ami m'a prévenu que Betty était à mes trousses. Elle ne lui a rien dit mais il le sent. Il pense que Betty n'est pas réellement amoureuse de lui. Qu'elle reste pour me mettre la main dessus, très vite. Il croit même que Betty est toujours amoureuse de moi.

Betty ignore que je sais tout d'elle, son appartenance à AnWorld, ses errements actuels, qu'elle a pour mission de me retrouver afin de négocier l'algorithme. AnWorld veut retarder l'échéance pour s'organiser, se rendre incontournable et avoir ensuite la mainmise sur tout le système.

Remplacer une dictature revendiquée par une autre, insidieuse, ce n'est pas mon projet.

Comment Betty en est-elle arrivée là ?

Nous avons démissionné ensemble de Silverman Brothers, le même jour, à la même heure. Betty t'a donné sa lettre en mains propres, Mayenne. Moi, je t'ai fait l'affront de te la faire connaître par ton directeur des ressources humaines, un homme qui hait les femmes dans le travail, qui te hait, Mayenne, mais que tu gardes car il n'y a pas meilleur juriste sur la place pour te sortir sans fracas des cas de harcèlement que Silverman suscite.

Betty, mon équipe et moi avons donné notre démission après une opération à terme sur du blé. La spéculation effrénée autour de cette denrée alimentaire essentielle avait fait monter les cours de soixante pour cent. Bénéfice engrangé : trois cents millions de dollars. Dommages collatéraux dans les pays qui n'arrivent plus à se nourrir à cause de ces prix grotesquement élevés : je te passe les détails. Tu connais cela par cœur.

Combien de famines, d'émeutes, de morts encore, Mayenne, avant que cesse ce jeu atroce ?

Pourquoi supporter l'insupportable ?

Betty et moi n'avions plus rien à faire de ces structures hyper-hiérarchisées où personne, au fond, n'exerce un vrai contrôle. Cette tour aux étages gardés comme des châteaux forts de jadis, par des seigneurs perpétuellement en guerre avec leurs serfs et leurs semblables.

Mais le bon seigneur sait parfois donner du gras pour amoindrir la vigilance de sa chair à canon.

Une salle de sport immense, un hammam, un sauna, certes. Pour faire passer le 18/24-6/7-50/52 en vigueur chez Silverman. 18 heures par jour, 6 jours par semaine, 50 semaines par an. « On ne force personne », répétaient à l'envi les managers lorsqu'ils étaient interrogés par quelques esprits malfaisants. C'est bien ça, le pire. Ils ne forcent personne. Certains acceptent tacitement cette infamie.

Un restaurant d'entreprise sélect, un choix immense, des saveurs renouvelées, be-italian, be-asian, be-american. Certes. Mais, au moment de payer, votre badge enregistre votre consommation quotidienne de calories et un nutritionniste vous appelle à la fin du mois si vous avez dépassé la dose prescrite.

Un salaire royal, certes. Pour pouvoir se payer son uniforme, son costume de marque, sombre, chemise blanche au col large serré d'une cravate neutre, chaussettes grises et chaussures noires qui grincent plus qu'elles ne couinent à chaque pas. Et la coupe ultra-courte chez un coiffeur réputé. Un régiment où l'on ne doit voir, toujours, qu'une tête et deux oreilles. L'esprit d'équipe, en somme.

Illusions du bien-être !

Ces structures cannibales, organisées par l'homme mais non pour l'homme, ne cherchent qu'à nous broyer, digérer, éliminer.

Lorsque je rentrais le soir, tard, très tard, dans mon sublime appartement de Manhattan, et que je me penchais sur le berceau de Théo, une puissante nausée montait en moi. Le rythme effréné de ma vie faisait que mon fils ne me voyait plus que dans ses rêves. Et je ne voulais pas apparaître plus tard dans ses cauchemars.

Le sale boulot que tu me demandais d'abattre, Mayenne, je ne l'ai jamais fait par passion. On ne peut pas travailler dans une banque par passion, ou bien celle, sordide, du pouvoir et de l'argent. C'est antinomique. On peut être médecin, cuisinier, agriculteur, acteur, par passion. Mais banquier, non. Les gens passionnés n'ont rien à faire chez toi, Mayenne. Pas plus que chez un de tes confrères.

Moi, je n'avais aucune passion alors.

Mais j'en ai une, à présent.

Celle de vous détruire, bientôt.

(23)

SAMEDI, 19 H 45
LE PORT, SAINT-TROPEZ

Betty avait expliqué son idée à Neil, installée en face de l'adolescent, dans le canapé du salon. Et Neil avait immédiatement donné son accord.

Cela lui parut tout à fait dans ses cordes et à même de surprendre Nikolaï.

Aussi, Betty quitta rapidement le *Byblos* pour aller retrouver Stavroguine. Cela faisait partie du plan, Neil n'en éprouva aucune jalousie.

Les deux amoureux avaient hâte d'en découdre avec le Russe. Ils devaient se focaliser sur leur mission : trouver Mathieu. Il y aurait ensuite un temps pour le reste.

Mais seulement en cas de succès.

Avant de se diriger vers le port de Saint-Tropez, lieu du rendez-vous, Neil prit une nouvelle douche, et, dédaignant le champagne, commanda un Perrier accompagné de fruits secs. Pour parachever sa préparation, il avala deux comprimés d'analgésique. Les diverses aventures du jour avaient ravivé la douleur mordante de sa plaie à la cuisse. Enfin, il s'habilla d'une chemise et d'un pantalon de lin blancs, et d'une veste noire. Ilsa avait appelé. Ils avaient convenu de se retrouver après la troisième épreuve. Si tout se passait bien, Neil serait invité à la fête donnée par Stavroguine. Alors il demanderait à Ilsa de l'accompagner. Il ne comptait pas se rendre seul dans la villa du Capon où se cachait peut-être Mathieu.

À présent, il était fin prêt à se montrer... excentrique.

La nuit allait bientôt recouvrir la ville mais cela ne semblait nullement le gêner. En saison, les nuits étaient souvent plus agitées que les jours. La cité s'était faite à ce rythme bien particulier. Sur le chemin, il se demanda pourquoi il avait éprouvé le besoin irrépressible de se doucher une seconde fois en quelques heures. Il parvint à un embryon de réponse : il s'était douché pour se laver de toute cette crasse, de cet argent qui n'avait, ici, plus aucune valeur, qui ne servait qu'à paraître. Réfléchissant et marchant, Neil se trouvait à quelques pas seulement de la terrasse du *Papagayo*, face au port qui, même hors saison, semblait déborder de yachts tous plus immenses les uns que les autres. Les milliardaires du monde entier se livraient à un véritable concours de surenchères en ce domaine.

— Dis donc, en avance sur l'horaire, mon pote !

Nikolaï, assis à une table en compagnie de Betty, lui fit signe de s'approcher. La jeune femme le salua vaguement d'un geste de la main.

— Alors, tu voulais me voir seul avec mon Américaine préférée, à ce qu'il paraît ? Eh ben, c'est raté ! Surprise !

Une quinzaine de petites tables entouraient celle de Stavroguine, située, comme il se doit, au centre de la terrasse. À l'énoncé du mot « surprise ! », tous les clients se retournèrent vers Neil et hurlèrent à leur tour : « Surprise ! »

— Mes amis ont tenu à m'accompagner pour mes adieux au *Papagayo*. Mon yacht mouille dans le port, on ira tous à la villa du Capon par la mer.

— Ils ont tous passé les trois épreuves ? demanda Neil avec une petite pointe d'ironie.

— Non, je t'ai déjà dit que tu étais le premier à bénéficier de ce traitement de faveur. Mais sûrement pas le dernier – je m'amuse bien.

Il posa une main sur le genou nu de Betty. L'Américaine avait revêtu une robe ultra-courte et un chemisier qui laissait entrevoir la générosité de ses formes.

— Bon, mes amis et moi, on attend ton excentricité. Je suppose que tu es là pour ça. On a vraiment envie d'être surpris.

— J'allais y venir, précisa Neil.

— Mais tu as les mains vides, s'étonna le Russe.

Des amis se mirent à rire aux éclats.

— C'est que je ne compte rien faire avec les mains.

Neil s'appuya à la table de Nikolaï et se pencha violemment en avant vers Betty, qu'il embrassa trois fois de suite, trois baisers très profonds qui figèrent l'assemblée de stupeur.

Un silence de plomb s'installa sur la terrasse. On aurait presque entendu le ressac sur la coque des yachts, un peu plus loin.

La jeune femme s'était mollement débattue au premier contact puis avait pris le parti de repousser Neil.

Mais, dans le public, on guettait surtout la réaction du Russe pour se caler sur sa joie ou sa colère. L'idée était de ne pas être à contre-courant des sentiments de leur hôte richissime. En premier lieu, Stavroguine serra les poings. Puis il se détendit, trouvant cette première posture imbécile. Bien sûr, il s'agissait là d'une provocation, de l'excentricité demandée. Quel culot tout de même ! Il n'aurait pas cru cela d'un Suisse. D'un Russe, certainement... Mais d'un Suisse... Au troisième baiser, il se pinça les lèvres pour ne pas rire avant la fin. Mais il ne put se retenir, et lorsque Neil se releva, un peu groggy, tout de même, par sa démarche, Nikolaï se tapait sur les cuisses. Et, alors, toute la terrasse partit dans un grondement de rires.

Décidément, ce n'était pas un monde pour Neil. Il avait beaucoup de mal à déceler en Stavroguine le contestataire que Mandragore puis Betty avaient peint. C'était plutôt un pitoyable roi, entouré de ses valets. Mais, comme pour les êtres les plus complexes, il était nécessaire de gratter durement la façade pour obtenir l'homme vrai.

— Viens là, mon frère ! parvint à lâcher Stavroguine, entre deux hurlements de rire. Viens près de moi.

Neil s'approcha. Leur coup avait réussi.

— À mon tour de t'embrasser ! Et à la russe cette fois, pas de *french kiss* !

Il prit la tête de Neil entre ses mains, la renversa violemment en arrière et posa ses lèvres contre celles de l'adolescent. Il les retira en les faisant claquer. Neil trouva ce contact des plus désagréables, surtout la barbe de Nikolaï, et son haleine puant l'alcool, mais il ne dit rien, sourit à son tour et, loin de repousser son nouvel ami, le saisit par les épaules pour le retenir auprès de lui.

Les amis exultaient, même le personnel du *Papagayo* applaudissait cette performance en lançant des hourras. Betty avait abandonné sa colère feinte et enlaçait son compagnon russe.

— Tu seras le bienvenu à ma fête, comme je te l'ai promis, enchaîna Nikolaï. Et tu peux venir avec les personnes de ton choix, je ne suis pas regardant maintenant que nous sommes amis. Tu as une bonne dose d'effronterie et j'aime ça.

Alors, il appela le directeur de l'établissement et lui murmura une phrase à l'oreille.

— Champagne ! hurla-t-il ensuite.

Ses amis, en vérité, n'attendaient que cela.

Pendant ce temps, Zacharie, Émile et Ilsa se reposaient à l'hôtel familial des *Lauriers*, situé non loin de la place des Lices, dans une rue calme et peu passante. Émile broyait du noir et s'en voulait terriblement à propos de l'assaut de l'île d'Or. Ilsa avait beau le rassurer en lui disant qu'on ne pouvait le tenir pour responsable de cet échec, il restait persuadé que les hommes encagoulés l'avaient suivi jusqu'à l'île d'Or.

— Ça te dit d'aller manger quelque chose ? demanda le géant blond à Ilsa.

Mais la jeune fille secoua la tête.

— Je reste ici. Neil ne va pas tarder à m'appeler.

— Moi, par contre, je suis partant, dit Émile. Tout, plutôt que de rester inactif ici...

Ils quittèrent l'hôtel et trouvèrent un camion à pizza près de la gendarmerie la plus célèbre du cinéma français. Le bâtiment n'était plus utilisé mais la municipalité le gardait en l'état pour faire plaisir aux touristes. On venait de rafraîchir les lettres de l'inscription GENDARMERIE NATIONALE en prévision de la saison estivale.

Les deux Effacés, abattus, commandèrent deux pizzas et deux cocas, dont un sans sucre pour Zacharie.

— On va se trouver un petit banc sur la place, y a pas encore de moustiques en cette saison.

Et, en effet, ils purent dîner tranquillement. La température n'avait guère baissé avec l'arrivée de la nuit. Le seul hic provenait de la nourriture. La pâte était molle et les saveurs fades.

Émile grogna bien pour la forme mais le cœur n'y était pas.

— T'inquiète... conclut Zacharie. Si Neil parvient à mettre la main sur Mathieu ce soir, on file tous à la villa et à nous tes bonnes recettes.

L'adolescent semblait prêt à en énumérer quelques-unes, mais il se figea net en apercevant deux silhouettes qui venaient de faire leur apparition, de l'autre côté de la place.

Deux hommes portant des imperméables gris.

— Les types qui ont agressé Betty, murmura Zacharie.

— Quoi ?

Il posa le carton de la pizza sur le sol et se débarrassa de sa cannette encore pleine dans la poubelle la plus proche.

— Plie ta pizza en quatre et fourre-la dans ta poche. Les affaires reprennent.

— Tu peux m'expliquer ? demanda Émile, avant d'enfourner une dernière portion égale à deux ou trois fois la largeur de sa bouche.

— Les deux types là-bas. Ils ont agressé cet après-midi la compagne de Stavroguine. Et je me demande maintenant si ce ne sont pas les types qui étaient à Vaduz avant nous, chez le loueur de zincs.

— Tu veux dire ceux qui ont laissé une carte avec un numéro qui aboutit à l'Élysée ? Les membres de la cellule noire du palais ?

Zacharie hocha la tête tout en tapant à toute vitesse un SMS sur son portable.

— Je préviens Ilsa. On les suit. Je serais curieux de savoir où ces zigotos-là crèchent…

Les deux hommes avaient traversé la place et filaient le long des rues, en direction du vieux port, à l'écart de la ville vivante. Zacharie et Émile les suivaient à bonne distance, cherchant les ombres et ne s'adressant plus la parole. Arrivés à une intersection, ils obliquèrent dans une petite rue perpendiculaire à l'avenue du Général-Leclerc puis stoppèrent net leur marche rapide. Le plus grand des deux sortit des clefs de sa poche. Cachés derrière des thuyas, les Effacés observèrent le départ des deux énergumènes à bord d'une voiture grise banalisée.

— J'ai vu un scooter pas loin, là-bas, souffla Émile, qui ne souhaitait pas échouer une fois encore. Pas d'antivol.

Ils se précipitèrent et Zacharie, d'une main experte, parvint à faire démarrer l'engin en quelques secondes.

Ils rattrapèrent l'automobile tandis qu'elle s'engageait sur la route des Plages. Émile, aux manettes, gardait une distance suffisante pour ne pas éveiller la curiosité des deux types qui s'enfonçaient lentement mais sûrement dans les quartiers résidentiels de Saint-Tropez, là où la densité de villas et de piscines au kilomètre carré était la plus importante de la région.

Mais les deux Effacés ne purent se rassasier de ce spectacle, l'obscurité empêchant de saisir la plupart des détails du paysage. Ils entrèrent cependant dans Ramatuelle.

La voiture pénétra dans le quartier de la Capilla et ralentit graduellement jusqu'au portail en fer forgé d'une propriété dont on ne distinguait, par-dessus les hauts murs, que le toit de tuiles percé de vasistas de toutes tailles et de toutes formes. Les deux vantaux s'ouvrirent dans un chuintement et le véhicule dérapa sur les graviers au moment de s'engager sur le chemin de la propriété.

« Chemin du Pinet, probablement numéro 7 », nota Zacharie mentalement.

Émile arrêta le scooter bien en amont et éteignit immédiatement le phare.

Zacharie s'était approché du portail à pas de loup, cherchant l'éventuelle présence de caméras de surveillance, qui fleurissaient dans la région comme le mimosa en hiver.

Il n'en décela aucune et put ainsi confirmer le numéro de la propriété. Il en profita également pour jeter un coup d'œil à la serrure rustique de la petite porte en fonte située à droite du portail. Le verrou n'était pas mis. Il pourrait simplement actionner le pêne en glissant une carte bancaire contre la gâche. Ça tombait plutôt bien, Zacharie n'était armé que de son portefeuille !

Avant de s'exécuter il vint rejoindre Émile qui venait de composer le numéro de Mandragore sur son téléphone. C'est Mathilde qui décrocha aussitôt.

— C'est toi qui es de service ? chuchota Émile. Nicolas s'est couché avec les poules ?

— Où êtes-vous ?

— Il faut que tu lances une recherche, Mathilde, sur le 7, chemin du Pinet à Ramatuelle. Quartier de la Capilla.

— Que voulez-vous savoir ?

— On pense que les types envoyés par l'Élysée qui en ont après Mathieu sont venus se réfugier ici. Si tu as le nom du propriétaire, déjà, ce serait une bonne chose.

Zacharie frissonna. Un petit vent s'était levé.

— Je vous envoie ça sur vos tablettes, fit Mathilde après une longue minute de silence.

— Non, on est partis sans rien de l'hôtel. Annonce la couleur direct.

— L'acte de propriété initial est établi au nom de Giacomo Bentivegna. Puis, après une donation, on trouve une certaine Valéria Bentivegna. Mais c'est le propriétaire actuel qui vous dira forcément quelque chose. Il s'agit d'Étienne Hennebeau, notre président. Bentivegna est le nom de jeune fille de son épouse défunte. Il a reçu la villa en héritage à sa mort.

— Ça colle ! s'enthousiasma Zacharie. Il va falloir jouer serré à partir de maintenant. C'est pour ça qu'ils n'ont pas mis le verrou. La maison doit être abandonnée. Elle doit leur servir de base arrière juste pour cette opération discrète.

Il y eut un bruit étrange dans le téléphone puis Mandragore reprit la conversation :

— Émile, Zacharie, ce n'est pas nécessaire de vous rendre dans la villa. Notre priorité est de trouver Mathieu. Retournez attendre Neil et Ilsa. Ils auront certainement besoin de votre aide.

— Ça y est ? demanda Zacharie. Il a fait ami-ami avec le Russe ?

— Oui, le contact est établi. Et bien établi. Je répète donc : rentrez à l'hôtel et tenez-vous prêts à intervenir pendant la fête donnée par Stavroguine si Neil et Ilsa se trouvent en danger.

— Je ne suis pas d'accord, dit Émile. Il faut profiter d'être ici pour chercher le maximum d'infos. Le lieu n'a pas l'air très surveillé et la serrure semble facilement crochetable. Peut-être même qu'ils conservent les doigts ici, qui sait ? Ça serait logique s'ils pensent attraper Mathieu dans les parages… Tu sais qu'on ne se jettera pas dans la gueule du loup. Au moindre signe de grabuge, on détale sans demander notre reste. On évitera absolument le contact.

— Vous n'avez pas d'arme. C'est de la pure folie !

— On a nos oreillettes, corrigea Émile. Une arme redoutable.

L'Effacé avait un besoin irrépressible d'action. Et de réussite. Il n'allait pas encore renoncer, ah ça non, pas question ! Mandragore pourrait lui raconter ce qu'il voulait, il atteindrait son objectif cette fois. Ici et maintenant.

— Vos dispositifs de transmission n'assurent en rien votre sécurité, insista leur mentor. Vous n'avez pas d'arme, pas de protection, rien. Inutile de prendre des risques à aller fouiller la villa. Nous savons à qui elle appartient et cela corrobore les éléments en notre possession. Pas besoin de tenter le diable.

Cette première opposition des garçons le faisait fulminer. D'autant que Mathilde donna raison aux Effacés :

— C'est une chance inouïe pour nous de mettre un visage sur nos agresseurs, d'en apprendre plus sur eux, d'avoir ce coup d'avance dont tu nous parles toujours, Nicolas…

— Mais on se fiche de mettre un visage sur ces hommes de main, s'énerva Mandragore. On sait qui est derrière. Moi, je persiste à dire que…

Mais il était déjà trop tard. Zacharie s'était avancé, une carte bancaire à la main, pour actionner le pêne.

Puis Émile poussa la porte en limitant au maximum les grincements.

Ils se trouvaient dès lors en territoire ennemi.

(24)

SAMEDI, 19 H 45
CENTRE DES CONGRÈS *LE PHÉNIX*, VALENCIENNES

« Le président Étienne Hennebeau s'apprête à tenir son premier meeting de campagne à Valenciennes ».

Tel était le titre que l'on pouvait lire à la une de *La Voix du Nord* ce samedi. Ce qui était pour le moins une extrapolation journalistique puisque le président Hennebeau ne s'était toujours pas déclaré candidat, au grand dam de ses partisans.

Il avait cédé de mauvaise grâce à un de ses anciens ministres, attaché à la région, qui souhaitait lui faire visiter à Anzin une usine de lacets et de boutons, menacée de fermeture depuis que le carnet de commandes s'était vidé.

Le président fulminait en pensées : « Des lacets et des boutons au début du XXIe siècle ! Et après on s'étonnera du déclin de l'industrie française ! Hier, le charbon. Aujourd'hui, les boutons. Mais que l'on prenne donc exemple sur les Américains, enfin ! Eux ont tout compris avant tout le monde.

Ils conceptualisent – le président adorait ce mot – des outils de haute technologie et les font fabriquer dans des pays d'Asie où la main-d'œuvre est dix, vingt fois moins chère. Et où l'on ne s'embarrasse pas avec le droit social. »

Bon… Il fallait manier ce discours avec précaution, surtout au début d'une campagne électorale.

Le presque candidat, malgré ses récriminations, s'était prêté au jeu convenu de la visite d'usine, serrant des mains d'hommes et de femmes contrits autour de machines-outils, puis, à la toute fin, près d'un buffet où se battaient en duel des briques de jus d'orange à base de concentré, des chips huileuses et quelques cacahuètes trop salées. Il assura devant les micros et les caméras que son ministre de l'Industrie ici présent, un jeune énarque de vingt ans son cadet mais qui possédait déjà les mêmes tics que lui, allait faire tout son possible pour sauver les cent vingt salariés de l'usine.

Puis était venu le moment agréable de ce déplacement dans le Nord. Sa rencontre avec les militants.

Un journaliste à la déontologie douteuse était en train de chauffer la salle avec la complicité de quelques édiles du coin. Déjà, Hennebeau entendait le concert assourdissant donné par les cornes de brume et les sifflets. Puis, il entendit scander son nom. La foule l'appelait. Il entra.

Devait-il le cacher ? Il aimait cet instant, cet instant précis où il allait poser le pied sur la scène, éclairé par cette poursuite jusqu'au pupitre qu'on lui avait préparé et sous le feu des dizaines et des dizaines de flashes crépitants.

La foule hurlait son nom, de grands calicots avaient été dressés un peu partout dans la salle. Des jeunes surexcités brandissaient des pancartes qui réclamaient sa candidature. « Ne nous laisse pas tomber ! » avait inscrit une femme d'une trentaine d'années, qui se trémoussait au premier rang devant son idole comme si elle se trouvait sur la piste d'une discothèque.

Il marcha jusqu'au pupitre en saluant la foule, au rythme d'une lourde musique symphonique, desserra sa cravate et pointa son doigt vers la militante en hochant la tête plusieurs fois.

— Non, je ne vous laisse pas tomber ! rugit-il dans les micros.

Des cris de joie fusèrent, les cornes de brume redoublèrent d'intensité. Hennebeau tenta de commencer son allocution, mais l'ambiance était trop intense. Il fit mine de s'en accommoder, en profita pour se servir un verre d'eau alors que, au fond de lui, il bouillonnait de rage.

Hennebeau haïssait les militants, qu'il jugeait au moins aussi abrutis que ses détracteurs. Mais il leur souriait, car il avait besoin d'eux pour les belles images de la fête et la distribution des tracts partout dans le pays. Il admettait, d'ailleurs, que leurs cris d'amour le galvanisaient souvent, mais il ne pouvait s'empêcher de trouver idiot tout ce bétail hurlant rassemblé autour de lui. Si ces gens connaissaient le dixième des agissements et des convictions réelles de leur candidat favori, alors la salle se viderait d'un coup.

Le public se calma peu à peu et il commença son discours, attaquant bille en tête sur Marie-Ange Mouret, sa rivale, la présidente du Sénat, dont il railla les propositions absurdes à propos du pouvoir d'achat qu'elle avait énoncées depuis Washington.

Hennebeau, lui, promit sincèrement d'augmenter le pouvoir d'achat de tous les Français. Et ce serait un engagement écrit de sa campagne, quantifiable, mesurable, pas des promesses en l'air.

Ses attaques contre Mouret furent sèches, franches et directes. Il avait pesé chaque mot employé, avec Dominique Destin, lors d'une de leurs nombreuses réunions quotidiennes.

Mais ce n'était rien à côté de ce qui allait venir. D'ailleurs, Destin attendait un coup de fil important ce soir. Tout devait se dénouer dans les prochaines heures. On allait enfin mettre la main sur ce foutu trader. Et ce serait le début d'une phase assez rigolote de la campagne… Assez violente aussi. Cette pensée des plus agréables décupla l'agressivité du futur candidat :

— Elle vous promet la lune sans penser une seconde à construire la fusée idoine ! martela-t-il. Moi, depuis toujours, je dis ce que je fais et je fais ce que je dis. La fusée se construit peu à peu, depuis cinq ans, nous mènerons le chantier à terme… Ensemble !

Le président s'épongea le front. La lumière était vive, les spots brûlants. Le prix à payer pour de belles images, demain, dans les journaux télévisés.

L'argent, l'argent, toujours l'argent. Était-ce sa faute à lui si tel où tel manquait d'argent ? Pourquoi les pauvres voulaient-ils devenir riches ? Était-ce une fin en soi ? Le partage des richesses était-il la solution à tout ? Un rêve de songe creux, oui ! D'ailleurs, il se voyait systématiquement accusé de tous les maux. Les embouteillages sur le périphérique, le prix de l'essence qui flambe, la baguette de pain à un euro et vingt centimes, et puis la pluie, la neige, le froid. Et les vampires lui reprocheraient bientôt les jours de grand soleil !

Non, au fond, lui qui était riche, il n'en éprouvait plus la moindre satisfaction. Étienne Hennebeau était de nouveau amoureux et sa dulcinée l'attendait, justement, en coulisses. C'était ce qui comptait. Et puis, il l'avait confié à quelques journalistes triés sur le volet le mois dernier, avec elle, il le sentait, c'était du sérieux.

Cette pensée le remplit de joie et il continua son discours, d'une intonation plus forte que jamais. La salle exultait des attaques portées à l'adversaire.

Et soudain le moment devint grave. Hennebeau se confia, d'un air contrit. Une belle improvisation de sa part comme il les chérissait et qui marquait ainsi sa différence avec les autres candidats.

— Je vais vous faire une confidence, mes amis… introduisit-il.

Il raconta la véritable naissance de son engagement politique, ce moment qui l'avait fait basculer vers la conquête du pouvoir suprême, lui, le jeune énarque de vingt-cinq ans promis aux plus hautes ambitions.

— J'accueillais mon père et ma mère, montés à Paris depuis leur Clermont-Ferrand natal. Nous attendions le métro, à la station Alexandre-Dumas. Et j'ai vu un homme en guenilles, mal rasé, pourtant très digne, montrant à toutes les personnes sur le quai une photographie en noir et blanc de son enfant de trois ans qu'il n'arrivait même plus à nourrir. Et alors je me suis dit en moi-même, un cri fort et net, clair... je me suis dit : « Plus jamais ça ! » Et je me suis tourné vers ma mère et je lui ai dit : « Maman, je veux être utile, je ne veux pas être un de ces fonctionnaires à la vie paisible et bien réglée, je veux faire de la politique pour redonner à chacun sa dignité. Ce sera le but de ma vie. Et j'y parviendrai. Je serai président un jour. »

Ses partisans l'applaudirent à tout rompre dès la fin de ce récit, qu'il termina la voix étranglée par une émotion feinte.

L'histoire était belle. Et le pire, c'est qu'elle était vraie. Il avait eu de grands idéaux lors de son entrée en politique. Comme tout le monde. Et puis, au diable ses convictions d'adolescent indigné ! Puisque les autres avant lui avaient choisi la facilité, pourquoi ne prendrait-il pas, à son tour, sa part du gâteau ? Il était plus difficile d'être vertueux que malfaisant. Il ne voyait pas pourquoi lui, plutôt qu'un autre... Lui...

Il se concentra alors, reprit longuement son souffle pour assener la dernière strophe, l'apothéose. Il voulait faire vibrer la salle comme jamais, la faire s'écrouler de bonheur. Il savait qu'il ne pouvait obtenir cela qu'en continuant son œuvre de destruction. L'adage était bien connu en politique : on gagnait toujours mieux à détruire qu'à construire.

Il donna le coup de grâce à Marie-Ange Mouret en des termes très durs. Puis il conclut par un cri :

— Je vous aime !

Alors il avança sur la scène, les bras tendus, formant le V de la victoire prochaine, victoire dont il ne doutait plus dans l'électricité de cette ambiance survoltée.

— Hennebeau président ! Hennebeau président !

« Je suis déjà président, imbéciles ! » voulait-il hurler. Il se contenta de sourire, les poings serrés, le visage exprimant sa certitude.

Mais, tandis qu'il atteignait le bout de la scène, saluant un groupe de militants du cru, son sourire se transforma en un rictus. Ses yeux s'écarquillèrent de terreur.

Il la vit, là, assise au premier rang, très distinctement. Valéria, sa femme !

Non, impossible, elle était morte, bien morte ! Un fantôme ! Et à côté d'elle, un homme étrange dont on ne voyait pas le visage, caché sous une capuche, vêtu de haillons, une photo floue à la main. Son clochard ! Le clochard à l'origine de son engagement...

L'image s'imposa dans son esprit. Soudain, il n'y eut plus que ces deux personnages dans le centre des congrès, pris dans un halo. Autour d'eux, l'obscurité. Plus aucun son, plus rien.

Son passé le rattrapait !

Dans le public, seules quelques personnes avaient remarqué le changement de physionomie sur le visage du président. Les autres continuaient à l'acclamer.

Il revint à la réalité, continua de saluer, mais les bras baissés.

Valéria était toujours assise, l'air doux, le fixant d'un regard étrange, absent, le haut de son crâne était réduit à l'état de charpie. Et le type à côté... Oh mon Dieu... Le clochard venait de lâcher la photo et de retrousser ses manches. À l'extrémité de ses bras, Hennebeau découvrit deux mains dépourvues de doigts, dix petits moignons encore sanguinolents. On lui avait coupé tous les doigts ! Tous !

Il devait regagner les coulisses, vite ! Aller loin, loin d'ici ! Se retirer ! Ses jambes flageolèrent durant ce court trajet qui lui parut une éternité. S'il s'effondrait, là, ici, devant les caméras, c'en était fini de sa réputation d'homme solide. On l'accuserait de cacher une grave maladie à la seule fin de se faire réélire et on louerait, en parallèle, l'excellente santé de la robuste Marie-Ange Mouret.

À l'instant de descendre le petit escalier qui permettait de quitter la scène, Hennebeau manqua une marche et tomba à la renverse. Un de ses gardes du corps, aidé par son attachée de presse, le retint avant que sa tête ne heurte violemment le sol.

— Étienne ? Ça ne va pas ? demanda sa collaboratrice.

Le président se débattit.

— Fichez-moi la paix !

D'un coup d'épaule, il se dégagea et courut vers sa loge où l'attendaient quelques soutiens. Sa nouvelle compagne était là également. La jeune Allemande, blonde, merveilleusement belle, dès son arrivée, l'embrassa voluptueusement en prenant son visage à deux mains.

Hennebeau se laissa tomber sur une chaise, dans un état second. Il reprenait son souffle en clignant des yeux. Son regard fureta dans la loge, visant les coins, les zones d'ombre. Il cherchait visiblement quelque chose, ou quelqu'un. Quand il le vit, il fit un geste sec pour demander à toute cette clique de le laisser seul.

— Moi aussi ? demanda l'ex-mannequin allemand.

Hennebeau était encore trop sonné pour répondre. Il refit le même geste sec et l'ancien ministre prit la jeune femme par les épaules pour lui faire passer la porte. Il connaissait les colères du président et savait qu'il ne servait à rien de lutter contre elles. Il sortit aussi.

Lorsque le battant se referma sur le dernier visiteur, Dominique Destin émergea d'un coin de la pièce. Sa maigreur était telle qu'il s'était fondu dans un espace obscur de dix centimètres tout au plus.

— Valéria ! Valéria était au premier rang ! hoqueta Hennebeau.

— Foutaises ! balaya le conseiller.

— Et mon clochard du métro ! Près d'elle ! Les doigts coupés !

— Tu vas te calmer ! Elle est morte, Étienne. Morte ! Je suis bien placé pour le savoir. Et ton clodo aussi, très certainement, puisque tu ne lui as pas donné la moindre pièce, avec tes parents, ce jour-là... Et que tu ne lui as même pas prêté main-forte pour le ramener à quai lorsqu'il s'est balancé sous le train.

Destin ricana sans bruit.

— Tu as oublié de le préciser, ça, dans ton beau discours, qu'il s'était foutu sous le train, ton clodo !

Mais le président restait pétrifié sur sa chaise.

— Tu es surmené, Étienne. Prends un peu de repos avant le début officiel de ta campagne. Sinon, tu ne tiendras pas la distance. Marie-Ange est affûtée comme jamais, elle. Et tu risques de souffrir de cette comparaison.

Comme en écho à cette déclaration, Hennebeau s'aperçut qu'une télévision à écran plat était allumée au-dessus du miroir de maquillage. Aux images de la journée de football succéda un reportage sur les premières rencontres de Mouret, à Washington, avec des officiels américains. La candidate assistait au vernissage d'une exposition consacrée aux impressionnistes à la National Gallery of Art. On la voyait en compagnie de plusieurs sénateurs et de quelques officiels du monde de l'art français – quelques directeurs de musée qui, préparant l'éventuelle défaite de celui qui les avait nommés, s'acoquinaient déjà avec celle qui lui succéderait peut-être.

— Les chiens ! Les chiens ! hoqueta-t-il.

Il voulut détourner son regard mais il revenait sans cesse vers cette femme qu'il haïssait entre toutes, cette femme toujours habillée à la dernière mode, avec ses longs gants noirs, ses robes de soirée de grand couturier, cette femme magnifique malgré ses cinquante ans.

— Étienne, il faut te ressaisir, dit Destin. Nous sommes à un doigt, si je puis dire, du succès. L'étau se resserre, nous avons la certitude qu'il se terre à Saint-Tropez.

— Il va encore vous échapper ! laissa tomber le président.

— Alors, nous obtiendrons ce que nous voulons en lui prenant ce qu'il a de plus cher...

Subitement, sans conditions particulières, Hennebeau était redevenu l'homme public, calme et pondéré.

— Oui, il faut qu'il souffre à son tour. Il faut que tout le monde souffre, je ne peux pas être le seul...

Alors sa violence resurgit. Il se leva d'un bond de sa chaise et, le visage défiguré par la colère, le corps tremblant, il arracha l'écran plat du mur et le lança à travers la loge.

Sur le sol, étrangement, au lieu de s'éteindre, l'écran s'était figé sur une image.

Marie-Ange Mouret souriait aux caméras, plus radieuse que jamais.

(25)

SAMEDI, 20 H 40
7, CHEMIN DU PINET, RAMATUELLE

Zacharie et Émile avançaient vers la propriété. La villa se dressait devant eux, toutes lumières éteintes. Le parc était plongé dans l'obscurité la plus totale et les deux adolescents durent marcher prudemment pour ne pas heurter un arbre ou ne pas être surpris par le relief changeant du terrain.

Émile suivait Zacharie qui progressait à plus vive allure. La nuit, le géant voyait comme un chat. Contrairement à son compagnon, il ne portait pas de lunettes. Il avait hérité une vision parfaite de son père pilote de ligne.

La lune en demi-quartier éclairait cependant la façade de la maison d'un éclat blafard.

La demeure était assez sobre par rapport à ce que l'on trouvait dans les environs. Ici, pas de péristyle tape-à-l'œil en marbre blanc, ni de fausses statues antiques gardant l'entrée. La villa de deux étages respectait l'architecture provençale traditionnelle, au toit peu pentu en tuiles et aux larges fenêtres équipées de grands volets de bois.

Ils s'arrêtèrent un instant, accroupis derrière un arbuste résineux, pour faire le point. Ils se trouvaient à une vingtaine de mètres de la propriété. Une piscine vide de belles dimensions et une terrasse en bois les séparaient de la porte principale où aboutissait un chemin de dalles posées sur la pelouse.

— C'est curieux, cette absence totale de lumière, chu-chota le grand blond. Où sont passés les deux types ?

Émile écarta les mains.

— J'en sais rien.

Mandragore ne les avait pas recontactés depuis leur entrée dans la propriété. Tant mieux. Ils gardaient ainsi les idées claires.

— Si la maison appartient à Hennebeau, elle doit être inhabitée, compléta Émile. Je vois mal le président venir loger ici alors qu'il peut passer ses vacances au fort de Brégançon...

Zacharie approuva.

— C'est surtout que, si la maison appartenait à sa femme et vu les circonstances dramatiques de sa disparition, je le vois mal recevoir des amis dans ce lieu... Toi qui as une mémoire d'éléphant, elle s'est tuée en voiture pas loin d'ici, non ?

Émile prit son temps pour répondre. Il avait de la mémoire, certes, mais encore fallait-il parvenir à la mobili-ser...

— Oui, entre ici et le fort de Brégançon, justement. Un peu après Cogolin, si mes souvenirs sont bons. Elle rejoi-gnait son mari pour les fins de semaine. Je crois bien avoir lu dans un article qu'elle venait ici pour terminer ses romans. C'était comme une tradition chez elle.

— Il faut dire que ce coin est plutôt chouette, compléta Zacharie. Les plages sont magnifiques, et le soleil toujours présent. Mon père venait souvent pour le week-end, chez un pote à lui.

— Tu crois pas qu'on a autre chose à faire que de jouer les offices de tourisme ?

— Pour en revenir aux deux types, je penche pour le sous-sol. Un QG dans la cave de la villa, un endroit discret, insoupçonnable, à l'abri de la curiosité des voisins.

Des voisins ? Ici, la promiscuité était un mot grossier. Les demeures aux alentours devaient se situer à plus de deux ou trois cents mètres et étaient protégées par de grands arbres et de hauts murs.

Mais ils se turent aussitôt. Un craquement de bois sec se produisit derrière eux.

Une alerte sans suite.

— Ne restons pas là, proposa Émile. Avançons.

Et ce fut lui qui prit la direction des opérations, contournant la piscine en suivant une bande d'ombre dessinée par de gigantesques cyprès. Ils atteignirent sans encombre le mur latéral droit de la villa. Zacharie montra du doigt une tache de lumière provenant d'une petite fenêtre située au niveau du sol.

Ils se collèrent contre le crépi du mur. Zacharie usa uniquement de sa main droite pour communiquer. Mandragore leur avait appris la gestuelle des forces spéciales pour échanger en ces circonstances. Voilà une bonne occasion de réviser *in situ*. Il serra le poing, se désigna, puis il agita le bras le long de son corps.

Émile décoda. Il devait laisser faire le géant blond qui allait avancer, seul, pour tenter d'observer par la fenêtre.

Zacharie progressa en silence. Il se félicita de s'être changé à l'hôtel et d'avoir troqué son pantalon de luxe étroit contre un pantalon plus *casual* et, surtout, plus confortable.

La lumière était vive – probablement une lampe halogène ou un néon. Zacharie se posta près de la fenêtre, dos au mur, et sortit à nouveau sa carte bancaire qui n'avait pas encore réintégré son portefeuille. C'est fou ce qu'on pouvait faire avec ce type d'instrument !

Au dos, un petit autocollant agissait comme un miroir et Zacharie le dirigea de façon à voir si un des hommes se situait près de l'ouverture.

Apparemment non.

Il se pencha donc, confiant, et découvrit une vaste pièce peinte en gris, du sol au plafond, éclairée par plusieurs néons et seulement meublée de deux lits spartiates et de deux tables où trônaient deux grands écrans plats. Zacharie aperçut un des deux hommes, de dos, débarrassé de son imperméable, qui tapait un texte à toute vitesse sur un clavier devant lui. Il attendit encore. Il voulait avoir la certitude que le deuxième type était là aussi. Et il le vit enfin, entrant dans la pièce par une petite porte située près d'un des deux lits.

Le garçon rejoignit Émile et lui fit signe de le suivre. Ils se rendirent derrière la propriété et trouvèrent une porte d'accès.

— Si elle est ouverte, nous entrons, chuchota Zacharie à l'adresse de son compagnon.

— On a promis à Nicolas de ne pas prendre de risques inconsidérés.

— Les types sont au sous-sol, nous devons tenter le coup. C'est peut-être l'occasion de rafler des documents les concernant eux, ou Mathieu. On doit essayer.

Au fond, Émile l'approuvait. Zacharie actionna la poignée de la porte.

Elle s'ouvrit sans un grincement et l'Effacé se jeta littéralement à l'intérieur de la villa, suivi par son acolyte.

Mais de documents, il n'en fut jamais question. Les deux garçons se partagèrent l'exploration des cinq pièces et firent le même constat. Tout le rez-de-chaussée était vide. Plus que vide, même – le président Hennebeau n'avait pas fait les choses à moitié. Plus de carrelage, de parquet, de peinture, de papier peint, plus d'interrupteurs, de prises électriques, plus rien. Un sol, un plafond et des murs. Point.

Zacharie, d'un geste, proposa de sortir de la villa, mais Émile ne l'entendait pas ainsi et gravit en silence l'escalier qui menait à l'étage.

Là, ils prenaient de gros risques. Car si les types remontaient de la cave lorsque eux-mêmes se trouvaient en haut, alors toute retraite devenait impossible. À moins de sauter par une fenêtre.

Le même spectacle désolant se présenta à l'étage. Pourtant, ici, au bout d'un couloir, une porte subsistait. Une porte peinte en violet.

Pas question de prononcer le moindre mot dans ce lieu où chaque son devait résonner à n'en plus finir.

Émile, par quelques gestes, prévint Zacharie qu'il prenait l'initiative. Il ouvrit cette porte et découvrit, enfin, un lieu de vie dans cette villa. Une chambre de belle taille, entièrement violette, depuis les murs jusqu'à la moquette, en passant par les meubles et la parure de lit. On aurait dit une chambre de maison de poupée.

Émile pensa immédiatement qu'il devait s'agir de la chambre de la première dame. Un secrétaire ouvert, sur lequel reposaient quelques feuilles, se dressait dans l'angle opposé à la porte.

Les Effacés éprouvèrent une étrange impression, en plus du malaise qui les saisissait. Hennebeau semblait avoir voulu faire le vide dans cette villa, tout détruire, hormis cette pièce, conservée intacte comme une sorte de sanctuaire. Mais peut-être simplement n'arrivait-il pas à y pénétrer depuis l'accident de son épouse ?

Émile avança vers le secrétaire et découvrit les lettres et les papiers.

« Ne touchez à rien ! Je devine que vous êtes entrés dans la villa. »

Mandragore s'adressait à nouveau à eux. Il avait tenu une vingtaine de minutes. Et le fait que les deux Effacés ne communiquent plus par la voix avait dû le stresser considérablement.

« Soyez raisonnables, Émile, Zacharie ! Que cherchez-vous ? Attirer l'attention sur nous ? Foutez le camp, et vite ! »

Émile continua pourtant ses recherches. Mais que pouvait-il donc bien trouver ici sur Mathieu et sur l'algorithme ? Rien, bien entendu. Alors pourquoi cette curiosité malsaine ?

Zacharie, mal à l'aise, le rejoignit.

— Allons-y, chuchota-t-il. Nicolas a raison. Et puis ce lieu me file la chair de poule. Cette chambre est d'un glauque…

Émile se laissa convaincre mais, en tentant de refermer un tiroir du meuble, il rencontra une résistance insolite et plongea sa main pour s'emparer de l'objet qui semblait gêner.

Il ressortit une chemise en carton verte. Une chemise que, visiblement, Valéria Hennebeau souhaitait garder secrète et qui contenait plusieurs lettres manuscrites.

C'était plus fort que lui. Il ne put résister. Son père et sa mère étaient journalistes d'investigation et il avait hérité d'eux leur goût pour les intrigues tordues.

Sous le regard courroucé de Zacharie, Émile prit rapidement quelques photos des premières pages puis remit le dossier dans le secrétaire. C'est alors qu'une enveloppe de petit format, mais assez épaisse, tomba sur la moquette. Zacharie se pencha pour la ramasser.

« Alerte ! Deux autres hommes se dirigent vers la villa. Dégagez ! Vite ! »

Peut-être Mandragore avait-il pénétré un des réseaux de vidéosurveillance de Ramatuelle ? Peut-être bluffait-il ? Il n'en demeurait pas moins qu'ils devaient fuir à présent.

Dans un réflexe, Zacharie fourra l'enveloppe dans la poche de son blouson. Ils sortirent de la pièce, prenant bien soin de fermer la porte derrière eux.

Haletants, ils parvinrent à sortir de la villa pour gagner le grand jardin où ils pourraient se dissimuler. Émile avait envoyé les photos sur la tablette de Mathilde afin qu'elle regarde si les documents présentaient un intérêt quelconque.

Une fois à l'abri, accroupi derrière un petit muret, tandis que Zacharie observait les lieux de ses yeux de chat, Émile tapa un bref SMS à l'intention de Mathilde, lui demandant si les photos lui étaient parvenues.

Il ne reçut pas de réponse immédiate sur son téléphone. Mais son oreillette résonna bientôt.

« Émile ? »

C'était la voix de Mathilde. On aurait dit, à son intonation, qu'elle était la proie d'une vive émotion.

« Ces photos… »

Oui, sa voix chevrotait, elle semblait au bord des larmes !

« Ces lettres… »

— Eh bien quoi ? marmonna l'Effacé, les nerfs à vif.

« Le texte des lettres en lui-même, rien de particulier. Juste la confirmation d'un rendez-vous, l'accusé de réception d'un document. Mais j'ai tout de suite reconnu l'écriture. »

Sa voix s'étrangla.

« L'écriture de ma mère. Ma mère semblait être proche de la femme du président, Émile, et elle ne m'en a jamais parlé… Qu'est-ce que ça signifie ? »

Émile n'eut pas le temps de répondre à sa détresse. Zacharie fit un signe. La voie était libre.

(26)

SAMEDI, 21 H 20
HÔTEL *LE BYBLOS*, SAINT-TROPEZ

Nikolaï avait beau être jeune et pas guindé pour un sou dans ses choix vestimentaires, le dress-code de la soirée exigeait le port d'un smoking pour les messieurs et d'une robe de soirée pour les dames.

Neil commanda donc un costume à la boutique Armani, veston noir à revers de satin et pantalon à galons de soie, qui lui fut livré en une demi-heure à peine. Ilsa, dans le même envoi, reçut une robe Armani Privé noire, agrémentée d'un bandeau blanc au-dessus de la poitrine, ainsi qu'une parure de bijoux et un nécessaire à maquillage. Émile et Zacharie attendraient non loin de la villa, en renfort. Neil et Ilsa savaient par l'intermédiaire de Mathilde que leurs deux amis étaient en route vers la ville, mais rien de plus à propos de leur escapade dans la villa de feu Valéria Hennebeau.

Si Neil ne rechigna pas à enfiler son smoking, Ilsa pesta tout au long de sa préparation. Elle détestait les robes et les jupes, à l'inverse de Mathilde, et ne s'habillait qu'en pantalon. Le fait de devoir se déguiser et se maquiller ainsi l'énervait au plus haut point. D'autant que Neil ne l'épargnait guère, lançant çà et là des plaisanteries sur son côté « arbre de Noël » au printemps.

Mais ils firent la paix après que l'adolescent eut appelé

la limousine à sa disposition qui devait les conduire à la villa Stavroguine.

— On est bien d'accord, précisa Neil tandis qu'il ajustait son nœud papillon devant l'immense glace de la salle de bains, si nous trouvons Mathieu, nous jouons franc-jeu avec Betty. Elle m'a aidé à conquérir la confiance de Stavroguine lors de la troisième épreuve et je lui dois bien ça.

Le col de la chemise blanche lui enserrait le cou, il n'aimait pas ça. Il passa plusieurs fois un doigt entre sa peau et le tissu mais la matière revenait toujours en place.

— C'est aberrant, lâcha Ilsa. Je ne comprends pas que Nicolas ait accepté que nous collaborions avec un membre d'AnWorld...

— Elle a accepté qu'on ramène Mathieu à la villa.

— Avec elle ? hoqueta la jeune femme.

— Tu es folle ! Ce n'est pas un hôtel. Déjà qu'on héberge Elissa et Anouar, on va bientôt afficher complet... Non, Betty mettra en contact Nicolas avec le président d'AnWorld et ils se débrouilleront. Même AnWorld, malgré ses velléités de changement, ne veut pas que l'algorithme se déclenche lundi matin. Tous ceux qui traquent Mathieu souhaitent le trouver afin que la catastrophe n'ait pas lieu, c'est là le principal.

Ilsa soupira.

— Et puis il vaut mieux se lier avec AnWorld qu'avec les sbires d'Hennebeau ou les mercenaires à la solde d'une ou de plusieurs banques.

— Tout juste, ma belle ! Betty pense que Silverman Brothers a passé une alliance avec Hennebeau et qu'ils marchent main dans la main. Reste à savoir pourquoi Hennebeau craint l'algorithme à ce point. À moins qu'il n'y ait une autre raison à tout ça...

Le téléphone de la chambre répandit sa douce musique. La limousine de monsieur Malescot était avancée.

Ilsa passa rapidement un dernier coup de fil à Mandragore – après cela, ils n'auraient plus que les oreillettes pour garder le contact :

— Nicolas, tu as pu avancer sur ce que signifiaient les paroles de Marc ? Le fameux 15 juillet à 5 heures. Et cette phrase à propos de la bête...

Neil ne put qu'admirer l'implication de la jeune femme. Elle n'oubliait jamais un détail, suivait plusieurs pistes à la fois. Il devait l'admettre : elle avait toujours un temps d'avance sur lui. Il demanda à Ilsa de mettre le haut-parleur.

— Il semblerait que le 15 juillet de l'année passée l'algorithme ait connu une défaillance suite à de mauvaises instructions et que les cinq aient été obligés de se connecter en urgence pour ne pas perdre le contrôle et ne pas rendre leur système visible aux yeux de tous. Anouar nous l'a confirmé. Cela signifie-t-il que Marc a mis en place une procédure de désactivation particulière en cas d'urgence ? Qu'il n'est plus nécessaire d'avoir les cinq doigts pour déconnecter le système mais seulement le majeur de Mathieu ? Nous creusons. Quant à la phrase « qui veut faire l'ange fait la bête », c'est une pensée de Pascal. Peut-être un lien avec l'apocalypse, cette bête, cet ange... On continue à creuser là aussi.

Mais il était temps de partir. Ilsa coupa la communication après avoir remercié Mandragore.

Ils quittèrent la suite Riviera, en espérant ne plus jamais y remettre les pieds et regagner la vallée de Chevreuse au plus tôt avec Mathieu.

La villa Stavroguine, située un quartier ultra-chic, brillait de mille feux. Après avoir quitté la route Capon, on y accédait par une voie privée, bordée de cyprès. Le chauffeur de la limousine avait dû montrer patte blanche à l'entrée. Le vigile, en faction dans une petite maison aux tons ocre, décorée d'une frise rouge et blanche, avait appelé la villa pour savoir si M. Malescot et sa compagne comptaient bien parmi les invités. Neil n'avait pas reçu de carton d'invitation de la part du Russe.

Ce fut un choc lorsque les deux Effacés découvrirent pour la première fois l'immense demeure des Stavroguine. Située sur un surplomb rocheux, face à la mer, elle étalait toute sa richesse et sa rutilance, sans vergogne, sans chercher à se fondre dans ce paysage maritime. La façade, tout d'abord, digne d'un temple grec, immense avec de grosses colonnes de marbre blanc, ponctuée d'une vingtaine de fenêtres, puis le jardin, tout autour, mélange de garrigue et de gazon, sur lequel on avait saupoudré des statues antiques, des reproductions certainement. On y trouvait des yuccas, des palmiers, des agaves et des lauriers-roses. Tout cela en mettait plein la vue mais manquait singulièrement de cachet.

Nikolaï Stavroguine, en smoking, portant une écharpe blanche autour du cou en dépit de la température relativement clémente, attendait son invité avec le sourire, en haut d'un interminable escalier aux marches immaculées. Il se tenait devant une lourde porte de bronze enserrée dans une paroi de verre et de métal.

Les Effacés attendirent que le chauffeur leur ouvre les portières pour descendre. Des flashes saluèrent leur montée des marches. Nikolaï avait dû engager un photographe privé pour garder quelques souvenirs de sa dernière soirée de la saison.

Il serra chaleureusement Neil dans ses bras, mais n'eut pas même un regard pour Ilsa, qu'il devait trouver trop revêche. Neil se dégagea de l'accolade qui durait trop longtemps à son goût.

— Tu vas froisser mon smoking, bougonna-t-il.

— Ça se voit que tu n'en portes pas souvent, ton nœud papillon est de travers.

Saleté ! Il s'était pourtant donné du mal avant de partir.

— C'est mon côté rebelle !

— Ouais, ça doit être ça, répondit le Russe, dont le sourire s'effaça d'un seul coup.

Il offrit à ses invités un tour express du propriétaire. Neil et Ilsa furent estomaqués. Un large couloir principal, en L, desservait des pièces toutes plus immenses les unes que les autres. Le salon, selon leur hôte, faisait à lui seul cent quarante mètres carrés. Des baies vitrées gigantesques offraient une perspective éblouissante sur les eaux noires de la Méditerranée. Mais ils découvrirent aussi de vastes chambres – où rien que la salle de bains et le dressing attenants possédaient les dimensions d'un studio d'étudiant –, une salle de cinéma de cinquante places et un jacuzzi avec en son centre un bloc de marbre octogonal où bouillonnait une eau turquoise. D'ailleurs, deux jeunes hommes accompagnés de deux jeunes femmes étaient en train de se déshabiller, dans de grands éclats de rire, pour en prendre possession. Et toutes ces pièces contenaient des tableaux de maîtres, des Cézanne, des Renoir, quelques Vuillard ainsi qu'un Van Gogh, très étonnamment accrochés en compagnie d'horribles croûtes, des paysages de garrigues et de villages provençaux qui devaient être le fruit du travail de la mère de Nikolaï. Pourquoi le père les gardait-il aux murs de sa villa ? Mystère. Peut-être les trouvait-il beaux, après tout. Quant au garage, il pouvait contenir dix limousines. Au fond, seule la cuisine présentait une taille ordinaire, mais la famille Stavroguine ne devait jamais mettre la main à la pâte, se contentant plutôt d'exploiter un personnel domestique ou les traiteurs réputés de la région.

Ilsa et Neil ne visitèrent rien de l'étage. Était-ce là que se terrait Mathieu ?

— Et, en bas, il y a la plage privée avec une piscine couverte d'eau de mer chauffée lorsqu'il fait trop froid et un lagon tropical qui permet de se dorer la pilule même en plein hiver quand il neige.

Une installation cent pour cent écologique à n'en pas douter, pensa Ilsa.

Ils s'arrêtèrent enfin dans le salon où s'offraient des buffets multicolores. Un monde fou s'y pressait, cent personnes déjà, peut-être. Le champagne coulait à flots, certains buvaient à même les goulots. Ilsa découvrit des bacs entiers de caviar blanc, des homards cuisinés, des plateaux de sushis aux couleurs inédites ainsi que des canapés où figuraient de gros morceaux de truffes. Dehors, sous un barnum, des danseurs se trémoussaient devant un podium où un DJ officiait.

— Le DJ arrêtera ses platines vers minuit, précisa Nikolaï à l'intention de son invité. Les Red Hot Chili Peppers doivent venir pour un concert privé. Et puis on tirera un grand feu d'artifice. J'ai demandé un truc bien spécial à l'artificier. Tu verras...

Neil leva la tête et constata que le salon était très haut de plafond. À l'inverse des autres pièces de la villa, il ne supportait pas d'étage. Pourtant, au-dessus d'eux, en plein milieu, se dressait une plaque de verre sur laquelle étaient disposées une table et deux chaises, transparentes elles aussi.

On y accédait par deux escaliers également translucides aboutissant aux deux extrémités de la plaque.

Neil se décida enfin à flatter son hôte :

— Ta fête assure grave.

Stavroguine haussa les épaules.

— Ouais, tu parles... Moi, mon rêve, ce serait de faire mieux que Léon de Lignac. Le type voulait fêter ses soixante-dix ans à Versailles et n'a pas reçu l'autorisation, bien sûr. Alors il a loué la plage du *Coco Beach* à Pampelonne et a reconstitué le décor de la Cour. Un truc de malade. Dix-huit mois de préparation et quinze semi-remorques pour acheminer le tout : un portail recouvert de feuilles d'or, des fontaines d'Apollon, des statues équestres, des costumes d'époque, de la vaisselle en or massif, des fleurs à la tonne, du mobilier ancien.

Son regard s'illuminait en évoquant cette démesure.

— Une centaine d'acteurs issus du Conservatoire de Paris jouaient les laquais. De Lignac est arrivé en carrosse sur le sable et s'est hissé sur un trône construit au milieu de la plage. Pendant qu'il pérorait, des hommes-grenouilles tiraient des tritons de deux mètres dorés à l'or fin dans la mer. Un truc hallucinant qui a fait les gros titres de la presse locale le lendemain… Jamais égalé depuis.

— Tu y étais ? demanda Neil.

— Non, j'avais un an à l'époque. Mais on m'a raconté. J'adorerais voir la tronche de mon père si je lui envoyais une facture de ce genre-là…

Il ricana un bref instant avant de s'excuser : on l'appelait à l'étage.

Neil et Ilsa attendirent qu'il s'éloigne pour se rendre dans le jardin, à l'abri des oreilles et des regards indiscrets. Ils snobèrent les buffets. Sous le barnum, le DJ faisait crisser les vinyles comme jamais.

— Il n'est pas assez fou pour se cacher là, commença Ilsa. Neil resta dubitatif.

— Pourtant, ça pourrait s'envisager. La propriété est bien protégée. Contrôle à l'entrée. Et la plage est située en contre-bas de la villa. On ne peut pas arriver par la mer sans être vu. Une vraie place forte. En plus, il y a des gros bras un peu partout…

Neil s'interrompit. Une silhouette les rejoignit dans leur coin d'ombre.

Betty. La jeune femme salua Ilsa d'un signe de tête. Elle portait une robe moulante beige, au décolleté provocant, recouverte de paillettes argentées. Neil la trouva magnifique dans cet habit de lumière. Ses cheveux lâchés resplendissaient comme jamais.

Tout autour d'eux, la nuit vibrait de phalènes.

— Vous comptez fouiller la villa ? demanda l'Américaine.

Ilsa secoua la tête. En observant Betty elle se sentait de plus en plus ridicule dans cette robe surfaite. Il fallait beaucoup d'assurance pour se montrer dans un vêtement de grand couturier.

— Non, je pense que nous perdons notre temps. Tu connais l'endroit, toi, pour avoir fréquenté Stavroguine. Tu crois qu'il y a une chance que Mathieu soit là-bas ?

— Oui. Nikolaï a interdit formellement qu'on se rende à l'étage. C'est son domaine privé. Même son père n'a pas le droit de monter l'escalier lorsqu'il habite chez lui. Des vigiles le refouleraient. Des vigiles qu'il paie... Bref, il y a une possibilité que Mathieu soit dans une des chambres à l'étage.

Neil approuva.

— Il faut tenter d'y accéder pour nous faire une idée.

— Ça va être coton, précisa Betty. On ne peut passer que par l'escalier principal et il est bien gardé, crois-moi.

— On trouvera bien un moyen.

Neil se voulait optimiste tandis qu'Ilsa campait sur sa position initiale.

— Pour moi, on fait fausse route en cherchant dans la villa. Je vois mieux Stavroguine héberger Mathieu sur un lieu mobile, et plus isolé encore. Son yacht, par exemple.

— Pas sur son yacht, corrigea l'Américaine. Nous sommes venus ici à son bord en début de soirée.

— Il faudrait cuisiner Stavroguine, compléta Ilsa. Lui lancer un défi, pourquoi pas, puisqu'il aime ça plus que tout...

Neil s'impatientait. L'heure tournait et il devait reprendre l'initiative. Il proposa à ses deux compagnes de regagner le salon.

Les buffets étaient toujours aussi fournis alors que les convives s'y ruaient par vagues, comme des déferlantes un jour de tempête. Des serveurs en livrées blanches remplaçaient presque instantanément chaque denrée consommée.

« Neil ? Ilsa ? appela soudain Mandragore dans l'oreillette des Effacés. Juste pour vous informer que Zacharie et Émile stationnent à quelques dizaines de mètres de l'entrée de la villa, route Capon. Ils sont prêts à mettre les gaz dès que possible. Si ça tourne mal, ne prenez pas la limousine, trop voyante. Sortez de la propriété et prévenez-moi. Je coordonnerai le contact entre vous. Le temps presse, ne tardez pas. Nous sommes à trente-cinq heures à peine du déclenchement de l'algorithme. Il nous faut des résultats. »

Les deux Effacés approuvèrent en silence, tout en regardant autour d'eux.

Des rires partout, de grands éclats d'hommes et de femmes. Ces gens-là ne savaient que rire, ne *pouvaient* que rire, de tout et de rien à la fois. Tout était prétexte à s'esclaffer puisque au fond rien n'avait d'importance sinon de s'amuser et de paraître.

Et eux, Neil, Ilsa et Betty, devaient faire en sorte que tout cela continue.

Puisque, dans le cas inverse, tout allait s'éteindre. Les nantis souffriraient-ils plus que les autres dans cette apocalypse programmée ? Ils perdraient plus, certes, mais ils avaient tant...

Tous trois devaient chasser ces pensées de leur esprit et se consacrer à leur seul et unique but ici : trouver Mathieu ou faire parler Stavroguine.

Avant que le soleil ne luise.

Un homme élégant vêtu d'un costume sombre s'avança vers Neil.

— Monsieur Malescot ?

— Lui-même.

— M. Stavroguine vous attend dans sa salle de billard. Il désire vous parler. Tout de suite.

Neil approuva d'un hochement de tête. Betty lui glissa à l'oreille que le billard se situait à l'étage.

— J'arrive, dit-il.

Ilsa lui emboîta le pas. Le messager fit aussitôt volte-face.

— M. Stavroguine souhaite s'entretenir avec vous en tête à tête, précisa-t-il.

Neil signifia d'un geste à Ilsa de l'attendre, faisant fi de la déception de sa comparse.

— Je vous suis donc.

Lorsqu'il monta les marches une à une, lentement, son cœur cognait dans ses tempes.

Le Russe l'attendait dans une salle de belle taille, en soupente, percée de gigantesques vasistas qui laissaient entrevoir les étoiles. Il tenait une queue de billard à la main et se déplaçait avec agilité autour de la table.

— Entre, dit-il sans toutefois relever la tête.

Neil s'exécuta.

— N'hésite pas à te servir un verre. Il y a tous les alcools du monde à peu de chose près dans ce bar...

Une mappemonde coupée en son centre s'ouvrit dans un chuintement et laissa apparaître une collection réellement impressionnante de bouteilles.

Mais Neil déclina la proposition.

— Tu voulais me voir ?

— Pas pour faire une partie avec toi, je préfère jouer seul.

Il tapa dans la boule blanche, en donnant un effet étrange qui lui permit de faire rentrer deux boules d'un coup.

— Pour te parler.

Neil s'avança, vaguement inquiet.

— Tu n'as pas l'accent suisse, constata le Russe en continuant sa partie sans jamais relever la tête. Pour un Suisse, c'est étonnant.

— Et toi, répliqua Neil, tu parles français sans une trace d'accent russe.

— J'ai vécu dix ans à Paris.

— Moi aussi.

— Non !

Le mot claqua dans la pièce, se confondant avec le bruit sec de la queue heurtant la boule blanche.

— Tu n'es pas suisse. Tu n'es pas Malescot. Malescot n'existe pas, pas plus que ton réseau social autour des financiers helvètes.

Neil tenta de composer une figure neutre, de ne pas montrer sa détresse.

Il était démasqué. Après Betty, voilà que Stavroguine le démasquait. Pourtant Mandragore lui avait assuré avoir fait le nécessaire pour sa couverture. De l'amateurisme, oui !

— J'ai vérifié. J'ai lancé une enquête. Même ta carte Seven Royal est falsifiée. Avec de l'argent, beaucoup d'argent, on peut tout. Et très vite.

— Ça, je n'en doute pas, grinça Neil.

Que devait-il dire ? Cela ne servait à rien de nier à présent. Il choisit la voie de la provocation, pour gagner un peu de temps.

— Tu t'en veux d'avoir accepté dans ton cercle un type qui ne pèse pas des millions ? Un salaud de pauvre ? Je fais tache, à présent, parmi tes amis ?

Là, le Russe releva enfin la tête. Et partit d'un de ses rires homériques qui secoua la pièce tout entière.

— Mais je m'en fous bien de ce tas d'abrutis qui se déhanchent sur la piste de danse en ce moment, qui se gavent comme des porcs, qui bouffent le fric de mon père ! Tu n'as pas encore compris ça ? J'ai honte pour eux, j'aurais dû empoisonner le Moët, tiens ! Mais, enfin, ça ne servirait à rien, il y en a tant d'autres, partout, d'un bout à l'autre de la Terre...

Il posa sa queue de billard sur la table et alla vers la mappemonde, où il se servit un grand verre de vodka à l'herbe de bison.

— Tous des gosses de riches. Les parents se sont engraissés et ils font la vie belle à leurs mômes, tu penses, qui vont se bâfrer de caviar almas à vingt mille euros le kilo. Tu trouveras quelques beaux spécimens en bas.

Il se resservit un verre qu'il avala d'une traite.

— Alors, tu vois, mes amis, je préfère me tenir loin d'eux.

Neil avait regagné en assurance pendant le monologue du Russe. Il décida de rester silencieux, d'attendre que son hôte parle, le presse de dire la vérité. Il savait Stavroguine beau parleur, péroreur même. Il devait jouer de cela.

— Alors qui es-tu donc ? Pourquoi as-tu cherché à m'approcher ? Je me disais aussi, un jeune type comme toi, dix-huit, dix-neuf ans à tout casser… Pas crédible dans le rôle d'un richard, malgré tes efforts. Ça ne s'improvise pas. Ça transforme au plus profond de soi, le regard surtout. Et la façon d'être…

Il marqua une pause.

— Tu cherches Mathieu, c'est ça ?

Neil ne répondit rien. Il se contenta de fixer le Russe droit dans les yeux. On y était.

— Tu veux l'atteindre à travers moi, exact ?

— Tu n'es pas bête, lança Neil.

— Merci du compliment, il me touche profondément. C'est fou ce que Mathieu semble recherché en ce moment…

— Où se trouve-t-il ? enchaîna Neil. Nous ne lui voulons que du bien. Le protéger des autres…

— De quels autres ?

— Des cagoules noires. De ceux qui tranchent les doigts.

Là, Neil se demanda s'il n'en avait pas trop dit, car Stavroguine fronça les sourcils.

— Je ne vois pas à quoi tu fais allusion.

Neil s'avança, prenant l'initiative, enfin. Il se plaça à l'extrémité du billard, s'y appuya des deux mains et se pencha. Seuls sa tignasse et les revers de sa veste de smoking luisaient sous l'éclat du plafonnier. Son visage était dans l'ombre.

— Tu dois me dire où il se trouve. L'étau va se resserrer autour de lui dans les prochaines heures. Il risque sa vie, celle de son fils aussi, peut-être. Nous, nous ne sommes pas des barbares.

Ce fut au tour du Russe de garder le silence.

— Je ne vais pas te proposer d'argent, car je sais que ça n'a aucune prise sur toi. Alors, que veux-tu en échange ? Crois-moi, il vaut mieux que nous le trouvions avant les autres. Il ne pourra pas agir seul. Nous sommes puissants, organisés et...

Stavroguine se remit à rire de plus belle.

— Tu me plais, l'inconnu. En fait, Malescot ou pas Malescot, tu me plais bien. Tu as du panache, du culot, j'aime ça. Tu es peut-être même un peu fou, par certains aspects, comme moi !

Il se pencha à son tour sur la table. Les deux adversaires se faisaient face.

— Nous allons jouer ces informations. J'ai cette faiblesse, tu le sais. Si tu gagnes, je te livrerai Mathieu. Et si je gagne, tu me diras qui tu es et pour qui tu travailles.

— Les jouer au billard ? demanda l'adolescent.

Neil avait observé Stavroguine. Ce dernier n'avait pas un niveau extraordinaire, peut-être proche de celui de Neil qui, encore une semaine plus tôt, avant de devenir un Effacé, jouait souvent avec ses potes de classe, après les cours, dans un bar situé non loin du lycée.

Nikolaï lui adressa un large sourire.

— Non, au poker, cher ami. *High seven cards stud. Old fashion.* Je déteste le *Texas hold'em.* Nous serons quatre autour de la table, nous et deux piètres joueurs de ma connaissance. Nous jouerons tous un million de dollars. Après les avoir plumés, il ne restera plus que nous deux autour de la table. Le gagnant empochera quatre millions. Mais surtout il obtiendra ses informations.

Neil déglutit. Stavroguine ne lui laissa pas le temps de répondre et se précipita au-dehors de la pièce. Il partait du principe que Neil était un joueur averti, un joueur de talent.

L'Effacé le suivit, chancelant.

Il y avait un problème. Un sérieux problème. Il ne connaissait rien au poker, pas même les règles de base. Rien.

La partie s'annonçait perdue d'avance.

(27)

SAMEDI, 22 H 10
VILLA STAVROGUINE, SAINT-TROPEZ

Nicolas Mandragore eut beau tourner le problème en tout sens, l'équation resta insoluble. Neil ne savait pas jouer, ignorait tout des règles. Que faire dès lors ? Lui indiquer chaque geste, chaque attitude via l'oreillette ? Mais comment avoir connaissance des cartes qu'il aurait en main ? Ilsa était bien sur place mais elle ne pourrait pas observer la partie dans les conditions optimales nécessaires. Et puis elle ne possédait pas le niveau requis pour triompher d'un joueur chevronné tel que Nikolaï Vsévolodovitch Stavroguine. Il interrogea Anouar, à tout hasard, mais, sans surprise, le surdoué lui avoua préférer les échecs.

Tandis qu'Elissa entrait dans le bureau de l'ancien médecin, un cahier à la main et s'enquérait de la situation auprès d'Anouar, Mandragore faisait part à Neil de ses conclusions :

« Neil, il faut avouer à Stavroguine que tu ne connais rien à ce jeu. Et vite. Nous sommes faits. »

L'Effacé était en train de descendre l'escalier interdit de la grande villa.

« Peut-être pas... »

La voix provenait de loin. Neil reconnut celle d'Elissa.

« J'adore le poker, dit-elle. Et je suis excellente joueuse. Aux labos ProCure, à Lyon, je battais tout le monde, sans exception, y compris M. Amadieu. »

Mandragore confia un casque à la jeune fille.

« Neil, tu as entendu. On continue comme ça. Je contacte Ilsa. Elle informera Elissa de ton jeu et de celui de tes adversaires, si la configuration de la partie le permet. »

Il n'obtint aucune réponse de Neil mais n'en attendait pas vraiment.

La fête venait brutalement de s'arrêter. Plus de musique techno, plus de brouhaha, plus rien. Nikolaï, à l'aide d'un tisonnier, venait de réduire en miettes les platines du DJ qui s'était enfui en courant comme un forcené. Ce geste violent, après avoir stupéfié un bref instant les convives, les fit rire aux éclats. Encore une excentricité de leur charmant hôte !

— Silence ! hurla le Russe. Silence ! Nous allons commencer une partie de poker. Un million de cave pour chacun. Chip obligatoire à dix mille dollars, ne finassons pas. Je jouerai avec Malescot, Bartleby Scrivener et Piotr Stépanovitch Verkhovenski. Messieurs, en place.

Et tout le monde se rua au centre du salon, se bousculant pour se trouver sous ce plafond de verre que Neil et Ilsa avaient remarqué lors de leur arrivée. Deux chaises supplémentaires avaient été placées autour de la table.

C'était là qu'ils allaient jouer leur partie. La transparence intégrale de l'ensemble permettrait au public de suivre les donnes dans les moindres détails.

Neil monta l'escalier de droite en compagnie de Nikolaï qui s'était débarrassé du tisonnier en le plantant dans une grande vasque pleine de caviar.

On aurait dit que l'Effacé montait à l'échafaud.

En face d'eux, les dénommés Bartleby Scrivener, un Américain à la carrure impressionnante, et Piotr Stépanovitch Verkhovenski, un Russe plutôt gringalet, gravissaient l'autre escalier, positivement ravis d'avoir été choisis par Stavroguine.

Mandragore en profita pour lancer les consignes à l'intention d'Ilsa :

« Ilsa, il te faudra nous communiquer le maximum d'informations à propos des cartes de Neil. C'est bien clair pour toi ? Neil doit absolument remporter la partie. Nous devons apprendre la vérité sur Mathieu. »

Elissa prit le relais, à l'intention de Neil cette fois :

« Bon, récapitulons. Tu vas jouer une partie de *high seven cards stud*. Ça signifie que tu vas recevoir sept cartes et que tu devras composer la meilleure combinaison avec cinq cartes. Les deux premières seront couvertes, c'est-à-dire que seuls toi et le public les connaîtrez. Puis tu en recevras quatre autres découvertes et une dernière couverte. Ce sont ces trois cartes couvertes qui te permettront de jouer au bluff. C'est la clef de voûte du poker. Ce qui compte, ce n'est pas forcément ta façon de jouer mais la perception qu'ont de toi les autres joueurs. »

— Vous allez vous faire plumer en trois coups ! ricana Stavroguine, à l'adresse de l'autre Russe et de l'Américain.

Elissa rebondit immédiatement sur cette forfanterie :

« La démonstration de sa vantardise tombe à pic. Il te place à son niveau, information que les autres vont enregistrer. Ils vont donc te craindre, tu ne devras jamais les décevoir sur ce point. Tu devras d'abord dépouiller ces deux-là, ou laisser Stavroguine le faire, pour qu'il ne reste plus que vous deux. Mais attention ! Il a bien précisé chip obligatoire. Le chip, c'est la mise minimale que tu dois mettre sur la table avant chaque donne, que tu souhaites y participer ou pas. Cela signifie qu'un joueur tout à fait passif finirait par perdre tout son argent sans même jouer. »

On apporta les jetons sur la table en plexiglas.

« Pour finir avec les règles de base, voici les combinaisons possibles dans l'ordre d'importance : paire : deux cartes semblables, double paire, brelan : trois cartes semblables, quinte : cinq cartes de rangs consécutifs, suite : cinq cartes de couleur identique, un full : brelan et paire, carré : quatre cartes identiques, et enfin la quinte flush, qui est une suite dont toutes les cartes sont de la même couleur. L'as est la carte la plus forte. Le deux la plus faible. Un brelan de deux est donc perdant sur un brelan de valets. Par contre, un brelan de deux est gagnant sur une double paire d'as. »

Ce fut Nikolaï Stavroguine qui distribua la première donne.

Un silence irréel régnait à présent dans la villa. On ne se bousculait plus sous le plafond de verre. Les positions étaient figées. Ilsa avait trouvé un coin sous le jeu de Neil, ce qui lui permettrait de s'éloigner discrètement lorsqu'elle devrait annoncer le jeu à Elissa.

Neil était au supplice : il dépendait à cent pour cent de l'oreillette et des conseils d'Elissa et il ne pourrait en aucun cas communiquer directement avec celle-ci.

« Garde bien le plus important à l'esprit : tu dois bluffer. Peu importe ton jeu, au fond. Il faut que tu fasses en sorte que les autres se couchent vite, qu'ils jettent des jetons au milieu de la table, puis tu dois les convaincre de ne pas continuer la partie en les laissant croire que tu as un jeu détonant. Ils se coucheront et tu remporteras le tout. Au poker tu peux décaver un adversaire avec une paire de deux. Sois bien attentif aux attitudes des autres joueurs, leurs tics, tout ça... »

Stavroguine donna deux cartes cachées à chacun puis un sept de cœur à Neil, un sept de trèfle à Bartleby, un roi de carreau à Piotr et se servit un as de pique.

Neil souleva délicatement les deux premières cartes cachées – un huit de cœur et un six de carreau – après avoir fait glisser deux jetons de cinq mille dollars au milieu de la table. La tension était déjà vive pour cette première donne. Son nœud papillon le serrait comme jamais.

Stavroguine relança le premier, car il détenait la carte la plus forte, l'as. Il fit glisser vingt mille dollars sur la table. Tout le monde suivit. À cet instant précis, devant eux, il y avait déjà cent vingt mille dollars en jeu.

« Tu es bien parti pour une quinte, précisa Elissa qu'Ilsa venait de renseigner. Une suite de cartes faibles mais une suite quand même… »

Neil hérita d'un quatre de cœur, Piotr d'une dame de cœur, Nikolaï d'un deux de pique et Bartleby d'un valet de trèfle. L'Américain fit une petite moue qui le trahit.

« Ta quinte est toujours viable. Quatre, six, sept, huit, manque plus que le cinq, dit Elissa dans l'oreillette. Surtout ne montre rien. Reste impassible. Tu peux même prétendre à une couleur, voire à une quinte flush à cœur. »

Mais ce fut au tour de Piotr de relancer. Un sourire aux lèvres, il mit cent mille dollars, dix jetons de dix mille, invitant d'un geste ses adversaires à le suivre. Nikolaï suivit, Bartleby se coucha. Neil attendit un instant. Elissa lui parlait.

« Assomme-le. Il a peu de chances d'obtenir le carré. Il joue le brelan, tu gagneras avec ta quinte qui est au-dessus. Relance de deux cent mille. »

Neil s'exécuta et prépara vingt jetons, l'air plus impassible jamais.

Nikolaï se coucha. Il ne restait plus que Piotr et Neil en jeu.

Leur hôte distribua une nouvelle carte. Une dame de carreau pour Neil – il s'en fichait. Un roi de pique pour Piotr.

— Ça devient intéressant, lâcha ce dernier.

Il relança de cent mille. Neil suivit, sans même attendre l'avis d'Elissa.

Il hérita d'un cinq de trèfle, à découvert. Il tenait donc sa quinte. Mais il était le seul à le savoir autour de la table.

Le public, qui connaissait la valeur des deux cartes cachées de Neil, frémit.

« Joue tapis. L'autre a un brelan. Il va suivre en espérant recevoir un autre roi pour assurer le carré. Mais il ne faut jamais espérer au poker. Toi, ta quinte est faite. Tapis. »

Jouer tapis, Neil comprit aussitôt ce que cela signifiait. Il poussa l'intégralité de ses jetons devant lui. Piotr, sans une hésitation, fit de même.

Deux millions et cent soixante mille dollars étaient en jeu sur la table.

Stavroguine donna les deux dernières cartes à chaque joueur, une face cachée, l'autre à découvert. Neil ne prit pas même la peine de découvrir celle qui était retournée.

Il dévoila sa quinte. Piotr son brelan de rois.

Neil venait de gagner deux millions et cent soixante mille dollars. Et ils n'étaient plus que trois autour de la table.

Tout en éclatant de rire, Stavroguine envoya une violente gifle à la face de son compatriote qui quitta la table, sous les huées du public.

« Bon, tu as eu de la chance pour la première partie. Une vraie quinte. Pas besoin de bluffer. Et déjà un adversaire liquidé. Bien joué ! »

Neil, toujours sans un mot, le visage grave, empila ses jetons devant lui et se concentra sur la deuxième donne qu'il devait effectuer.

Pendant la demi-heure qui suivit, Neil perdit plus de six cent mille dollars au profit exclusif de Stavroguine. Il se retrouva donc avec sa mise de départ agrémentée d'un petit supplément. L'Américain se fit tondre à deux reprises, d'abord par Neil, puis, de façon magistrale, par Stavroguine. Le Russe arrivait à le manipuler. À 23 h 04 très précisément, Bartleby se retrouva au tapis, proche de la crise de nerfs, sans avoir tenté le moindre exploit, humilié par ce dernier coup de bluff de Stavroguine qui le força à passer son tour avec seulement une double paire de six et de neuf. Si l'Américain avait continué, il se serait refait intégralement.

La partie durait maintenant depuis une heure et vingt minutes sans qu'à aucun instant le public se lasse. Le silence restait total durant les donnes, ponctué par des respirations, des soupirs, des exclamations et, plus rarement, des applaudissements. Il y avait véritablement quelque chose de fascinant à observer ces joueurs comme en apesanteur dans l'immense salon.

« C'est maintenant que la véritable partie commence, dit alors Elissa. Tu vas devoir déstabiliser Stavroguine, c'est ta seule chance de t'en sortir. Le pousser à bout afin qu'il commette une erreur. C'est un joueur remarquable. Tu as bien fait de rester muet jusque-là, mais à partir de maintenant tu dois chercher à l'agacer. Par n'importe quel moyen... »

Neil possédait à cet instant deux millions de dollars. Et Nikolaï exactement la même somme. Ce qui signifiait qu'à la prochaine donne, si l'un des deux souhaitait faire tapis, liquider toutes ses mises, l'autre pourrait suivre. Et le perdant serait définitivement vaincu.

La prochaine donne pourrait bien être la dernière. L'assistance ne s'y trompait pas, pas plus que les phalènes, audehors, qui avaient cessé leurs vols électriques. Neil restait calme, concentré. Il avait craint cette partie et la craignait encore. Mais la chance était avec lui ce soir. Ses tirages étaient bons. Et puis il se grisait, il devait bien l'admettre. Il prenait du plaisir à ce jeu de manipulateurs, lui qui se targuait d'en être un de la plus belle eau... dans le sens mélioratif du terme, bien entendu.

Stavroguine plongea ses grands yeux bleus dans ceux de Neil. Il se doutait qu'il s'agissait très certainement de leur dernière donne.

L'Effacé distribua et, bientôt, il constata que la chance ne l'avait pas déserté. Il acquit, grâce aux quatre premières cartes, un carré sec. Un carré de sept, peu puissant contre un autre carré, mais un carré tout de même.

Nikolaï n'était pas plus mal loti. Partie de haute voltige...

« Il va jouer la quinte flush, l'informa Elissa. S'il y parvient, ton carré sera battu. Il faut le forcer à faire tapis avant la dernière donne, à accepter de jouer sa quinte flush au bluff. Il aura alors une chance de perdre. »

Neil avait parfaitement reçu le message. Si la quinte flush était établie, c'est lui qui allait perdre. Par contre, s'il parvenait à embarquer son partenaire dans un jeu de bluff, alors il pourrait gagner.

À la cinquième carte, Stavroguine reçut un valet de trèfle.

— Un valet, ricana Neil. Ça te va bien, un valet. Avec ton roi de la donne précédente...

Il passa sa langue sur ses lèvres, satisfait. Le Russe l'observait, l'air plus noir que jamais.

— C'est un peu toi et ton père, continua Neil. Le Roi, c'est son surnom, n'est-ce pas ?

Il se rappelait des bribes d'informations lues sur sa tablette. Leur discussion en français laissait à l'écart une bonne partie du public. Cependant, Ilsa l'appréciait à sa juste valeur.

— Tu te rebelles, ça t'occupe, mais au fond tu resteras toujours attaché à son fric, tu resteras toujours son valet.

— Et toi ? répliqua Nikolaï d'une voix plus aiguë qu'à l'ordinaire. Il vient d'où, ton sale fric ? Quel pays saignes-tu pour jouer ici ? À qui as-tu volé cet argent ? Sers donc la sixième carte et ferme-la. Je relance de deux cent mille.

L'argent de Mandragore, d'où pouvait-il provenir ? Neil n'en savait rien. Il s'en fichait pour le moment. Il devait rester concentré.

« Guette son front, ses tempes », chuchota Elissa dans l'oreillette.

Elle semblait plus en transe, encore, que Neil.

« À la première suée, fais tapis. Si tu vois une goutte, une seule, le commencement d'une petite perle sortir du haut de son front... c'est qu'il est vulnérable, qu'il tente un gros bluff qu'il ne maîtrise pas vraiment. Et c'est à cet instant que tu devras frapper. »

Neil se concentra, sa vision se brouillait quelque peu. Il baissa la tête, observant le Russe en levant les yeux, faisant semblant d'être perdu dans les affres d'un jeu ordinaire.

« N'oublie pas, Neil, il n'y a pas de joueurs au poker. Des gagnants seulement. On apprend vite ça. Les joueurs perdent, s'en vont vite. Ne restent plus que les autres. »

Neil distribua la septième carte, cachée. Pour lui, cela ne changeait rien. Son carré était en main.

Alors il la vit. La minuscule gouttelette. La quantité infinitésimale de sueur poindre à la racine des cheveux et couler, lentement, très lentement, sur la tempe droite. Dans un réflexe, Stavroguine tenta de la dissimuler en faisant le geste de se recoiffer.

Mais c'était trop tard.

— Je relance avec le reste, dit Neil très calmement.

— Tu as tort, dit le Russe avant que l'Effacé ait poussé ses jetons devant lui.

Le visage de Nikolaï s'éclaira soudainement. Il venait de voir la septième carte distribuée. Et Neil se mit à douter. Pour bluffer, certains champions devaient avoir la possibilité de simuler jusqu'aux témoignages d'une angoisse corporelle. Était-ce le cas ici ? Nikolaï venait-il vraiment de toucher le valet de cœur ?

Il poussa ses jetons, qui rejoignirent ceux de Neil.

Quatre millions de dollars. Mais surtout le sort de Mathieu et celui du monde, peut-être, sur cette table en plexiglas.

Neil dévoila son carré gagnant de sept. Son chiffre fétiche. Seule une quinte flush pourrait le battre.

Stavroguine dévoila son jeu à l'exception de la dernière carte reçue qui restait cachée. Dix, dame, roi et as de cœur. Si la carte était un valet de cœur, il détenait une quinte flush royale. La plus haute des mains.

Son visage ne trahissait aucune émotion.

Lentement, il retourna la carte cachée.

(28)

SAMEDI, 23 H 55
VILLA STAVROGUINE, SAINT-TROPEZ

Le public, qui la connaissait, criait déjà.

Un valet de pique.

Le carré battait la simple quinte haut la main.

Neil triomphait mais rien ne transparut sur son visage. Le public applaudissait à tout rompre. La pression retombait et, bientôt, les Red Hot Chili Peppers allaient arriver pour leur concert privé. Décidément, on ne s'ennuyait jamais à la villa Stavroguine.

Le Russe se leva, les jambes chancelantes, et s'approcha de Neil pour lui serrer la main. Il reprenait ses esprits.

— Joli coup, concéda-t-il. Tu m'as étonné. Au tout début de la partie, je croyais que tu ne savais même pas jouer, que Piotr ou Bartleby allaient te battre à plate couture. Maintenant, je te dois ce que je t'ai promis, suis-moi.

Ils descendirent l'un après l'autre l'escalier de verre, sous les applaudissements des convives. Des bouchons de champagne sautèrent, les buffets subirent à cet instant l'ultime razzia.

Stavroguine pénètre dans la salle de billard, Neil sur ses talons. Il se servit un verre de vodka géant qu'il avala d'un trait puis déplia une carte maritime de la baie de Saint-Tropez sur le tapis vert.

— Je n'ai qu'une parole, surtout avec un personnage comme toi. Je sens en toi beaucoup de révolte, une haine salvatrice. Bien que je n'arrive pas à cerner vers quoi tu la diriges. Peut-être que tu es encore trop jeune pour le savoir toi-même. Je vais donc te dire où Mathieu se cache.

Il désigna un point sur la Méditerranée, au large de Saint-Tropez, en face de la plage des Graniers.

— Coordonnées exactes au dernier pointage sur Google Maps : 43.281642, 6.651707. Mathieu se terre depuis cinq jours dans un yacht que j'ai loué au nom de mon père. Vous pouvez toujours partir à l'abordage, mais ce sera déjà trop tard. Dès que tu franchiras les limites de ma propriété, je l'alerterai de votre venue. Cet élément-là ne figurait pas dans notre pacte.

Il sourit.

— Je suis honnête, plus honnête que toi, d'ailleurs. J'avais bien vu que c'était Ilsa qui conduisait la McLaren à ta place. Car tu ne sais pas conduire, n'est-ce pas ? Ou bien est-ce ta blessure à la jambe qui t'en empêche ?

Il replia la carte et se servit à nouveau un verre de vodka.

— Tu peux aussi emmener Betty. J'ai bien vu qu'elle t'avait tapé dans l'œil.

Neil fronça les sourcils.

— Tu savais pour elle ? Tu savais qu'elle cherchait Mathieu ? Pourquoi tu n'as rien dit ?

— Parce que c'est une très belle jeune femme. Et que j'aime les très belles jeunes femmes. J'en ai même épousé une, l'année dernière, à Saint-Pétersbourg, une roturière, une pauvre, une fille dont les parents n'avaient pas trois roubles devant eux. Mon père est entré dans une colère noire... Ma mère a frôlé l'AVC... oui, j'aime les belles femmes, comme j'aime le poker. Tu m'as étonné deux fois dans la même soirée. Chapeau bas.

— Qu'est-ce que tu vas faire, maintenant ? demanda l'adolescent.

— Je te l'ai déjà dit, je rentre à Moscou. Je veux être là lorsque les Bourses s'effondreront lundi, pour voir la gueule de mon père face au désastre – peut-être même fera-t-il un infarctus, qui sait ? Et je veux entendre ma mère chialer au téléphone, la voir revendre ses fringues sur eBay pour se payer sa came… Ça va être un bordel sans nom, j'ai hâte !

Il s'approcha de l'Effacé, son haleine empestant l'alcool jusqu'à l'écœurement.

— Je voudrais juste connaître ton prénom avant que l'on se sépare…

— Je m'appelle Neil.

Stavroguine hocha sobrement la tête.

— Je suis persuadé que nos routes se recroiseront un jour.

Il tendit une main que l'adolescent serra avec conviction.

Au fond, Neil appréciait bien ce type un peu fou, comme possédé par moments. Il sortit de la salle de billard et referma la porte.

La voix de Mandragore avait remplacé celle d'Elissa dans son oreillette tandis qu'il rejoignait Ilsa et Betty en bas de l'escalier.

« Zacharie et Émile vous attendent sur la route Capon. Dépêchez-vous ! Je vous ai dégoté une vedette au vieux port pour attraper Mathieu avant qu'il ne lève l'ancre. »

À présent, chaque seconde comptait.

ARCHIVES SECRÈTES DES EFFACÉS
JOURNAL DE MATHIEU

Dimanche, 1 heure

Mayenne, tes sbires n'ont jamais été aussi proches de me mettre la main dessus. Nikolaï vient de m'appeler. Ils sont en route. Il leur a dit où il m'avait caché durant ces cinq jours. Je ne lui en veux pas. Nikolaï est mon seul vrai ami. Un homme juste, avec ses excès, mais qui partage mes dégoûts. Il n'y a rien de plus liant que de partager les mêmes haines de la vie. L'amour et l'amitié commencent par cela. Nikolaï n'a qu'une parole, ce qui fait sa faiblesse, mais aussi son charme. Il a joué, il a perdu. Peu importe. Je vais courir, ils ne m'attraperont pas. Je ne vais plus me cacher jusqu'à lundi, je vais rester en mouvement, ici et là, partout, aux quatre coins de la planète, mon immense terrain de jeu que je m'apprête à révolutionner. Je viens de relire mes premières feuilles. J'écris à l'encre, avec un vieux stylo plume qui date de mon enfance. Il ne m'a jamais quitté. Moi... à l'encre... le maître des écrans... Oui, à l'encre, Mayenne. Comme devraient l'être toutes les confessions d'importance. Celles qui resteront après que les réseaux informatiques se seront effondrés avec le reste.
Je ne sais toujours pas comment tu as fini par apprendre que je me cachais derrière tout cela. Pour être si près de réunir les

cinq doigts, c'est que tu as dû bénéficier de renseignements de première main. Qui a parlé ? Je n'arrive toujours pas à croire que c'est mon auriculaire, mon complice.

Ce que je sais, c'est que tu n'es pas seule et que tu as passé des alliances. L'esprit d'équipe, toujours. Je l'ai très vite compris. Les dirigeants ne pouvaient rester les bras croisés devant une telle menace. Ils n'ont aucun intérêt à voir le monde s'effondrer. Ils savent pertinemment qu'ils n'auront pas leur place lorsqu'il s'agira de le rebâtir. Nous les oublierons, purement et simplement.

Les banques et les politiques marchent main dans la main, malgré leurs pitoyables joutes par voie de presse. Ils possèdent trop d'intérêts en commun.

Tu sais que je ne suis pas manichéen. Les méchants d'un côté, les gentils de l'autre, très peu pour moi. Je laisse ça aux petits esprits étriqués comme le tien. Si tu sais piloter l'acquisition d'une banque de Singapour avec brio, tu n'en restes pas moins une infirme du rapport humain.

Les électeurs, en votant, cherchent également à préserver le système. Ils haïssent les banques, les grandes entreprises mais s'en servent tellement, à longueur de temps, que leur aversion n'a plus aucun sens. Ils sont devenus dépendants. Vous avez tout entrepris pour faire d'eux des drogués. Crédit, voilà leur credo. Les politiques auraient pour mission d'éduquer, d'améliorer la vie dans la cité. Mais ils préfèrent, eux aussi, profiter de la bassesse du peuple au lieu de lutter contre. L'écraser au lieu de l'élever. Ce n'est pas digne. Il faudrait un Périclès, un Platon, une aristocratie intellectuelle pour gouverner le monde. Des dirigeants qui acceptent de coucher dans la rue plutôt que dans des palais. Qui paient, même, pour exercer un pouvoir au lieu d'être grassement rétribués. Qui souffrent au lieu d'infliger aux autres. Alors on ne viendrait pas au pouvoir pour le pouvoir. On séparerait le bon grain de l'ivraie. C'est ce en quoi je crois, c'est ce que nous proposerons lorsque le monde se sera calmé.

Je viens d'interrompre mon récit pour répondre à ce qui sera certainement l'ultime coup de fil de Nikolaï avant que les réseaux ne soient hors service. À partir de maintenant, et jusqu'à l'apocalypse de lundi, je resterai injoignable.

Mon ami m'informe qu'une vedette vient de partir du vieux port de Saint-Tropez et qu'elle file droit dans ma direction.

Toujours ces adolescents. Betty est avec eux.

Sont-ils de ton côté, Mayenne, ou bien agissent-ils pour leur propre compte ?

Je n'aurai pas l'occasion de leur demander.

J'arrête là. Je quitte le yacht.

Mais tu me reliras, Mayenne. Sois bien sûr de ça. Je te le promets.

Tu me reliras. Et à cet instant-là, tu n'auras vraiment plus que tes yeux pour pleurer.

(29)

DIMANCHE, 1 H 05
GOLFE DE SAINT-TROPEZ

Les quatre Effacés, accompagnés de Betty, étaient bringuebalés au gré des vagues créées par leur embarcation. Émile était aux commandes de l'engin, une petite vedette, très maniable. Zacharie, grâce au GPS de sa tablette, les orientait vers la bonne direction.

Neil, Ilsa et Betty n'en menaient pas large, engoncés dans leurs tenues de soirée respectives. S'il y avait du grabuge, ils étaient cuits...

Soudain, ils virent le yacht décrit par Nikolaï. La lune se reflétait sur les eaux tout autour, aussi purent-ils lire le nom sur la coque : *New Horizon*. Déjà tout un programme.

— Pourvu que Mathieu... laissa échapper Betty.

Sa présence n'avait pas soulevé de protestations au moment d'embarquer. Nicolas Mandragore avait assuré qu'il savait ce qu'il faisait et que Mathieu ne devait pas leur échapper.

« Si nous ne lui mettons pas la main dessus cette nuit, d'autres le feront pour nous. Et nous aurons perdu la partie... »

Le *New Horizon* était un yacht blanc de trois niveaux – dont un dans la coque –, sur trente mètres de long – une belle pièce qui ne passait pas inaperçue. Il devait être doté de tout le confort moderne et de tous les moyens de communication les plus récents. Une vraie maison sur l'eau.

Avant d'aborder le yacht, ils en firent le tour par la mer. Aucune lumière, aucun signe d'activité, rien.

Ils arrimèrent la vedette et débarquèrent rapidement, la peur au ventre, seulement armés de torches électriques. Ils formèrent un groupe de deux et un autre de trois pour explorer l'intérieur et l'extérieur de l'embarcation.

Le poste de pilotage était vide, comme les chambres et les pièces de vie. L'intérieur était ahurissant et dépassait le luxe de la villa Stavroguine. La salle à manger était de style Louis XIV, un défi au kitsch et au mauvais goût. Même les salles de bains avaient des baignoires taillées dans du lapis-lazuli, une pierre fine opaque d'un bleu intense et, surtout, hors de prix.

Ils commençaient à désespérer et durent se rendre à l'évidence, une fois réunis sur le pont principal.

— Personne ! lâcha Émile.

D'abord, seul le bruit du vent lui répondit.

Puis deux sons plus distincts leur parvinrent. Un à l'avant de l'embarcation, l'autre à l'arrière. Deux bruits de moteurs. Les deux groupes se reformèrent. Ilsa et Zacharie coururent à l'arrière du yacht et les faisceaux de leurs lampes éclairèrent juste à temps le départ d'un Zodiac qui fendait les eaux.

Mathieu ! Ils reconnurent Mathieu, portant un sac en bandoulière, qui tentait de s'asseoir avec maladresse à l'arrière du bateau. Trois autres hommes étaient présents.

— Il est là ! hurla Zacharie.

Alors une rafale de mitraillette déchira l'air. Ilsa et le géant se jetèrent sur le pont.

À l'avant du yacht, la situation était pire encore. Une vedette identique à la leur se dirigeait droit sur eux. À son bord, quatre hommes en cagoule noire attendaient impatiemment de débarquer.

Les cagoules. Les mêmes qu'à Vaduz et sur l'île d'Or. Les hommes d'Hennebeau. Qui donc les avait prévenus de l'emplacement du *New Horizon* ?

La question ne nécessitait pas de réponse immédiate. Là aussi, le staccato de la mitraillette déchira le silence de la mer.

Ils étaient pris sous les feux croisés des armes de leurs ennemis.

(30)

DIMANCHE, 1 H 20
GOLFE DE SAINT-TROPEZ

— On n'a pas d'arme, rien.

Émile restait étendu sur le pont. Il se repliait en rampant en compagnie de Neil et d'Ilsa. Le haut bastingage de l'embarcation les protégeait des tirs, tant qu'ils ne levaient pas la tête.

— On ne réplique pas, on fuit, ordonna Neil.

Les tirs s'arrêtèrent.

— Et Mathieu ?

La question de Betty tomba à plat. Les coups de feu à l'arrière du yacht ne laissaient guère d'espoir. Mathieu avait levé l'ancre à bord d'une embarcation rapide. Ils allaient encore faire chou blanc.

Et que faisait Mandragore ? s'insurgea Neil en lui-même. Il ne pouvait rien sortir de son sac à malice à cette occasion ?

Le seul repli possible était la vedette et ils s'y précipitèrent tous les cinq, sous le feu redoublé des armes des hommes en cagoule, jouant les serpents jusqu'au dernier moment où ils se trouvèrent dans l'obligation de se relever pour sauter à bord.

— Une chance si personne ne prend une balle... fit Zacharie.

— Je crois plutôt qu'ils tirent en l'air, qu'ils cherchent à nous faire peur, répondit Ilsa dans un souffle.

Ce fut elle qui prit les commandes. Elle mit les gaz à fond et Neil, aidé par Émile, eut tout juste le temps d'enlever la corde d'amarrage avant qu'elle ne cède.

Curieusement, la vedette ne les suivit pas. Les cagoules noires s'étaient-elles lancées à la poursuite du Zodiac ?

Ilsa garda la vitesse maximale puis ralentit deux milles plus loin.

Il n'était pas question de retourner à leurs hôtels, bien entendu.

Émile, qui avait pris le relais aux commandes, repéra sur la tablette une petite crique, cachée des regards depuis la côte, près de la pointe de l'Ay. Sous l'effet de la fatigue et d'une profonde déception, il manœuvra avec peine pour faire pénétrer le bateau dans la cavité.

Les Effacés et Betty débarquèrent alors. À l'abri d'un rocher, ils comptaient bien se reposer, dormir quelques heures puisqu'il n'y avait plus que cela à faire.

Mandragore leur confirma que Mathieu avait bien fui :

« Au moins, il n'est pas tombé entre les mains d'Hennebeau ou de Silverman Brothers. Encore une fois, je vous le répète, nous n'avons aucun intérêt à cela. Certes l'algorithme serait très certainement désactivé, mais quid de son existence ? Récupéré par une banque ou un chef d'État peu scrupuleux, ou bien par les deux, tout devient possible. »

Ils devraient reprendre la traque dès le lendemain et tenter de dormir, un peu, en attendant. Six heures de sommeil de rang, plus quelques heures volées çà et là, ce n'était pas suffisant pour récupérer de tous ces événements.

Ils n'étaient pas des super-héros, après tout ! (Juste des adolescents ordinaires ou presque.)

Ilsa et Zacharie trouvèrent un nid douillet dans une petite grotte creusée à même la roche et située un peu au-dessus du niveau de la mer. Émile, lui, resta sur le sable derrière une roche monolithique.

Neil et Betty s'éloignèrent main dans la main. La cuisse de Neil le lançait et il n'avait pas d'analgésique avec lui. Il se débarrassa enfin de son nœud papillon et défit les premiers boutons de sa chemise. Betty, elle, enleva à son tour ses bijoux et les enfouit négligemment dans le sable.

Ils se couchèrent l'un à côté de l'autre, puis, quelques instants plus tard, se retrouvèrent mêlés, échangeant leurs souffles.

Alors Betty posa sa joue brûlante contre la poitrine de Neil et lui dit à l'oreille :

— Écoute, je dois t'avouer quelque chose...

Et tandis qu'elle lui parlait, des fusées multicolores explosaient dans le ciel, devant eux. Nikolaï Stavroguine lâchait son spectacle pyrotechnique qui, par sa force, illuminait la mer et la presqu'île de Saint-Tropez tout entière. Son cadeau d'adieu, son bouquet final.

Et le plus impressionnant fut cette dernière figure que les artificiers parvinrent à inscrire dans ce ciel de nuit. Deux fusées aux trajectoires identiques, quoique inversées, dessinèrent une sorte de long doigt pointé vers l'espace. Puis des petites fusées à retardement explosèrent à son extrémité, esquissant un ongle.

Le majeur de Mathieu luit fugacement au-dessus d'eux. Ce majeur fugitif et incertain, quoique déterminant, brandi à la face du monde.

(31)

SAMEDI, 20 H 10, HEURE DE NEW YORK CITY (DIMANCHE, 2 H 10, HEURE DE PARIS) SILVERMAN BROTHERS TOWER, NEW YORK CITY

En vue de son bal costumé qui réunirait le lendemain soir le gotha de la finance dans sa résidence de North Brother Island, Mayenne d'Ascoyne s'entretenait avec un costumier de chez Frankie Steinz qui était venu en personne lui présenter quelques pièces. Pressée de toutes parts, elle n'avait toujours pas arrêté son choix sur sa tenue vestimentaire, qui ferait pourtant le bonheur des gazettes du début de semaine.

Le costumier faisait défiler des cartons où était dessinée la silhouette de Mayenne affublée de différents costumes.

— Un gangster de la prohibition. Avec borsalino et veste croisée rayée. Le pantalon vous ira très bien et...

— Je ne porte que ça, siffla-t-elle.

— Certainement, certainement. Cela peut faire un peu masculin, à première vue, mais...

Mayenne balaya cette remarque d'un geste de la main.

— Livrez-moi celui-ci à mes mesures demain, à midi, directement sur l'île.

Un coup de téléphone l'interrompit. Elle décrocha et écouta le message délivré par son interlocuteur. Message peu amène, à en croire l'expression qui défigurait son visage.

Elle raccrocha et congédia violemment le costumier.

Alors Mayenne d'Ascoyne s'assit calmement derrière son large bureau et posa les mains bien à plat, au centre de son sous-main en cuir d'alligator. Elle redressa la tête et détendit sa mâchoire. Elle inspira profondément par le nez puis elle expira en se concentrant sur son abdomen soumis à l'exercice, à son diaphragme, à ses côtes, son thorax. Elle devait les sentir. Mayenne compta mentalement pour prolonger l'expiration et inspira à nouveau.

Elle cherchait à se calmer après l'information qu'elle venait d'obtenir. Mathieu avait encore filé. Il s'était échappé du yacht de cette saleté de Russe.

Inspiration, expiration... Diaphragme, thorax... Sentir les os à l'intérieur de la peau...

Mais non, rien à faire ! Mayenne se leva, en proie à une violente colère. Elle appela Archibald grâce à la ligne directe reliant son penthouse du cent deuxième et dernier étage à la petite loge du majordome.

— Apportez-moi des baluts, ordonna-t-elle. Trois. Et très frais.

— C'est que je n'en ai plus un seul, mademoiselle, et...

— Avec du piment, Archibald. Débrouillez-vous. Vous savez où l'on prépare mes préférés dans Chinatown. Vite !

Elle coupa la communication et se rassit. Elle resta immobile durant les vingt minutes qui furent nécessaires au majordome pour lui apporter les trois baluts demandés.

Mayenne d'Ascoyne avait pris l'habitude de croquer des baluts lors d'un séjour aux Philippines, quelques années auparavant. En règle générale, les Occidentaux rechignent à goûter ce mets délicat dont raffolent les Philippins. Mais Mayenne s'était immédiatement prêtée à la coutume et en consommait depuis, surtout quand elle subissait une très forte pression.

Les Philippins les mangeaient la plupart du temps dans le noir pour ne rien voir, mais elle n'avait que faire de cette coutume idiote.

Archibald ne s'attarda pas après avoir apporté ces trois petits œufs durs posés dans trois coquetiers miniatures décorés de dessins traditionnels philippins, ainsi qu'une coupelle qui contenait une poudre de piment indien, du Naga Jolokia, le plus fort du monde.

Mayenne prit le premier œuf en main et l'ouvrit par l'extrémité la moins courbe de la coquille. Le balut n'est bien évidemment pas un œuf ordinaire. C'est un œuf que l'on a cuit alors qu'il renferme un fœtus de canard bien formé, avec une tête, un petit bec, des pattes et des plumes, le tout parcouru de veines foncées et trempant dans l'albumen.

Mayenne avala les trois à la suite, avec rage, en les saupoudrant à chaque fois de piment. Elle savoura particulièrement le deuxième, plus goûteux, vingt et un jours peut-être, dont le bec croqua pleinement entre ses molaires.

Comme chaque fois qu'elle en dégustait, sa tête se mit à tourner, un peu comme si elle était saoule.

Elle prit alors son téléphone portable et composa un numéro qui ne figurait pas dans son répertoire mais qu'elle connaissait par cœur. Lorsqu'elle entendit son interlocuteur décrocher, elle se carra dans son fauteuil et commença de lui adresser une ribambelle de reproches et d'insultes.

Le président Étienne Hennebeau était confortablement installé à l'arrière de sa Peugeot 607 Paladine blindée. La voiture luxueuse roulait à tombeau ouvert sur l'autoroute, elle venait juste de passer Compiègne. Hennebeau aimait ces moments de calme et de volupté, dans l'obscurité, avec le seul bruit des pneus vibrant sur le macadam, la tête de sa compagne posée sur son épaule. La soirée à Valenciennes s'était éternisée et il avait hâte de rentrer au palais de l'Élysée. Son ancien ministre avait organisé une soirée entre amis à son domicile, soirée rasoir s'il en était dont le président se serait bien passé. Mais enfin, il y avait de riches chefs d'entreprise locaux qui lui avaient promis quelques subsides pour sa campagne, alors... Et puis fort heureusement, le plus important, personne ne s'était aperçu de son malaise à propos des fantômes de Valéria et de ce clochard, et cet incident déplorable serait donc un non-événement.

Il était déjà plus de 2 heures du matin, et il devait se rendre à Lyon aux aurores pour assister au démantèlement d'un des premiers camps de confinement installés dans la capitale des Gaules. Un geste fort, maintenant que le virus était maîtrisé. De belles images pour ce début de campagne... Sans parler de cette affaire de doigts coupés qui n'en finissait plus et qui l'empêchait de dormir.

Son téléphone personnel se mit à vibrer. Étrange, à cette heure. Numéro inconnu. Il décrocha pourtant. Son interlocutrice se mit aussitôt à hurler :

— Incapables ! Jean-foutre ! Des promesses, vous êtes forts pour ça, vous, les politiques, mais quand il s'agit de passer à l'action... Vous l'avez laissé fuir, une fois encore...

Il dut baisser le volume de son téléphone pour ne pas risquer de réveiller son joli mannequin. Ça devait être la d'Ascoyne. Il ne l'avait encore jamais eue en ligne, laissant Dominique Destin traiter avec elle.

— Vous cherchez à joindre Dominique, n'est-ce pas ? dit-il.

Et les insultes reprirent de plus belle, sans qu'à aucun moment le président Hennebeau éprouve l'envie de répondre ou bien de raccrocher brutalement. Lui, dont ses plus proches collaborateurs craignaient les colères noires, ce dirigeant capable d'interpeller un ouvrier sur un chantier et de lui demander s'il voulait se battre, lui, l'homme volontaire et respecté, le chef de la cinquième puissance mondiale ainsi qu'il aimait à le rappeler dans chacun de ses discours, lui écoutait sans mot dire les insultes et les remontrances de Mayenne d'Ascoyne, comme il écoutait, enfant, celles de ses parents. Et il s'enfonçait même dans son siège en cuir, tellement la charge était violente. Qu'y pouvait-il, à la fin ? Il allait avoir besoin d'énormément d'argent pour mener sa campagne présidentielle. Et, en temps de crise, l'argent était plus difficile à trouver. D'Ascoyne avait promis de lui virer sur quelques comptes offshore une grosse somme s'il acceptait de collaborer avec elle. Destin s'était occupé de tout. Et puis ce n'était pas la seule raison qui avait poussé Hennebeau à traquer cet algorithme… Il y en avait une autre, bien plus importante encore…

— Je comprends, je comprends, bafouilla le président.

— Vous deviez l'arrêter à Saint-Tropez et l'extrader discrètement vers New York. Maintenant, vous avez perdu sa trace.

— À chaque problème, une solution, osa Hennebeau.

— Paroles en l'air ! hurla le PDG de Silverman Brothers. Vous n'êtes pas à la tribune, Hennebeau.

— Écoutez…

— Non, c'est vous qui allez m'écouter. Je vais reprendre la direction des opérations puisque vous n'avez même pas été foutu de réussir dans votre propre pays…

— Destin n'allait tout de même pas mettre nos services secrets officiels sur le coup. Il y a un minimum de déontologie et…

Là, il entendit son interlocutrice éclater d'un rire strident, presque dément. Il continua de bafouiller, mais s'arrêta rapidement car d'Ascoyne reprenait la parole :

— Ne tentez plus rien. Je me suis résolue à passer à l'action puisque vous avez lamentablement échoué. Mathieu sera à New York dans quelques heures lorsqu'il apprendra la nouvelle. Alors je lui mettrai la main dessus.

Le président ne comprit pas grand-chose à cette dernière réplique. De quoi parlait le PDG ? Résolue à quoi ? S'adressait-elle à lui en le croyant dans la confidence ? Mais Destin ne partageait pas toutes ses informations avec lui et c'était bien mieux comme cela – il devait se préserver, aussi.

Étienne Hennebeau s'apprêtait à lui demander des précisions, quand Mayenne raccrocha.

En voilà un qui avait eu son compte, tout président qu'il était. Et elle se retint de ne pas appeler la Maison Blanche immédiatement pour pousser une pareille gueulante sur son locataire. Seulement la raison manquait.

Mayenne n'allait plus se laisser intimider par des hommes. Pas question. Elle avait souffert avec Mathieu Viata, maintenant elle prenait garde. S'imposer en tant que femme dans ce milieu *alpha male*, entre toutes ces créatures machistes, sexistes, directes, brutales et grossières que sont les hommes, cela n'avait pas été une partie de plaisir. Dans sa banque, avant son arrivée au plus haut poste de direction, les femmes étaient tout juste bonnes à préparer le café ou à transmettre des messages.

— Les chiens, les chiens, marmonna-t-elle.

Elle composa aussitôt un nouveau numéro sur son portable, également de mémoire.

— *Pronto ?* dit la voix.

— Je vous donne mon feu vert, annonça le PDG de Silverman Brothers en français.

Puis elle raccrocha brutalement, comme à son habitude.

Elle contempla avec dépit les coquilles d'œuf vides devant elle. Dommage qu'elle n'ait plus eu de balut à se mettre sous la dent.

(32)

SAMEDI, 18 H 30, HEURE DE SALT LAKE CITY (20 H 30, HEURE DE NEW YORK, DIMANCHE, 2 H 30, HEURE DE PARIS) TROPIC, UTAH

Alessandro ne se contenta pas d'éteindre son portable après le coup de fil de sa cliente. Il l'ouvrit afin de récupérer la carte SIM et en glissa une autre à la place. Dans son métier, on n'était jamais trop prudent.

Ainsi, elle avait décidé de passer à l'action. Il se tenait dans l'attente depuis bientôt deux jours, dans cette petite ville déprimante de l'Utah, État minable s'il en est, à l'exception, peut-être, des parcs nationaux de roche rouge, paradis des randonneurs. Mais Alessandro détestait marcher. Il n'y avait bien que le ciel pour rêver ici, large et haut, infini presque, qui se tentait d'orange, de rose et de violet au crépuscule.

Il avait fait le voyage directement depuis Dijon, en France, où il se trouvait alors pour l'exécution de Bonnat, le virologue attaché aux laboratoires ProCure.

Un voyage long et harassant jusqu'à Tropic, avec ses vingt bicoques de bois, sa route unique, sa station-service et son petit supermarché. Un trou paumé où il n'arrivait jamais rien, à moins qu'un coyote ne passe sous les roues d'un pick-up en pleine nuit. Et pas d'hôtel, bien sûr : voilà deux nuits qu'il somnolait péniblement dans l'inconfort de sa voiture.

Deux nuits sur la banquette arrière d'un 4 x 4 américain ! Après un trajet en TGV Dijon-Paris, il avait enchaîné avec un Paris-Salt Lake City en Boeing. Une fois arrivé, il avait dû y séjourner deux jours afin que son contact local lui fournisse les armes nécessaires à son travail.

Son périple avait pris fin lorsqu'il termina d'avaler les deux cent cinquante miles sur l'Interstate 15 qui séparaient Salt Lake City de Tropic, la bien mal nommée.

Heureusement que sa cliente l'avait payé par avance, et sans rechigner sur rien. Classe affaires pour l'avion et supplément pour les faux frais. Du reste, il demanderait une petite rallonge en raison du prix scandaleusement élevé des armes dans cet État et des conditions vraiment particulières de sa mission.

Sa cible se trouvait dans cette maison qu'il observait à la jumelle, perchée dans la montagne qui lui faisait face. Une grande bâtisse tout en bois blanc, avec une vieille auto verte des années trente posée dans le jardin en guise de décoration.

Pour Alessandro, de nationalité italienne et au goût d'esthète, il y avait de quoi en vomir. Un condensé de l'Amérique en somme, une nature magnifique que des habitants incultes détérioraient sans vergogne.

Son plan était déjà établi. Sa cliente avait été formelle. Il devait réussir sa mission sans compter la moindre victime parmi les habitants de la maison. Pour les six vigiles qui gardaient l'endroit, c'était autre chose. La femme n'avait rien imposé. Alors il n'allait pas faire dans la dentelle. Après tout, il était un tueur à gages. Et un des meilleurs de la profession.

Alessandro se décida enfin à bouger. Il se dégourdit un peu les jambes et lissa convenablement sa fine moustache avant de descendre de son point d'observation en direction de la route. Discrètement. Il ne devait en aucun cas attirer l'attention des malabars chargés de la surveillance du lieu.

Alessandro se débarrassa à distance des deux premiers, qui étaient cachés derrière un rocher. Il se targuait d'être un sniper hors pair. Sa première victime était en train d'engloutir un sandwich. La balle du Ruger 22 K10/22-T atteignit l'homme en plein front et il se renversa en arrière, la mâchoire toujours serrée autour des triangles de pain. Sa seconde victime réparait la chaîne d'un vélo d'enfant près d'une grange, sur la gauche de la maison. La balle l'atteignit dans le dos, entre les omoplates, et l'homme s'écroula sans un bruit.

Pour les quatre autres qui se trouvaient à différents endroits à l'intérieur de la bâtisse, Alessandro respecta les consignes. Après s'être infiltré dans les murs, il les frappa sur la nuque, restant invisible, pour leur faire perdre connaissance. Alessandro avait tout observé et tout noté depuis deux jours et il connaissait donc par cœur leurs habitudes. L'un se montra pourtant plus récalcitrant et il dut employer un pistolet à fléchettes hypodermiques pour en venir à bout.

La voie était libre. L'épaisse moquette de l'escalier lui permit de monter sans un bruit. Il accéda à l'étage.

Comme à son habitude, son rythme cardiaque ne s'était pas accéléré d'un iota depuis le début de son intervention.

Sur la large mezzanine, il se trouva en compagnie d'une jeune femme de vingt-cinq ans, à la chevelure rousse flamboyante. Cette dernière lui tournait le dos et ne semblait avoir rien remarqué des agissements du tueur. Elle lisait un épais roman, installée dans un fauteuil, les jambes tendues et les pieds posés sur une table basse.

La cliente d'Alessandro avait bien insisté sur ce point : ne surtout pas tuer la rousse et, même, éviter de la blesser. Alors Alessandro décocha une fléchette depuis le haut de l'escalier qui vint se planter dans la nuque de sa victime. Elle tomba dans l'inconscience et lâcha son livre qui se referma aussitôt après avoir heurté le sol.

Puis il se dirigea vers une porte blanche sur sa droite et l'ouvrit discrètement.

Là, il découvrit un petit garçon aux cheveux roux en pagaille qui était en train de construire, à même le plancher, un circuit de train en bois verni, dans une chambre qui débordait littéralement de jouets en tout genre.

Alessandro se surprit à sourire. Il avait eu le même circuit lorsqu'il était gamin, chez sa vieille nourrice, à Bologne.

Il n'aimait pas travailler sur des missions incluant des enfants. D'ailleurs, sa déontologie lui interdisait d'accepter des contrats sur des victimes de moins de dix-huit ans. Panarétos acceptait, lui. Mais le Grec était introuvable depuis bientôt une semaine. Le numéro 1 s'était peut-être fait tuer. Alessandro prendrait sa place dans la profession si cela se confirmait.

Non, décidément, il y avait plusieurs raisons de sourire en ce jour et à cet instant.

Alessandro entra dans la chambre. L'enfant le remarqua alors et se leva précipitamment, gagnant le coin de la pièce le plus éloigné de la porte d'entrée.

— N'aie pas peur, dit Alessandro en anglais.

Mais le petit garçon ne bougeait pas. Il appela sa maman, une fois, puis une autre, sans obtenir satisfaction. Alors il se recroquevilla dans le coin, les mains croisées sur le ventre, les yeux embués.

— N'aie pas peur, Théo, je ne te veux aucun mal. Je suis un ami de Mathieu, ton papa, et il m'a demandé de te ramener à New York…

(33)

DIMANCHE, 9 HEURES, HEURE DE PARIS (3 HEURES, HEURE DE NEW YORK CITY) AÉROPORT DE LA MÔLE, LA MÔLE

Nicolas Mandragore n'avait pas eu besoin de les réveiller. À 6 heures du matin, le groupe se reforma sur la petite crique. Il était temps de partir.

Mais où ?

Dans un premier temps vers l'aéroport de La Môle où se trouvait le *Faria*. C'est tout du moins ce que leur ordonna l'ancien médecin. Mais il s'excusa, ne voulait pas encore se dévoiler. Il insista pourtant sur un point crucial qui étonna les Effacés, sauf Neil, peut-être : Betty devait embarquer avec eux. Il promit de leur expliquer bientôt pourquoi.

Ils se servirent des voitures de location d'Émile et d'Ilsa pour rallier l'aéroport. Sur la route, dans le petit village de Rayol, en plein arrière-pays varois, ils s'arrêtèrent dans une auberge pour engloutir plusieurs baguettes de pain tartinées de beurre et de confiture. Leur mentor avait donné l'ordre de prendre des forces avant l'explication finale.

Car elle s'apprêtait à avoir lieu. De cela, ils en étaient tous persuadés.

Mais, encore une fois, subsistait cette interrogation : où ?

— À New York, précisa enfin Nicolas Mandragore.

Ils se trouvaient réunis dans la cabine de l'avion, devant le poste de commandement qui revêtait ici des aspects de *situation room*.

Le briefing 03 de cette mission retorse avait commencé.

Betty découvrit avec effarement ce jet ultramoderne, à l'équipement prodigieux qui dépassait tout ce qu'elle avait connu jusque-là. Cela raviva d'autant son envie d'en apprendre plus sur ce groupe étrange d'adolescents. Car si elle s'était confiée à Neil pendant la nuit, le jeune homme s'était refusé à lui communiquer sa véritable identité et le rôle qu'ils jouaient dans cette affaire. Mandragore avait été très clair, inflexible à ce sujet. Il ne devait rien dire.

— À 4 heures du matin, cette nuit, j'ai obtenu ce qui me semble être une information primordiale dans l'affaire qui nous préoccupe. Le fils de Mathieu Viata, Théo, âgé de trois ans, a été kidnappé.

Betty ne put réprimer un petit cri. Elle connaissait Théo, elle l'avait même vu au berceau, lorsqu'elle travaillait encore à Silverman Brothers avec son père. Pauvre gosse ! Victime collatérale d'une machination dont il ignorait tout...

— Son père avait pourtant assuré sa protection de belle manière : une maison parfaitement anonyme dans un coin insoupçonnable de l'Utah, près du Bryce Canyon National Park, six anciens marines reconvertis en vigiles, de faction nuit et jour pour protéger l'endroit. Mais ses adversaires ont de l'argent et un pouvoir sans limites. Cela fait sauter bien des protections, même les plus efficaces.

— On sait qui a fait le coup ? demanda Émile.

— Je n'ai acquis aucune certitude à ce sujet mais j'ai peine à croire que l'Élysée soit à la manœuvre. Je pencherais plutôt pour des mercenaires grassement payés par Silverman Brothers. L'opération a été menée de main de maître. En cinq minutes à peine.

— Des victimes ? se permit de demander Betty d'une voix fluette.

Elle connaissait bien la mère du petit garçon, Mary, avec qui Mathieu avait vécu pendant deux ans.

— Deux gros bras ont été tués, les autres assommés ou endormis à l'aide de fléchettes hypodermiques. Comme la mère de Théo, qui vole actuellement vers New York.

— Tu penses qu'ils vont amener le gosse là-bas ? questionna Zacharie.

— C'est ce que pense Mathieu. Il a conseillé à son ex-compagne de rentrer. Et lui en fait autant, à l'heure qu'il est. Il était tellement angoissé qu'il n'a même pas pris le temps de crypter sa communication.

— Elle a osé, chuchota l'Américaine.

Ilsa fronça les sourcils.

— De qui tu parles ?

— Mayenne d'Ascoyne, le président-directeur général de Silverman Brothers. Une femme assez remarquable, une forte tête. Ce kidnapping était à craindre. Une fois acculé, ce genre de personnage ne recule devant rien.

Mandragore reprit le fil de son briefing :

— Notre tâche se complexifie. Nous devons retrouver Mathieu mais aussi délivrer Théo. Vous savez qu'il s'agit là d'une de nos principales missions : faire en sorte que personne ne subisse plus d'effacement. *A fortiori* des enfants.

La présence de Betty incitait Mandragore à la prudence sur le choix de ses termes.

Neil, resté silencieux jusque-là, prit la parole :

— Ce qui m'ennuie dans toute cette histoire, c'est qu'on se range du côté d'Hennebeau et de Silverman Brothers. Au fond, que ce soient eux qui mettent la main sur Mathieu ou nous, le résultat sera le même.

— Tu ne trouves pas barbare le fait de trancher le doigt d'un être humain ? questionna Ilsa. Ça ne te suffit pas comme raison ?

— Mais ils n'ont plus besoin de ça s'ils le font venir pour lui rendre Théo. Il leur suffit de scanner son majeur et le tour est joué.

— J'ai bien peur que ce soit un peu plus compliqué que ça, précisa l'ancien médecin. Nous, nous cherchons à éviter le krach. Nous avons ça en commun avec eux. Mais comment peux-tu croire que d'Ascoyne ou Hennebeau, qui doit financer sa campagne électorale, s'arrêteront là ? Qu'ils ne chercheront pas à détourner l'algorithme à des fins personnelles, pour devenir plus riches et plus puissants encore ? Pour accentuer la pression sur le monde de leur main de fer ? Il faut donc trouver Mathieu avant eux pour désamorcer l'algorithme mais aussi le détruire. Anouar s'est rangé à notre cause.

Le jeune garçon le confirma à l'écran.

— Mais ce sont eux qui ont les quatre autres doigts… s'insurgea Neil. Pas nous ! Comment veux-tu désactiver l'algo dans ces conditions ? Je me demande en fait si ce n'est pas Stavroguine qui a raison… Si le mieux ce ne serait pas de faire tout exploser, une bonne fois pour toutes…

Mandragore choisit de ne pas répondre à cette énième provocation de sa jeune recrue.

— Mathieu a le pouvoir de le ralentir avec son seul majeur. Depuis le fameux 15 juillet à 5 heures énoncé par Marc Siniac. Ce sera déjà une victoire pour nous. Ensuite, nous chercherons un moyen de négocier avec d'Ascoyne ou Hennebeau. AnWorld pourra peut-être nous aider.

— C'est la raison pour laquelle tu souhaitais que Betty fasse le trajet avec nous ?

— Oui, en partie. Mais la principale raison est que Betty connaît bien Mary, la mère de Théo. Et elle nous permettra d'établir la communication avec elle. Mathieu va la joindre, bien entendu, va chercher à la voir. Nous ne savons pas encore quelles sont les intentions des ravisseurs du petit garçon, comment ils vont prendre contact avec le père, etc. Mais notre point d'entrée, à nous, sera Mary. Ne perdez pas de vue que l'urgence n'a jamais était aussi grande. Votre vol va durer six heures, sept avec les vents contraires, Zacharie nous dira ça. Ce qui fait que vous atterrirez vers 12 heures à New York – 18 heures, heure française. Il vous restera à peine seize heures pour agir avant l'ouverture de la Bourse de Paris. C'est peu. Le décalage horaire joue en notre faveur car nous aurons une plus grande période de jour dans la mégapole mais c'est bien là le seul point positif de ce saut au-dessus de l'océan Atlantique.

Il marqua une pause et son visage se détendit quelque peu.

— Betty connaît bien la ville, elle vous guidera. Je vous envoie cependant quelques informations essentielles sur vos tablettes que je vous conseille vivement de lire pendant le vol. Je sais qu'Ilsa s'y est rendue une fois avec ses parents.

— Moi aussi, dit Zacharie. Mais rapidement, quelques heures pendant une escale de mon père. C'était quand il était encore pilote de l'avion présidentiel.

Mandragore reprit :

— Donc, en résumé, nous devons faire en sorte de trouver Mathieu et de sauver Théo. Et surtout veiller à ce que le majeur de Viata ne tombe pas chez cette banquière mal intentionnée. Nous sommes pleinement mobilisés avec Mathilde, Elissa et Anouar pour vous aider. Jusque-là, vous avez obtenu de belles victoires. Votre ingéniosité ne s'est pas démentie. Je pense à l'île d'Or, à la course-poursuite, à la partie de poker... Il me tarde de triompher pour de bon !

L'hommage de leur mentor et son élan d'optimisme ravivèrent les cœurs des Effacés.

Émile en profita pour poser une dernière question, quoiqu'un peu polémique :

— Avant de te laisser, que penses-tu de notre découverte dans la villa de Valéria Hennebeau ? Ces lettres manuscrites de la mère de Mathilde...

Mandragore reprit un air dur.

— Ce n'est pas le moment, Émile. Je vous avais expressément demandé, à Zacharie et à toi, de ne pas y pénétrer. Vous avez pris des risques inconsidérés pour pas grand-chose. Cependant, j'ai ma petite idée sur la question mais nous réglerons ça dans un second temps. Comme il ne me semble pas nécessaire, à l'heure qu'il est, de penser à ce cinquième doigt qui obnubile certains. Il faut trouver Mathieu et délivrer Théo. Terminé.

L'écran s'éteignit aussitôt.

Zacharie se leva alors et se dirigea vers le poste de pilotage. Il devait procéder à la check-list de l'avion avant le décollage. Et Neil se proposa pour l'aider.

Le décollage se fit sous un ciel radieux, sans la moindre turbulence. Le jet lécha le tarmac de l'unique piste de l'aéroport pour gagner les nuages. Le pilotage automatique annonçait une durée de vol de sept heures et vingt-neuf minutes et des vents plutôt faibles sur leur chemin.

Allongé à l'arrière de l'appareil, Émile compulsait frénétiquement les dernières nouvelles sur sa tablette. Bien entendu, aucun organe de presse n'évoquait la principale information à venir : la destruction du système financier s'ils ne réussissaient pas leur mission. Les sites français titraient à propos d'un meeting d'Hennebeau dans le nord de la France où il s'était montré très sévère sur l'incompétence supposée de Marie-Ange Mouret, son adversaire désignée, à surmonter la crise qui secouait le monde entier. Et, justement, l'Effacé découvrit un court reportage vidéo de la candidate qui assistait au vernissage d'une exposition de peinture. Elle avait accepté de donner un entretien en duplex depuis Washington à une chaîne française, lundi à 13 heures, avant de regagner Paris, afin de tirer le bilan de ses trois jours outre-Atlantique. Émile la trouva très élégante avec son manteau et ses gants noirs qui ne la quittaient pas depuis son arrivée aux États-Unis. Lundi... L'entretien serait-il annulé si la catastrophe financière se déclenchait ? Le garçon n'en doutait pas. Les médias du monde n'auraient d'yeux que pour ça. Avant qu'il les engloutisse à leur tour.

Mais l'Effacé interrompit la vidéo car un mail venait d'arriver dans sa boîte.

Salut Émile,

Nicolas ne veut pas que je perde mon temps avec ça mais c'est quand même ma mère. J'ai bien regardé les lettres. La date de la première, surtout. Ma mère devait rencontrer Valéria Hennebeau le mardi 9 août, soit deux jours après l'accident de voiture. Tu ne trouves pas ça étrange ?

Et puis pourquoi manuscrite ? Pourquoi pas tapée à l'ordinateur ? Pour ne pas laisser de traces sur un disque dur ?

Faudra qu'on réfléchisse à tout ça. Même sans en parler à Nicolas.

Bonne chance à New York. J'aurais aimé être avec vous.

Mathilde

Émile se rejeta contre le dossier moelleux de son siège, un mystère de plus à l'esprit...

Zacharie, lui, était resté dans le cockpit tandis que Neil avait rejoint Betty dans la cabine. Le géant blond aurait voulu qu'Ilsa vienne à ses côtés mais l'Effacée dormait à poings fermés. Il trouvait sa petite amie peut-être un peu plus fatiguée que d'habitude. Si elle n'avait rien perdu de sa sagacité, il trouvait que la flamme de son regard s'était un peu éteinte. Sans doute un coup de fatigue passager...

Il étendit ses jambes. La partie la plus ennuyeuse du vol commençait. Le pilotage automatique enclenché, le vrai pilote n'avait rien d'autre à faire que de surveiller les cadrans et les indicateurs sur son cockpit.

Zacharie s'étira de tout son long et perçut comme une pointe au bas de son dos. Mais oui... L'enveloppe qui était tombée à terre tandis qu'Émile remettait les documents à leur place dans le secrétaire.

Il la décacheta, juste pour voir. Il n'y avait aucune chance qu'il déclenche une bombe avec ce simple geste !

Pourtant, la déflagration qui s'ensuivit fut d'une violence inouïe, qui le laissa terrassé, comme mort, pendant quelques secondes.

L'enveloppe contenait des photos de Valéria Hennebeau, la plupart prises dans la villa de Saint-Tropez ou aux alentours. Rien de bien étonnant à première vue. Sauf que, au milieu de ces clichés, il trouva un portrait de son père, Laurent, tout sourires, dans son bel uniforme de pilote.

Pourquoi ?

Pourquoi la première dame de France possédait-elle, gardait-elle et cachait-elle une photographie de son père ? Certes, ils se connaissaient car Laurent avait souvent conduit le couple présidentiel lorsqu'il était le premier pilote de la République.

Mais...

Zacharie ne parvenait pas à détacher son regard de la photo de son père. Ce père qu'un chauffard lui avait pris, intentionnellement, un soir de pleine lune, sur les Maréchaux.

Pourquoi Mandragore avait-il insisté à ce point pour les empêcher d'entrer dans la villa de Valéria Hennebeau ? Était-ce afin qu'ils ne trouvent pas cette photo et les lettres de la mère de Mathilde ?

Mandragore ! Mandragore et ses mystères. Zacharie se rappela son expérience de mort approchée tandis qu'il se trouvait dans le coma juste après l'accident. Il avait vu un tunnel de lumière et l'avait remonté, remonté... Pour voir l'avenir et quelque chose de terrible à propos de Nicolas Mandragore...

Zacharie ne put réprimer un grand frisson. Il se décida. Cette fois, de retour à la villa, il en parlerait à Nicolas. Il aborderait le sujet avec lui.

L'adolescent déposa alors l'enveloppe dans le bac situé sous son siège. Il garda juste la photo de son père, qu'il enfouit dans la poche de sa chemise, près du cœur.

ARCHIVES SECRÈTES DES EFFACÉS
JOURNAL DE MATHIEU

Dimanche, 11 heures

Je t'avais promis de reprendre ma plume, Mayenne. Me voici au rendez-vous.
J'ai échappé à la poursuite de tes sbires lorsque j'ai fui du yacht. Puis j'ai volé de Saint-Tropez à New York dès que j'ai appris ton forfait.
Tu as commis une grave erreur, Mayenne, en t'en prenant à Théo. Tu l'as enlevé, tu l'as terrorisé, il gardera des séquelles durant toute son existence. Pour cela, tu paieras. Ma main est secouée par de vifs tremblements, j'ai grand mal à continuer ce texte mais il le faut. Je ne peux plus me couper le doigt et le faire disparaître. J'étais prêt à faire ce sacrifice afin que l'algorithme se déclenche, sans autre issue possible. Mais à présent tu tiens mon fils, et mon majeur représente sa seule chance de survie. J'ai cru, un temps, que tu me proposerais de faire un échange : mon majeur contre mon fils. Tu sais qu'ils sont ce que j'ai de plus cher. Mon fils, et mon majeur qui menace le monde. Mais tu en veux plus, je te connais bien, tu n'as guère changé en somme. Tu ne te contenteras pas de mon doigt envoyé par coursier, non, pas plus que coupé par un de tes séides : tu me veux, moi. Tu veux me revoir, Mayenne, peut-

être veux-tu trancher toi-même cette dernière pièce du puzzle pour me faire payer ce que je t'ai infligé…

Connais-tu la tenture de l'Apocalypse, Mayenne ? Elle est conservée au château d'Angers, la ville où habitait Anouar, un de mes anges annonciateurs. Je te conseille d'observer attentivement la septième pièce.

Et je vis un ange debout dans le soleil ; il cria d'une voix forte à tous les oiseaux qui volent dans le ciel : « Venez, rassemblez-vous pour le grand festin. Pour manger les chairs de rois, les chairs de tribuns, les chairs de puissants. »

Maintenant, mon engagement est total. Et tu perdras tout. Jusqu'à la vie si tu oses faire le moindre mal à mon fils. Je vais répondre à tes appels, je vais accepter de jouer à ton jeu du chat et de la souris pour te faire patienter. Ce sera cet os que tu rongeras, abject roquet ! Mais j'arriverai à temps, Mayenne, et je reprendrai Théo sans que tu désactives l'algorithme.

À présent, je me fiche bien de savoir comment tu as appris notre existence et notre plan. J'ai la certitude que ce n'est pas l'auriculaire qui nous a trahis. Je l'ai vu, de mes yeux vu, lui aussi a été amputé. Lui aussi a été ta victime, Mayenne.

Mais après avoir lancé quelques contrôles sur mon système durant le vol entre Saint-Tropez et New York, je dois tout de même bien reconnaître que l'auriculaire s'est servi de nous pour détourner la bagatelle de cent millions d'euros, via quelques comptes dans des sociétés offshore.

Un trésor de guerre qu'il saura utiliser à bon escient dans les prochaines semaines, je n'en doute pas. Il n'a, dès lors, pas grand intérêt à ce que le cataclysme s'enclenche. Peut-être que ce groupe d'adolescents qui me poursuit assidûment travaille pour lui ? Je l'ignore. Je le saurai un jour mais là n'est pas ma priorité.

Théo, mon fils, ton père arrive.

Patience. Ton père te délivrera de tes prisons : celle de ce jour, bien entendu, mais celle de demain, cette société dans laquelle tu allais essayer, sans succès, de t'épanouir.

Nous allons, enfin, vaincre la Bête, mon fils.

DIMANCHE, 12 H 30, HEURE DE NEW YORK CITY (18 H 30, HEURE DE PARIS) JFK AIRPORT, NEW YORK CITY

H-14

À l'aéroport John Fitzgerald Kennedy, les Effacés s'acquittèrent sans soucis des formalités de douane et d'immigration. Si Betty exhiba son véritable passeport, les quatre autres membres du groupe utilisèrent un des nombreux faux papiers mis à leur disposition dans le jet privé, faux papiers parfaitement légaux et enregistrés dans tous les systèmes de reconnaissance du monde, une gageure que l'on devait mettre au crédit de Nicolas Mandragore.

Le groupe loua rapidement une Ford Escape, un 4 x 4 familial pour ne pas être à l'étroit, et Betty se proposa de prendre le volant. Elle connaissait la ville comme sa poche pour y être née – pas à Manhattan, le cœur de la ville, précisa-t-elle, mais dans le Queens, un quartier à l'est du centre –, et pour n'avoir jamais quitté New York depuis.

Pour Émile et Neil, qui vivaient là leur première incursion dans la mégapole, le choc fut intense, de ceux qu'il est tout à fait impossible d'oublier. Ils découvrirent enfin ce mythe, cette ville cent fois vue au cinéma, dans les séries, partout, cent fois rêvée, imaginée. Une ville dont la représentation avait pris le pas sur la réalité. Le moment le plus intense fut celui où le véhicule s'engagea sur le Brooklyn Bridge, après avoir traversé le quartier homonyme, lorsque les deux adolescents aperçurent pour la première fois la fameuse *skyline*, les gratte-ciel formant le bord de Manhattan qui donnait sur l'East River, cette succession d'immeubles gigantesques, et d'autres plus petits, aux formes et aux couleurs variées qui s'amassaient les uns à côté des autres, les uns sur les autres même si l'on excluait toute perspective, sans la moindre agressivité, pourtant.

Le ciel, dépourvu du plus petit nuage, était d'un bleu intense, un soleil vif brillait en son centre et la ville gigantesque rivalisait sans peine dans sa grandeur avec cet espace infini. C'était la ville qui se mesurait à la nature, l'homme qui était enfin parvenu à faire jeu égal entre ce qu'il avait construit sur la terre et ce que la terre lui avait donné.

Neil eut l'impression étrange que, loin de se sentir écrasé par les huit millions d'habitants de la mégapole, perdu dans cette superficie dix fois plus grande que Paris, ravalé à l'état de fourmi à l'ombre des gigantesques constructions, pris dans ce mouvement perpétuel d'une ville qui ne s'arrêtait jamais, on ne pouvait se sentir que... plus libre qu'ailleurs.

— Et de nuit, c'est encore plus saisissant, précisa Betty en observant à la dérobée le visage ahuri de son compagnon assis près d'elle à l'avant.

Pour Ilsa et Zacharie, cette seconde fois, au fond, leur procurait des émotions semblables à leur découverte originelle. New York était une ville si vivante que chaque vision, chaque visite en son sein, la renouvelait.

Ils approchaient de leur destination et chacun devait à présent recouvrer ses esprits. Mandragore leur avait précisé le lieu où résidaient Théo et sa mère Mary. Le plus haut gratte-ciel résidentiel de l'hémisphère Ouest, situé au 8 Spruce Street. Il y avait de grandes chances que, revenue en catastrophe de l'Utah, Mary se soit réfugiée chez elle en attendant un contact avec le père de Théo.

Au milieu du Brooklyn Bridge, Mandragore appela sur le portable d'Ilsa et demanda à l'adolescente de répercuter ses paroles en Bluetooth sur le système audio de la Ford.

— Les ravisseurs n'ont pas trente-six solutions pour joindre Mathieu, expliqua l'ancien médecin. Le plus simple pour eux sera de faire passer le ou les messages par l'intermédiaire de Mary. C'est pourquoi je pense que Mathieu va se rendre chez elle ou au moins l'appeler. Si ce n'est déjà fait.

— Mathieu ne se contentera pas de téléphoner, dit Betty. Je le connais bien. Il a gardé beaucoup d'affection pour Mary. Il voudra la voir pour la rassurer, pour lui promettre aussi qu'il fera tout pour récupérer leur fils.

— C'est pourtant risqué, réagit Ilsa. Ses ennemis vont certainement surveiller les accès au gratte-ciel. S'il se montre, il y a de fortes chances qu'ils tentent de l'enlever.

— En plein jour, à Manhattan, ce serait culotté, rétorqua Betty.

— On en a vu d'autres, lâcha Zacharie.

— En tout cas, c'est mon avis, je pense que Mathieu voudra voir Mary. Et je n'en démordrai pas jusqu'à preuve du contraire.

Mandragore, toujours en ligne, s'imposa :

— Peu importe, au fond. Ce qui compte pour nous est de recueillir des indices à propos de l'enlèvement et de la rançon exigée par les ravisseurs. Betty, crois-tu que Mary accepterait de te recevoir ?

— Oui. Mais je dois y aller seule.

Le véhicule venait de quitter le fameux pont ponctué de ses mille câbles suspendus. Il circulait enfin dans Manhattan.

— Je préférerais que Neil t'accompagne, dit l'ancien médecin sur un ton qui tenait plus de la contrainte que de la préférence.

Betty réfléchit un instant, les yeux plissés, puis donna son accord.

Mandragore approuva d'un grognement et raccrocha aussitôt.

La circulation était assez fluide en ce dimanche midi et il restait quelques places de stationnement à l'ombre d'un des platanes de Spruce Street.

Le groupe se sépara en deux. Betty et Neil se dirigèrent vers l'entrée de l'immeuble tandis que Zacharie, Émile et Ilsa restèrent se dégourdir les jambes sur le trottoir. Émile se proposa d'aller chercher trois hot-dogs aux oignons à un vendeur ambulant au coin des rues Spruce et Nassau. Le fumet des saucisses grillées qui parvenait jusqu'à eux l'avait mis en appétit. Comme les autres, il avait pris cinq cents dollars en liquide dans les réserves de cash du jet.

Le gratte-ciel de luxe où résidait Mary était une toute nouvelle création de l'architecte canadien Frank Gehry, à qui l'on devait déjà l'insolent musée Guggenheim de Bilbao. Le building, haut de deux cent soixante-cinq mètres et comportant soixante-seize étages, dominait le quartier de la mairie de New York avec une autorité sans faille. Les vagues d'acier sur ses façades, partant du haut vers le bas, donnaient un aspect étrange, très impressionnant au gratte-ciel, une sorte de mouvement perpétuel. Ces ondulations conféraient à chacun des neuf cents appartements une forme et une dimension uniques.

Un cauchemar pour le laveur de vitres dans sa nacelle qui officiait en ce moment sur la façade est, et qui devait avoir ici, plus qu'ailleurs encore, le cœur bien accroché.

Neil en resta bouche bée, tandis que Betty, blasée ou tout du moins le laissant croire, entrait dans le hall du building, se mettait dans un coin pour appeler Mary à l'aide de son portable, sous le regard suspicieux du concierge.

L'adolescent se rapprocha de l'Américaine pour écouter la conversation. Elles échangeaient en anglais, évidemment, mais Neil maîtrisait très bien cette langue.

— Tu veux qu'on se retrouve à la terrasse du sixième ? demanda Betty.

Apparemment, elle n'avait pas eu de mal à établir le contact avec son amie. Mathieu ne devait pas encore avoir mis en garde son ex-compagne contre Betty. Ou ignorait-il son rôle dans l'histoire ? Son jeu avec Nikolaï Stavroguine ? Ou bien n'avait-il pas encore établi de contact avec Mary ?

— OK, je monte. Je suis avec Neil, un ami. Ça ne te dérange pas ?

Là, le visage de Betty commençait à exprimer un début d'inquiétude.

— Écoute, dès que j'ai reçu ton SMS, j'ai accouru et...

Betty bluffait.

— Quoi ? Tu ne m'as rien envoyé ? Alors Mathieu, peut-être ? Enfin, si je suis ici, c'est grâce à Neil qui m'a conduite jusqu'à Manhattan...

Son visage se détendit quelque peu.

— Si tu veux, oui, un peu plus qu'un ami... Bah, on ne peut rien te cacher.

Elle raccrocha enfin et fit signe à Neil de la suivre vers la batterie d'ascenseurs, direction le cinquante-deuxième étage.

Betty n'eut aucun mal à trouver l'appartement. Mary les accueillit avec émotion, après s'être assurée dans l'œilleton qu'il s'agissait bien de son amie. C'était une jeune femme rousse, plutôt petite, aux joues piquetées de taches de rousseur. On devinait à ses yeux rougis et à son visage fatigué qu'elle avait passé une nuit blanche et s'apprêtait à en passer de nouvelles.

Elles se serrèrent longuement dans les bras l'une de l'autre et Mary donna même une accolade à Neil.

L'Effacé fut fasciné par la vue qu'offrait cet appartement somme toute sans beaucoup d'âme. Le panorama sur Brooklyn,

Manhattan, Williamsburg Bridge et l'East River était absolument prodigieux.

Betty et Mary, installées au bar, sur de hauts tabourets, parlaient du rapt de Théo. La jeune mère montrait à Betty la marque que la fléchette hypodermique avait laissée à l'arrière de son cou.

— Endormie comme ça, d'un coup. J'espère que Théo...

La fin de sa phrase s'étrangla dans un sanglot.

Neil se forçait à se tenir à l'écart tout en gardant une oreille sur la conversation.

— Mais je n'arrive pas à croire que Mathieu t'a prévenue... C'est lui qui m'a réveillée pour m'annoncer la nouvelle, un comble ! J'étais à deux mètres de mon fils quand ça s'est passé, lui dans sa chambre, moi sur la mezzanine, à bouquiner. Et c'est Mathieu, caché par Nikolaï de l'autre côté de l'océan, qui m'apprend la nouvelle. Il m'a bien précisé de n'en parler à personne. Il est persuadé qu'ils l'ont amené ici, à New York.

— Qui, « ils » ? demanda Betty.

— Il n'a pas voulu me le dire. Notre conversation a été très brève. Il m'a juste dit qu'il viendrait me voir à New York et que, si je recevais des informations des ravisseurs, je ne devais en parler à personne, surtout pas à la police.

— Et tu as reçu les instructions ?

Question cruciale.

— Oui.

— Et il est venu ?

— Oui. Il y a quelques minutes.

Réponse cruciale.

— Mathieu était là il y a quelques minutes ? répéta Betty, presque incrédule.

— Il s'est montré...

Mary tremblait de tous ses membres. On aurait dit qu'elle allait s'effondrer.

— La nacelle... Mathieu était sur la nacelle...

Neil mit un temps à saisir cette phrase et, surtout, ses implications.

— Dehors... Il a frappé à la vitre... Je ne l'ai pas reconnu tout de suite. Son uniforme blanc de laveur de carreaux... Impossible d'ouvrir les vitres, nous n'avons pas parlé. Il m'a montré une feuille de papier où... où...

Mary semblait au bord de la crise de nerfs. Betty s'approcha d'elle pour la consoler. Mary devait continuer à leur parler, le devait absolument.

— ... où il avait écrit qu'il ferait tout pour délivrer Théo, qu'il connaissait ses ravisseurs et qu'il savait ce qu'ils voulaient en échange. Il me demandait de lui faire confiance, mais...

— Tu lui as répété les infos que tu as reçues des ravisseurs ? demanda Betty.

— Oui... Le papier...

Elle désigna la feuille d'un bloc-notes qui reposait sur le comptoir.

— J'ai pressé le papier contre la vitre...

Neil s'approcha de la grande baie et y colla son visage pour tenter d'apercevoir la nacelle, mais il ne vit rien si ce n'étaient les deux cordages qui la retenaient au moteur autonome installé sur le toit du building. Il y avait peut-être encore une chance... Cinquante-deux étages, ça ne se descendait pas comme on court un cent mètres...

L'Effacé composa le numéro de Zacharie et attendit avec fébrilité qu'il décroche.

— Un laveur de vitres... hoqueta Neil, aussitôt la connexion établie. Un ouvrier qui est descendu de sa nacelle...

Son coéquipier mit quelques secondes à faire le lien.

— Ouais, y a dix secondes, un type tout en blanc avec une casquette qui marchait vite, il s'est...

Neil hurla dans le téléphone :

— C'est Mathieu ! Ne le laissez pas s'échapper !

Il courut vers la sortie de l'appartement et, au passage, arracha la feuille du bloc-notes posée sur le bar. Mary tenta bien de retenir le papier d'une main ferme, mais n'y parvint pas.

Neil découvrit alors un détail qui lui avait échappé dans l'urgence de leur arrivée.

Mary portait un bandage à la main droite, au niveau de l'auriculaire.

Le cinquième doigt ! L'auriculaire de l'Élysée !

(35)

DIMANCHE, 13 H 40, HEURE DE NEW YORK CITY (19 H 40, HEURE DE PARIS)

H-13

Émile fut le plus prompt à réagir lorsque Zacharie désigna la silhouette blanche qui accélérait le pas.

— Là ! hurla le géant blond en désignant le faux laveur de vitres.

Ce cri était tout sauf une bonne idée. Dans le calme relatif que pouvait connaître une rue de New York un dimanche, à cette heure de la journée, l'exclamation de Zacharie fit se retourner l'homme qui vit immédiatement que les trois adolescents se lançaient à sa poursuite. Il démarra immédiatement et, adoptant un rythme des plus soutenus, disparut à l'angle de la rue, devant la façade d'une librairie.

Émile menait la meute mais celui que Neil leur avait désigné comme étant Mathieu ne ralentissait absolument pas sa course. À l'intersection suivante, Zacharie manqua d'être percuté de plein fouet par un des célèbres taxis jaunes de la ville, dont le conducteur, outré par tant d'audace, resta bloqué sur son klaxon de longues secondes. Ils passèrent devant un magasin de beignets et continuèrent sur ce rythme jusqu'à Fulton Street.

Les grands immeubles des banques et des autres institutions financières apparaissaient devant eux. Celui de Silverman Brothers ne devait d'ailleurs pas être loin. Ils s'engouffraient dans le Lower Manhattan, vers Wall Street, le cœur de la finance mondiale, le quartier primitif, là où tout avait commencé, un lopin de terre qu'un Hollandais avait acheté soixante florins, l'équivalent de vingt euros d'aujourd'hui, aux Indiens.

Émile s'arrêta un instant. La sueur coulait sur ses paupières, l'empêchant de bien voir vers où l'homme courait à présent.

— Le métro ! L'entrée du métro ! Il a dû disparaître par là...

— C'est foutu ! lâcha Zacharie, en nage lui aussi, et essoufflé.

Sa cage thoracique enfoncée le gênait terriblement dans l'effort.

— Non ! Par là ! intervint Ilsa, qui désignait la suite de Nassau Street.

Et un homme courait, en effet. Il n'était plus vêtu d'une veste blanche, ni d'une casquette, mais lesdites veste et casquette traînaient dans un caniveau de l'autre côté de la rue. Mathieu s'était débarrassé de ses habits d'emprunt.

Pendant ce temps, Neil avait quitté, haletant, le gratte-ciel de Mary et se retrouvait quelque peu désemparé devant la Ford de location. Mandragore vint à la rescousse :

« Neil, ils ont obliqué dans Nassau Street. Je répète : Nassau Street, à gauche dès l'extrémité de Spruce Street. »

Mandragore suivait la course-poursuite sur ses écrans. Les dispositifs miniaturisés présents dans leur boîte crânienne faisaient également office de GPS. Neil, une fois encore, dut admettre que ce mouchard pouvait avoir du bon.

— Dis à Betty de rester ici, près de la voiture, souffla Neil. De se tenir prête à venir nous prendre si on met le grappin sur Mathieu. Et puis je crois savoir à qui appartenait le doigt trouvé à l'Élysée... Mary... Elle a une blessure à la main... justement à l'auriculaire. »

« On en reparlera. Pas la peine de se focaliser là-dessus. »

Mais sa blessure à la cuisse l'empêcha de courir aussi vite qu'il le souhaitait. Il eut même peur, lors d'un appui plus soutenu qu'un autre, que la plaie ne se soit ouverte.

L'homme continuait dans Nassau Street. Il semblait aux Effacés qu'ils avaient repris quelques mètres sur le fuyard. Était-ce la réalité ou une simple illusion d'optique ?

— On va le paumer, ahana Zacharie, fataliste, qui se sentait faiblir.

Mais Ilsa était maintenant revenue à la hauteur d'Émile et vit que l'homme tournait enfin, s'engouffrant dans Liberty Street. À l'angle des deux rues, le faux laveur de vitres obliqua, manquant de glisser sur une flaque de gras. Il se rattrapa au dernier moment et continua sa course folle, à l'ombre d'un immense building noir.

Le quartier des affaires, peu fréquenté en fin de semaine, ne permettait pas à leur cible de se fondre dans la foule. En remontant Liberty Street, une rue bien plus large que Nassau, les Effacés avaient une perspective beaucoup plus précise et suivaient leur homme dans sa course. Mais le fugitif savait pertinemment où il se dirigeait. Il connaissait ce quartier comme sa poche pour y avoir usé ses luxueux costumes pendant des années. Un peu plus loin sur sa gauche, il quitta la rue pour se plonger dans Zuccotti Park, occupé par une foule de manifestants. Occupy Wall Street, le mouvement contestataire de la finance mondialisée, en avait fait son lieu de rassemblement. Il s'y fondit sans peine et, dès lors, les trois Effacés n'eurent plus qu'à constater leur échec. Ils ne tentèrent même pas de pénétrer la masse des manifestants et préférèrent reprendre leur respiration à l'écart.

Neil débarqua deux minutes plus tard. Il s'était hâté, même si Mandragore lui avait communiqué l'abandon de la traque. Il retrouva ses amis et prit place à côté de Zacharie sur un banc et, sans échanger le moindre mot, se concentra sur son souffle. Ils avaient couru un bon kilomètre peut-être.

Des notes de piano leur parvinrent de la fenêtre d'un immeuble à la façade couleur ivoire situé derrière eux, musique irréelle dans cette jungle urbaine. Neil identifia le morceau : les *Variations Goldberg*, de Bach, l'œuvre préférée de Mathilde.

— Ce type nous file entre les doigts, pesta Émile.

— L'expression est plutôt bien trouvée, ricana Neil.

Il se leva. Mandragore venait de lui communiquer la position de Betty. Elle les attendait au volant de la Ford Escape à l'angle de Broadway et Cortland.

— C'est où, ça ? demanda Neil à voix haute.

Il trouva après une courte recherche sur Google Maps et ils rejoignirent la jeune femme sans difficulté.

L'ambiance se trouva être des plus moroses dans la voiture.

— C'est dingue, ce coup de la nacelle, commença Zacharie. À quelques secondes près, si on avait su, on l'aurait attrapé à la descente…

— Dingue mais imparable, assura Betty. Au fond, il voulait voir Mary et il l'a vue. Il y avait des types qui surveillaient l'entrée de l'immeuble. S'il n'avait pas utilisé cette ruse, il ne serait pas passé entre leurs mailles.

— C'est un reproche déguisé que tu nous fais là, grinça Émile. Y a quand même mieux qu'une course-poursuite pour découvrir New York pour la première fois. Toutes ces rues, ces intersections… On se perd même avec une carte ici.

Betty leur assura qu'il n'en était rien et leur livra quelques tuyaux pour la suite :

— Des notions simples. Si vous retenez ça, c'est gagné. D'abord, les avenues traversent la ville du nord au sud, et les rues d'ouest en est. La Ve Avenue est celle qui divise Manhattan en deux. En se dirigeant du nord vers le sud, tout ce qui se trouve à droite de la Ve Avenue c'est *West* et à gauche c'est *East*. Les rues et les avenues sont donc numérotées, sauf entre la 14ᵉ Rue et la pointe de Manhattan – précisément où nous nous trouvons –, où les rues portent des noms et ne sont plus aussi quadrillées. Quelques avenues ont aussi été baptisées. Par exemple, Park, Madison ou Lexington. Ne jamais perdre de vue que la distance entre vingt rues est de un mile, environ 1,6 kilomètre, comptez vingt minutes à pied, et qu'il y a à peu près cent numéros de maisons entre deux rues. Enfin, il existe une seule diagonale dans Manhattan et c'est Broadway, là où on stationne. Il s'agit de l'ancienne piste des Indiens d'Amérique qui vivaient ici avant l'invasion européenne. Elle mesure douze miles et coupe toutes les avenues à un moment ou à un autre. C'est là que se situent les principaux théâtres et cinémas, et les panneaux lumineux emblématiques de New York. Tout le monde a déjà vu Broadway en film ou en photo au moins une fois dans sa vie...

— OK, merci pour le petit cours, dit Émile. Mais maintenant, qu'est-ce qu'on fait ?

Neil eut un sursaut ! Le papier du bloc-notes (qu'il avait arraché à Mary) ! Il l'avait complètement oublié.

Il le déplia et, l'air peu inspiré, il le montra aux quatre autres qui ne semblèrent pas plus transportés.

Wall Street Beacon???
3 pm

Betty confirma qu'il s'agissait bien de l'écriture de Mary.

L'heure tournait pourtant, il fallait faire vite, retrouver Mathieu, déceler un indice sur le lieu de détention du petit garçon.

Le portable d'Ilsa se mit à vibrer.

— Est-ce que quelqu'un aurait la gentillesse de me faire partager le contenu du papier ? demanda Mandragore.

Ilsa lui lut.

— Beacon... Une balise, un phare dans une ville entourée d'eau, pourquoi pas ? dit Betty. Mais enfin je ne connais aucun édifice de ce type près de Wall Street. Il y a bien un phare à la pointe de Roosevelt Island, mais...

— C'est une image qui désigne Trinity Church, l'église qui domine Wall Street, dit Mandragore. En son temps, elle était le point culminant de la ville et les bateaux qui arrivaient dans le port de New York repéraient sa flèche et sa croix dorée pour se guider.

La réponse avait fusé, témoignant de l'immense culture et de l'esprit vif de leur mentor, s'il était encore besoin de le prouver.

— Tu as l'air de connaître ton New York sur le bout des doigts, railla Neil.

— Plutôt pas mal, je te remercie. J'y ai vécu quelques années. Mais une seconde, je vérifie une chose.

Tiens ! Mandragore se dévoilait un peu. Il laissait filtrer incidemment une information sur son passé. Il se confiait... La traque de Mathieu devait le soumettre à une forte pression pour que sa garde baisse de la sorte.

— Tu crois qu'ils attendent Mathieu à 3 heures de l'après-midi dans Trinity Church ? demanda Ilsa.

— En tout cas, j'ai la confirmation qu'il n'y a pas d'office à cette heure dans l'église. Ça collerait donc.

Zacharie s'enthousiasma enfin :

— On a une heure devant nous pour préparer l'assaut.

— L'église est à trois minutes d'ici, précisa Betty.

— Me suis-je bien fait comprendre ? dit Mandragore d'une voix sévère cette fois. Il est hors de question de donner l'assaut où que ce soit.

— C'était aussi une image, bafouilla le géant blond.

— Je devine bien la façon de faire de d'Ascoyne et sa bande si elle se cache derrière tout ça. Avec ce jeu de piste, ces petites énigmes, ils vont chercher à user les nerfs de Mathieu déjà mis à rude épreuve par l'enlèvement de Théo. Ils veulent qu'il perde à un moment ou à un autre son self-control et commette une erreur. L'homme est seul et se sait traqué. Il doit batailler contre un groupe structuré d'ennemis. De mon point de vue, d'Ascoyne n'est pas prête à échanger le gosse contre le doigt de Mathieu. Elle veut tenir le père près d'elle, en plus du fils. Elle veut lui extirper des informations sur l'algorithme pour se l'approprier ensuite. Si Anouar l'a conçu, Mathieu en est indubitablement le maître. Et puis elle veut revoir l'homme, c'est évident. Il y a une part de vengeance dans sa démarche. Tout cela fleure bon le piège.

— Que fait-on alors ? demanda Ilsa.

— Il faut que l'on mette la main sur Mathieu. Si nos ennemis parviennent à s'en emparer avant nous, ils auront le contrôle intégral de l'algorithme et nous n'aurons plus aucune chance de trouver Théo. Mathieu doit comprendre que son seul recours est de s'allier à nous. Nous sommes là pour l'aider en échange de sa collaboration pour ralentir l'algorithme et empêcher le krach de lundi. C'est le message à lui faire passer en priorité. À Trinity Church ou ailleurs. Vous vous rendez donc au rendez-vous dans l'église mais en toute discrétion. L'interception devra se faire à l'extérieur de l'église pour éviter tout scandale et surtout pour ne pas alerter les sbires de d'Ascoyne. La vie de Théo en dépend. Je ne pense pas que l'échange se fasse là-bas, que les hommes de la banquière passent à l'action. Ils vont vouloir s'assurer par ce rendez-vous que Mathieu agit bien seul et, surtout, jouer avec ses nerfs. Ils lui laisseront un second message là-bas. Ils ne l'enlèveront qu'au milieu d'une foule, ou bien dans un endroit vraiment désert. D'Ascoyne ne veut pas attirer l'attention sur elle, le scandale serait trop grand si la police s'en mêle. C'est en tout cas comme ça que je procéderais, moi, à sa place.

— Et en termes de machiavélisme et de manipulation, tu es un prince, railla Neil.

— Et tu pourrais être mon fils, Neil. Spirituel, j'entends. Terminé.

Leur mentor raccrocha.

Trinity Church, qui avait longuement dominé la ville du haut de ses quatre-vingt-six mètres, était à présent nichée entre plusieurs gratte-ciel, ce qui n'enlevait rien à la prestance du monument construit dans la plus pure inspiration néogothique. Le petit cimetière attenant, avec ses vieilles pierres tombales debout dans l'herbe fraîche, était le plus ancien de Manhattan subsistant à ce jour.

L'intérieur, léché, propre et brillant comme un *cent* neuf, ne ressemblait en rien à celui d'une église dans un petit village français. Ici, le Seigneur avait droit aux vieilles pierres polies et aux bancs astiqués. De magnifiques vitraux, aux dominantes rouges et bleues du drapeau américain, éclairaient avec force l'autel en ce jour radieux.

Les cinq jeunes gens avaient décidé de s'éparpiller dans le bâtiment et à l'extérieur. Sur Broadway, face à Wall Street, Ilsa se posta à l'angle de la rue de la Bourse, accoudée à la rambarde des escaliers du métro. Zacharie attendit, lui, un peu plus loin vers le sud, à l'intersection de Rector Street et de Broadway ; et Betty se plaça au nord, non loin de Zuccotti Park, la voiture prête à démarrer si le besoin s'en faisait sentir. Ainsi, les trois axes de sortie étaient couverts.

Neil et Émile héritèrent de la tâche de surveiller l'intérieur de l'église et ils se mêlèrent pour un temps à un groupe de touristes allemands.

De nombreuses personnes se promenaient à cette heure dans le quartier, et beaucoup de vacanciers s'arrêtaient pour prendre en photo Trinity Church, incongruité du passé au milieu du contemporain.

Alors, Ilsa le vit sortir du métro.

Mathieu. Il n'avait pas d'habits d'emprunt et portait simplement une casquette des Yankees, l'équipe de baseball de la ville, et des lunettes à monture d'écaille qui dissimulaient un peu ses yeux. Il s'engouffra dans l'église, slalomant entre les touristes.

Il était 14 h 59. Ilsa se rapprocha tout en délivrant le message à Mandragore, qui le répercuta immédiatement aux autres. Betty reçut un SMS. L'Effacée, accoudée à présent à la grille du cimetière, s'attendait à sentir les fragrances végétales de l'endroit. Mais le gasoil dominait toujours les émanations de la ville mécanique.

Elle vit Neil et Émile suivre à distance leur cible et passer à leur tour les deux lourdes portes de bronze qui donnaient accès à la nef.

Mais Mathieu sortait déjà de l'église et se dirigeait droit vers Zacharie, descendant Broadway puis obliquant sur Rector Street et Trinity Place.

Sa visite n'avait pas duré au total plus de trois petites minutes.

— Mathieu s'engouffre dans le métro à Rector Street, dit Ilsa qui emboîta le pas à Zacharie.

Une cohorte de véhicules divers, dont une petite dizaine de taxis jaunes, les empêcha de traverser la rue aussi vite que voulu.

« Vous le suivez », ordonna Mandragore.

À l'intérieur de l'église, Neil et Émile n'avaient pas même eu le temps de faire un pas. D'ailleurs, Mathieu les avait quasiment bousculés pour sortir. Il n'était pas allé plus loin que le panneau de liège où étaient punaisés plusieurs avis et informations à destination des fidèles et des visiteurs. Une affiche de format moyen figurait au centre du panneau.

MATTHEW THE EVANGELIST, PRAY FOR HIM!
8 PM

Et, sous cette inscription, un doigt était grossièrement dessiné et un point figurait au milieu de ce doigt.

Exactement comme Mandragore l'avait prédit : un jeu de piste, une énigme de plus. D'Ascoyne cherchait à jouer avec les nerfs de Mathieu.

Il n'en avait pas fallu plus à l'ancien trader. Neil prit un cliché de l'affiche avec son portable, dut recommencer une fois afin que le flash se déclenche et il quitta à son tour l'édifice, Émile sur les talons.

À quelques mètres de Mathieu, Ilsa et Zacharie se trouvaient sur le quai de la ligne 1 à la station Wall Street, en direction de South Ferry, l'extrémité sud de Manhattan, terminus de la ligne.

— Il n'y a qu'une station après Rector Street... murmura Ilsa. À quel jeu joue-t-il ?

Mandragore coordonna la traque. Il diffusa l'information à chaque Effacé par l'intermédiaire de l'oreillette, n'ayant absolument pas le temps de convenir d'un appel.

« Neil, Émile... Mathilde est en train d'appeler Betty pour qu'elle passe vous prendre avec le 4 x 4. On attendra qu'Ilsa et Zacharie nous donnent plus d'informations quant aux intentions de Mathieu. J'espère que nous pourrons garder la liaison même depuis le sous-sol de New York. Terminé. »

La tension était folle, l'instant crucial.

Dans la station, le métro arriva à une allure folle et stoppa dans un assourdissant crissement de freins. Il était presque vide. Zacharie et Ilsa s'apprêtèrent à monter dans une voiture différente de celle de l'ancien trader mais, à ce moment-là,

Mathieu tourna subrepticement la tête et adressa un regard de défi à l'Effacée avant de s'engouffrer dans le wagon. Ils étaient bien repérés !

Les portes se fermèrent dans un fracas et le métro démarra aussitôt.

À la surface, le sens de la circulation sur Broadway, du nord au sud, permit à Betty de venir rejoindre les deux autres Effacés en deux minutes à peine.

— On nous attend à South Ferry, dit-elle. On fonce !

Et la Ford s'élança après un beau *burnout*.

Betty comprit les intentions de Mathieu lorsqu'elle déboucha près du terminal des ferries. Un hélicoptère s'élevait au-dessus de l'East River et elle se reprocha de ne pas y avoir pensé plus tôt.

— Mathieu va fuir en hélico... Il a son brevet de pilote et une carte à l'année dans cette compagnie. Il avait dû le prévoir au cas où il serait suivi. Il va fuir en hélico et nous allons encore le perdre.

Mandragore, d'un calme olympien, relaya l'information à Ilsa et Zacharie. Les deux adolescents étaient en pleine course. Mathieu les avait repérés et il avait foncé, dès la sortie de la voiture, gravi les marches des escaliers quatre à quatre pour se retrouver au-dehors.

Et il se dirigeait tout droit vers le ponton servant de base à une compagnie de location d'hélicoptères.

— Dommage que tu ne saches pas piloter les hélicos... souffla Ilsa, qui commençait à ressentir les effets d'un point de côté.

— Tu me prends pour un manche ? répliqua son compagnon.

Telle était la raison du calme de leur mentor. Lui ne l'ignorait pas. Laurent, le père de Zacharie, avait également initié son fils au maniement des hélicoptères.

Mais la partie était loin d'être gagnée. D'abord parce que Mathieu allait partir avant eux, pouvant se dispenser des formalités administratives de la location, ensuite parce que Zacharie devrait se remettre dans le bain avant de lancer les rotors.

— On ne va pas perdre de temps avec les papiers… Pas moyen de faire décoller un appareil en douce sans se faire piquer ?

— Pour avoir les flics sur le dos ? souffla le géant blond. Non merci.

« J'ai une meilleure idée », les informa leur mentor.

Depuis leur village dans la vallée de Chevreuse, Nicolas Mandragore, grâce à des systèmes de communication ultra-perfectionnés, était capable de trouver un hélicoptère en une minute à peine pour le proposer au premier venu.

« Neil, tu as encore ta carte Seven Royal sur toi ? »

Depuis l'habitacle de la Ford, l'adolescent répondit positivement.

« Appelle le numéro de la conciergerie. Vite. Dis-leur que tu souhaites louer un hélicoptère en urgence à Helicopter Flight Services, Inc., Pier 6, New York 10004, et que tu envoies ton pilote, Damien Camus, le prendre immédiatement. Ça devrait le faire. Ils s'occuperont de la paperasse ensuite. »

Damien Camus était l'identité déclarée de Zacharie sur le sol américain.

Neil s'exécuta aussitôt et obtint l'accord en deux minutes à peine, contre un tarif de location de cinq mille dollars pour une heure de vol, et une caution d'un million de dollars.

« Zacharie, un Bell 206 JetRanger t'attend sur l'héliport au nom de Damien Camus. Sans passer par la case départ. »

— Ni par la case prison, rétorqua le garçon.

Zacharie s'engouffrait dans le petit bâtiment qui abritait le guichet de location sur l'embarcadère. Il sortit son passeport pour confirmer son identité. Ilsa observait Mathieu, qui, déjà à bord de son appareil, posait un casque sur ses oreilles. Les pales du rotor principal commençaient à tourner.

— On vient de nous appeler à l'instant, monsieur Camus, dit la jeune femme au guichet avec le sourire. Cette procédure légère est d'ordinaire réservée à nos plus fidèles clients, mais puisque votre employeur possède une Seven Royal, nous sommes heureux de vous servir. Voici les papiers. Hélisurface numéro 3. Je vous souhaite un bon vol sous ce beau soleil. Les conditions sont optimales. Merci pour votre confiance et...

Mais les deux Effacés étaient déjà dehors, sur la plate-forme et dans les effluves de cet immense détroit.

— Tu ne t'attends pas à ça, mon gaillard, lança Zacharie.

Mathieu venait de décoller et le géant blond se jeta sur le siège du pilote. Ilsa s'assit auprès de lui. La cabine offrait cinq autres places, mais il était bien évidemment hors de question d'attendre Neil, Émile et Betty.

Zacharie se concentra afin d'effectuer la check-list le plus vite possible. Il reconnut le manche, le collectif et les pédales de palonnier, les trois principaux systèmes de commande de l'appareil.

Tout lui revint rapidement en mémoire et ils purent décoller avec une minute de retard sur Mathieu. L'hélicoptère de l'ancien trader était encore en vue. Il remontait l'East River vers le nord et venait de passer au-dessus du Manhattan Bridge.

Ilsa parla mais ses paroles se perdirent dans le bruit des rotors. Zacharie lui indiqua d'utiliser un casque.

— Je te disais : est-ce que tout va bien ?

Zacharie lui adressa un clin d'œil pour toute réponse. Ilsa le trouva particulièrement séduisant en cet instant, mais le moment était mal choisi pour partager ce genre de pensées.

— Mets les gaz, où on ne le rattrapera jamais ! dit Ilsa.

Zacharie leva les yeux au ciel.

— Si on attend que je trouve la manette des gaz pour accélérer, on risque de le perdre, en effet.

Zacharie joua sur la manette du collectif pour incliner l'hélicoptère vers l'avant.

— Voilà, ma belle...

Et leur vitesse augmenta aussitôt. Ils se rapprochaient visiblement de Mathieu lorsque ce dernier obliqua vivement sur la gauche pour quitter l'East River et survoler Manhattan, au niveau d'East Village.

— Monsieur quitte l'autoroute pour les nationales, très bien... ironisa Zacharie qui vira à son tour.

Pendant un bref instant, Ilsa se demanda si elle se trouvait bien dans la réalité, c'est-à-dire en compagnie de Zacharie, à bord d'un Bell 206, à la poursuite d'un autre Bell 206 au-dessus de New York, slalomant entre les gratte-ciel – une sensation à nulle autre pareille.

Mais, en fait, oui, pas de doute à cela. Le début de nausée qui s'empara d'elle après avoir survolé Times Square était là pour le confirmer.

Ils se déplaçaient à plus de cent vingt kilomètres-heure et, déjà, Central Park apparaissait devant eux, cette tache verte qui éclaboussait la ville en son centre.

— Mathieu... Mathieu Viata...

Zacharie essaya plusieurs fréquences avant de trouver la bonne.

— Tu veux lui parler ? hoqueta Ilsa.

— Non, toi, vas-y. Répète-lui ce que Nicolas nous a demandé de lui dire. C'est le moment. Dis-lui que nous sommes là pour l'aider.

Ilsa prit une grande bouffée d'air.

— Mathieu ? demanda-t-elle.

— Qui êtes-vous ? répondit une voix en anglais.

— Nous sommes à bord de l'hélicoptère qui vous suit.
Ilsa avait utilisé leur langue natale.

— Je ne savais pas qu'on distribuait des brevets de pilote
dans les pochettes-surprises, railla Mathieu.

— Nous ne sommes pas là pour vous faire du mal,
Mathieu. Nous ne travaillons pas pour d'Ascoyne, ni pour
aucun gouvernement dans le monde. Anouar est avec nous.

Elle pensa un bref instant à faire intervenir Anouar dans
la conversation, mais la liaison était vraiment mauvaise. Ilsa
entendit de forts crachotements mais elle continua tout de
même :

— Nous pouvons vous aider à retrouver Théo.

— Je n'ai rien à vous dire. Je ne sais pas pour qui vous
travaillez, qui vous a mis sur ma piste mais je ne veux
m'allier avec personne. Cette conversation est terminée.

Ils venaient de laisser Central Park derrière eux – et
notamment le Jacqueline Kennedy Onassis Reservoir, la
grande étendue d'eau du parc, qui miroitait sous le soleil –,
lorsque Mathieu vira brusquement sur la droite. Très intel-
ligemment, celui-ci continua encore au nord, au-dessus des
contreforts du Bronx, pour ne pas survoler la prison de
Rikers Island, survol tout à fait prohibé.

— Comment ça va finir, cette histoire ? demanda Ilsa.

— On a trois heures d'autonomie, ça peut durer longtemps...

Mais Mathieu exécuta alors une drôle de manœuvre, une
sorte de demi-tour qui mit son appareil nez à nez avec celui
des Effacés. Zacharie réduisit drastiquement sa vitesse, surpris par cette figure.

Ils se trouvaient au-dessus du quartier de Foxhurst, dans
le Bronx.

Alors l'ancien trader fit descendre son hélicoptère tout en augmentant sa vitesse, forçant Zacharie à faire de même. Les patins d'atterrissage du Bell de Mathieu heurtèrent violemment la cabine de pilotage de celui des Effacés.

— Il est taré ? hurla le géant blond. Il veut tous nous foutre en l'air ?

Leur hélicoptère tanguait dangereusement et, dans la panique, le jeune pilote manqua sa tentative de redresser l'appareil.

L'engin perdait de l'altitude et fonçait droit sur un immeuble d'habitation d'une vingtaine d'étages sans que Zacharie ait la moindre chance de dévier sa trajectoire.

DIMANCHE, 15 H 55, HEURE DE NEW YORK CITY (21 H 55, HEURE DE PARIS) DANS LES AIRS AU-DESSUS DE SOUNDVIEW PARK, NEW YORK CITY

H - 11

Ilsa n'avait pas même eu le temps d'éprouver la moindre angoisse.

Une tentative conjointe sur le manche et le collectif permit à Zacharie d'éviter miraculeusement l'accident, mais ce virage violent ne laissa pas indemne l'appareil. Le rotor de queue heurta violemment la façade de l'immeuble, ce qui eut pour conséquence d'endommager gravement le moteur.

— L'arbre de transmission s'est cisaillé, constata Zacharie. On n'a pas d'autres choix que d'atterrir. Et vite. Sinon, on va se mettre à tourner et s'écraser.

Il avisa un parc à quelques centaines de mètres et poussa l'appareil bringuebalant jusque-là. Secouée comme jamais, Ilsa fermait les yeux pour faire diminuer sa nausée. Peine perdue.

À l'instant de poser ses patins, au milieu d'une vaste prairie en bordure de la Bronx River, une dernière secousse faillit faire se retourner l'appareil et Zacharie s'ingénia une fois encore à corriger la manœuvre. L'hélicoptère se posa enfin sous les regards ahuris des quelques curieux présents dans ce parc peu fréquenté.

Bien entendu, Mathieu avait de nouveau disparu. Une sale habitude.

« Ilsa, Zacharie... Tout va bien ? »

Mandragore, qui était resté muet pendant le vol pour ne pas les gêner, venait aux nouvelles. Les deux Effacés répondirent par l'affirmative en sortant avec une joie non feinte de cet hélicoptère où ils auraient pu se tuer.

« Le reste du groupe est en route vers votre position. Je viens de leur communiquer vos coordonnées exactes, à Soundview Park. Ils sont sur la FDR Drive et devraient être là dans un quart d'heure. »

— On l'a manqué, Nicolas, pesta Zacharie. Encore.

« Je sais. »

— Il a tenté une manœuvre très dangereuse, je n'ai rien pu faire.

« Attendons les autres. »

Zacharie et Ilsa attendirent donc, dans les bras l'un de l'autre, après s'être éloignés de cet hélicoptère qui se trouvait déjà entouré de quatre voitures de police, deux camions de pompiers et une foule de curieux.

Ils retrouvèrent Neil, Émile et Betty sur Randall Avenue, vers la sortie principale du parc. L'ambiance était morose. Mais ils se promirent que la troisième tentative serait la bonne.

Si, toutefois, ils découvraient le lieu désigné à Mathieu dans Trinity Church. L'horaire, certes, 8 pm, Neil et Émile se le rappelaient tout à fait. Mais le lieu…

Une demande de visioconférence apparut sur chacune de leurs tablettes. Ils acceptèrent et découvrirent Mandragore à son bureau, entouré de Mathilde et d'Anouar. Neil partagea sa tablette avec Betty.

Mathilde prit aussitôt la parole :

— J'ai enfin percé le mystère de Trinity Church ! Il m'a fallu du temps pour comprendre mais, à présent, ça me semble imparable.

Le cliché pris par Neil avec son téléphone apparut à l'écran.

— À première vue, c'est un doigt tendu, n'est-ce pas ? Avec les courbes de la première et de la deuxième phalange... C'est tout du moins ce que nous avons l'impression de reconnaître. Mais on peut y voir autre chose...

À l'écran, un plan de Manhattan se superposa au doigt.

— Manhattan a, très clairement, la forme d'un doigt, continua Mathilde. Une drôle de coïncidence dans notre cas, non ? Dans un roman ou dans un film, on dirait que l'auteur n'a pas choisi cette ville au hasard. Et donc j'attire votre attention sur ce point qui figurait sur le dessin de l'église. Sur le plan, il correspondrait à la lisière de Central Park, à la hauteur de la 82ᵉ Rue. Juste là où se trouve le Metropolitan Museum.

— Le prochain rendez-vous aurait donc lieu dans un musée ? s'étonna Ilsa.

— Impossible, dit Betty en secouant la tête. Le Metropolitan ferme tôt le dimanche, à 17 heures, je crois... Ça ne colle pas avec le « 8 pm ».

Mathilde sourit.

— Sauf si je vous apprends que le musée est exceptionnellement ouvert ce soir pour une réception offerte aux membres bienfaiteurs du Metropolitan. À partir de 20 heures.

— Et je parie que Mathieu est membre bienfaiteur du musée, enchaîna Neil.

— Oui, il est même « *patron* », la classe au-dessus, répondit cette fois Mandragore. Ce soir, c'est un des grands raouts annuels, il y aura un monde considérable et ça colle avec ce que je vous ai dit tout à l'heure. Le lieu propice pour un enlèvement, d'autant qu'il existe des plans du lieu pour parfaire sa préparation. J'ai de fortes raisons de croire que la prochaine étape du jeu de piste conduira Mathieu au Metropolitan Museum et qu'on tentera alors de l'enlever pour le conduire auprès de d'Ascoyne. Cerise sur le gâteau :

Silverman Brothers est un des principaux donateurs du musée. On peut très bien imaginer une connivence entre les hommes de la banquière et les organisateurs de la soirée, un accord tacite pour permettre le rapt de Mathieu dans une salle peu fréquentée de l'immense musée... Je vous laisse juges.

— Et on fait quoi, alors ? demanda Neil.

— Il nous reste trois heures pour réfléchir à un plan d'action. Cette fois, nous n'aurons pas le choix. Ce sera eux ou nous. Et il faut faire comprendre à Mathieu qu'il a tout intérêt à ce que ce soit nous.

— Sauf pour Théo, corrigea Betty.

— Pour le gamin également. Mathieu est mené en bateau par d'Ascoyne. Je vous répète ce en quoi je crois : elle ne se contentera pas du majeur de son ancien employé. Elle veut le revoir. Elle veut sa vengeance pour les centaines de millions de dollars que l'algorithme lui aura fait perdre. Et peut-être même une vengeance plus terrible encore...

— Et on réfléchit dans la voiture ? demanda Neil.

— Non, répondit l'ancien médecin. J'ai mis un appartement dans Chelsea à votre disposition, près du Madison Square Garden. 317 Ouest 30ᵉ Rue. Ce n'est pas le luxe du building de Gehry mais ça conviendra parfaitement pour que l'on réfléchisse tous ensemble à la meilleure tactique. Je vous envoie toutes les informations dans un mail à part. On se reparle là-bas ?

Les Effacés approuvèrent. Un peu de repos leur ferait du bien. Le décalage horaire avait quelque peu fatigué leur organisme.

— Et à propos de Mary ? demanda Neil. De son doigt ?

— C'est le second sujet que je souhaitais aborder, mais je doute que tu aies eu le temps d'en informer tout le groupe...

Neil corrigea cet oubli en racontant la découverte de la blessure sur la main droite de l'ancienne compagne de Mathieu. Ce que Betty confirma tout à fait.

— Nous pensons, avec Anouar, que c'est cohérent. Mathieu aurait assuré par là, dans un premier temps, de confortables gains à son ex-compagne et à son fils dont il n'avait pas la garde.

— J'ignorais même qu'il avait un fils, compléta Anouar. C'est Nicolas qui me l'a appris. Mathieu est quelqu'un de très secret, au fond. Ça ne m'étonne pas qu'il nous ait caché la participation de son ex à la première phase de l'algorithme, qui consistait à nous rendre riches…

— Ce qui est plus difficile à expliquer, c'est la présence de ce doigt à l'Élysée, continua Neil.

— Peut-être que les cagoules noires ont commencé par elle, répondit Anouar.

— Si on part du principe que Mary n'a pas quitté les États-Unis et que le doigt a été tranché à New York, ça paraît étonnant qu'il ait ensuite transité par Paris avant de revenir à New York, objecta Neil.

— À moins qu'il n'ait été décidé originellement de conserver les doigts à Paris… conclut Mandragore. Enfin, pour ma part, l'énigme du cinquième doigt est résolue. Mais le principal reste à faire. Nous n'avons plus que onze heures pour trouver Mathieu et sauver son fils.

La traque allait continuer, inlassablement.

Sans alternative possible.

Les Effacés réussiraient. Et Neil ajouta en lui-même : « Peu importe le prix à payer. »

(37)

DIMANCHE, 17 H 20, HEURE DE NEW YORK CITY (23 H 20, HEURE DE PARIS) DÉBARCADÈRE DE NORTH BROTHER ISLAND, NEW YORK

H-9

Mayenne d'Ascoyne s'était enfin résolue à quitter son penthouse de la Silverman Brothers Tower pour se rendre dans sa propriété située sur l'île de North Brother Island, une petite île située sur l'East River entre le Bronx et Manhattan. À 17 heures, elle demanda à Archibald de prévenir son pilote qu'elle souhaitait décoller immédiatement. À 17 h 01, Mayenne était dans l'ascenseur privé qui la conduisit sur le toit de la tour. À 17 h 03, les pales tournaient déjà.

Quinze minutes plus tard, elle posait les pieds sur son île.

Pendant le trajet, le pilote l'avait bassiné à propos d'un accident d'hélicoptère qui venait de se produire au-dessus du Bronx, heureusement sans faire de victimes. Elle lui avait sèchement intimé l'ordre de se taire, préférant rester dans ses pensées. Elle allait jouer gros dans les prochaines heures. Elle espérait à ce propos que le « paquet » avait bien été livré. Et elle ne pensait pas à son déguisement de gangster, bien entendu.

Les premiers invités de son grand bal costumé annuel allaient arriver aux alentours de 20 heures. North Brother Island connaîtrait alors son moment de gloire annuel avec un ballet ininterrompu d'hélicoptères et de vedettes jusqu'à une heure très avancée de la nuit.

Les grands noms ̃de ̃la finance, et les autres *a fortiori*, se battaient tous les ans pour décrocher le sésame de cet événement hors du commun. Le site y était pour beaucoup.

Mayenne quitta vite l'héliport installé sur la droite du bâtiment principal de l'hôpital qui occupait la majeure partie de l'île.

Le Riverside Hospital. Un complexe hospitalier construit en 1885, et tristement célèbre pour y avoir accueilli au début du XXe siècle les personnes porteuses de maladies contagieuses que l'on gardait en quarantaine sur l'île. Les multiples bâtiments de briques rouges, perdus au milieu d'une végétation dense et d'une faune à l'avenant, avaient ensuite été laissés à l'abandon depuis la fin des années soixante jusqu'à ce que le PDG de Silverman Brothers décide de l'acquérir. Cela n'avait pas été facile et Mayenne d'Ascoyne avait dû utiliser ses plus hauts soutiens politiques pour parvenir à convaincre le maire de la ville, Michael Reutberg, de lui céder l'île revenue dans le giron de la municipalité.

On avait alors cru à une lubie de riche, comme tous les patrons en connaissaient à un moment ou à un autre de leur carrière. Quelle idée, aussi, d'acheter cette île recouverte de ces atroces ruines, à quelques encablures de la prison de Rikers Island où étaient détenus les plus dangereux criminels de la ville !

Pourquoi ne pas avoir acquis plutôt une propriété au large de Long Island, dans les Hamptons, comme l'élite du pays ? Plus simplement, pourquoi ne pas avoir gardé la propriété familiale des d'Ascoyne et avoir choisi de la vendre, outrage suprême, pour acquérir ce lopin de terre abject ?

On l'avait cru tombée dans les affres de la folie furieuse. Même Reutberg, le maire de New York, un ami pourtant, lui avait demandé quatre fois de suite si elle avait bien toute sa tête avant de parapher le contrat de vente des cinq hectares et de leurs bâtiments lugubres, labyrinthiques, qu'elle devrait rapidement rénover.

Mayenne avait accepté toutes les conditions du maire, acculé par les lobbys écologistes de son propre parti. Elle s'était engagée à préserver la faune de North Brother qui accueillait une des plus importantes colonies au monde de bihoreaux gris. Pourtant, Mayenne trouvait ces volatiles d'une soixantaine de centimètres, au long bec verdâtre et au plumage brun, particulièrement abjects, sauf peut-être dans son assiette. Elle s'en faisait cuisiner en secret environ deux fois par an, avec des *garden peas* et des châtaignes. Comme cela, pour profiter un tant soit peu de ces bestioles dont la sauvegarde lui coûtait chaque année la modeste somme de trois cent mille dollars. Leur chair était tendre et savoureuse, légèrement acidulée, ce qui allait très bien, d'ailleurs, avec les *garden peas*.

Oui, son achat suscitait toujours, quatre ans plus tard, les mêmes interrogations.

Pourtant il n'avait rien d'une lubie. Mayenne souhaitait acheter l'île depuis sa plus tendre enfance. Peut-être même était-ce pour cela qu'elle voulait devenir excessivement riche... Une lubie ! Les imbéciles ! Les chiens ! Ils ne la comprendraient jamais ! Jamais ! Jamais ! Elle aimait l'originalité, voilà tout ! Elle n'était pas comme les autres.

Perdue dans ses pensées, Mayenne resta un long moment devant le bâtiment principal de l'hôpital, dont l'intérieur avait été entièrement refait et qui accueillerait dans quelques heures trois cents invités triés sur le volet. La lumière commençait à décliner, rajoutant de l'étrangeté à cet endroit que l'on disait, déjà, hanté par les mille vingt et un esprits des noyés du *General Slocum*, ce ferry qui avait pris feu et qui était venu s'échouer sur les rives de l'île en 1904.

Elle avait d'ailleurs bien pris soin de ne toucher en rien à la végétation luxuriante du lieu, de ne surtout pas la domestiquer pour préserver le côté inquiétant de l'île.

Tout semblait prêt. Elle voyait par les fenêtres une multitude de serveurs en livrée, habillés comme au temps de Louis XIV, dressant les buffets et préparant la piste de bal.

Ses invités repartiraient heureux et fiers d'avoir assisté à cette fête.

Mais les affaires reprenaient leur cours. Le portable personnel de Mayenne se mit à vibrer. Elle décrocha.

— Destin à l'appareil.

— Oui, j'ai vu, répondit Mayenne. « Numéro inconnu ». Ce ne peut être que vous pour avoir l'outrecuidance de m'appeler en dissimulant votre numéro.

L'éminence grise du président Hennebeau ne releva pas.

— Où en est-on ? demanda-t-il.

— Tout se déroule pour le mieux. Nous aurons le majeur dans trois heures environ. Quatre au maximum. Et peut-être même Viata en chair et en os.

Elle s'écarta de quelques pas sur le côté pour s'isoler. Quatre livreurs passaient tout près d'elle en transportant une gigantesque pièce montée représentant la Silverman Brothers Tower que la banquière avait fait venir de chez *Ladurée*, à Paris, par avion. Il y avait bien une boutique sur Madison Avenue mais elle trouvait la nougatine pas assez craquante à son goût.

— J'aurais dû prendre les affaires en main plus tôt... ajouta-t-elle. Me rendre même dans le sud de la France, car vous avez fait preuve d'une incapacité étonnante, Destin.

— Ne vous montrez pas trop présomptueuse. Vous auriez peut-être dû enlever Viata sans jouer à votre stupide jeu du chat et de la souris. Les adolescents dont je vous ai parlé sont à New York.

Mayenne d'Ascoyne balaya cette piteuse remarque d'un geste de la main.

— Et que voulez-vous que ça me fasse ? Et puis je suis au courant. Ils ont raté Mathieu déjà deux fois... Des amateurs !

— Je ne serai pas aussi catégorique que vous... Ils l'ont localisé avant nous à Saint-Tropez. Et, quelques jours auparavant, ils ont eu la peau d'Amadieu.

La banquière ricana. Amadieu avait plus de soixante-cinq ans, elle se trouvait dans la force de l'âge !

— Vous ne savez même pas qui ils sont et vous me demandez de les inclure dans les possibles facteurs d'échec de mon stratagème ? Vous vieillissez, Destin, je vous ai connu plus sûr de vous, auparavant...

— Le monde a changé, Mayenne.

— Ne m'appelez jamais plus par mon prénom ! siffla-t-elle. Et si je veux jouer au chat et à la souris avec Mathieu, c'est mon droit le plus strict. Pour qui vous prenez-vous pour me donner des ordres, Destin ? Restez à votre place ! Je ne suis pas Hennebeau, moi ! Je suis un vautour, tout comme vous, pas une charogne sur laquelle on se sert ! Sauf que vos ailes se rognent de jour en jour et que moi, je les déploie de plus belle, je leur donne de l'envergure, comme je donne de l'envergure à mon empire.

Elle savoura ses dernières paroles, les yeux clos, en se mordant les lèvres de plaisir.

— Ne vous inquiétez pas, conclut-elle enfin. Le krach sera évité. Et vous obtiendrez les informations que vous souhaitez pour venir à bout de votre adversaire. J'en fais le serment, Destin. Le vent tourne en notre faveur. Je le sais, je le sens.

(38)

DIMANCHE, 20 HEURES, HEURE DE NEW YORK CITY (LUNDI, 2 HEURES, HEURE DE PARIS) METROPOLITAN MUSEUM OF ART, NEW YORK

H-7

La nuit était tombée sur la ville, la parant de millions d'éclats. New York était plus belle encore de nuit que de jour. Elle était alors unique, rayonnante, cette puissante mégapole que rien ne pourrait jamais arrêter.

Rien ?

Mathieu n'en était pas certain.

Il s'était habillé d'un costume de marque, noir, d'une chemise blanche et d'une cravate anthracite. Un brin classique mais le Metropolitan n'était pas le MoMA, le Whitney ou bien le Guggenheim. Ici, on vernissait avec plus d'entrain des Rubens, des Delacroix et des Courbet, que des Basquiat, des Pollock ou des Lichtenstein.

L'ancien trader regarda sa montre devant l'immense façade illuminée du musée, frappée de ses huit colonnes, étendue sur la Ve Avenue, dans l'enceinte de Central Park, et sur plus de quatre rues.

20 heures. L'heure de son rendez-vous. Et l'heure où l'algorithme commençait son travail.

Il se fraya un chemin à travers la foule insouciante et heureuse des donateurs, qui, à leur réveil demain matin, seraient tous ruinés. Tous, sans exception aucune.

Ici, Mathieu entendait comme d'ordinaire le bruit des klaxons, des moteurs, ainsi que le lancinant murmure de fond de la ville géante. Son arme, à lui, était bien en train de tirer ses premières salves. Mais en silence, sans se faire remarquer.

Le crime parfait.

Plus que sept heures. Sept heures avant l'apocalypse. Déjà, comme il l'avait décidé, comme Anouar l'avait formalisé, comme Marc l'avait programmé, à cet instant précis, la Bourse de Tokyo subissait la première attaque.

Mathieu pénétra dans le hall du musée et présenta sa carte de membre à une charmante hôtesse qui lui remit un petit badge violet portant le M du Metropolitan à pincer à son veston.

Une vente massive de dollars contre des yens venait de se déclencher, tout juste de quoi affoler quelques cambistes à Tokyo et à Sidney, en Australie, dont la Bourse venait d'ouvrir une heure auparavant. Cette vente préparait le terrain en somme, faisait clignoter des alarmes qui vireraient au rouge vif dans sept heures à peine. L'Europe s'éveillerait bientôt, la peur au ventre. Mathieu, lui, n'était pas près d'aller se coucher. Il était insomniaque depuis deux ans à présent. Et puis le rideau venait de se lever. Il était le seul pour le moment à être assis dans le public, à observer les acteurs se mettre en place, silencieusement. Mais bientôt l'audience grossirait, grossirait, et il monterait alors sur scène, pour lui dire toute sa haine.

L'Histoire, avec un grand H, était en marche.

Mais il y avait aussi Théo. Il n'aurait pas cru Mayenne capable de le kidnapper, d'envoyer un tueur pour aller le prendre dans l'Utah et le ramener ici. À présent, il ne pouvait que constater les dégâts. Il avait sept heures pour récupérer Théo. Seul contre eux. Il savait que cela relevait de la mission quasi impossible. Quel autre choix que de se rendre dans le musée qu'il supposait complice de Silverman Brothers ? Il était habitué aux grands desseins. Comme avec sa fuite en hélicoptère, il gardait un plan de repli dans un coin de son esprit sagace. Ce qu'il espérait ? Récupérer son fils, appeler Mary pour qu'elle vienne le chercher et se livrer après – pourquoi pas ? Stopperait-il son algorithme pour récupérer son enfant sain et sauf ?

Oui.

Aucun doute là-dessus. Il faisait tout cela pour Théo, alors... Simplement il savait que rien ne serait aussi simple. Et d'Ascoyne pouvait très bien avoir amené Théo ici ce soir pour faire croire à une possible libération et se servir du fils comme un simple appât pour enlever le père. Dès lors, il perdrait sur les deux tableaux.

Mathieu regarda autour de lui, s'apprêtant à gravir le grand escalier devant lui menant au département médiéval. Il salua un collectionneur, un ancien client, une vague connaissance. Personne ne semblait le suivre, mais la foule était immense et il lui était difficile de dévisager tous les invités.

Il se faufila entre les statues de la Vierge Marie et les vieilles épées. Ces galeries rencontraient bien moins de succès que celles dévolues à la peinture, aussi ne se sentit-il pas trop en sécurité et marcha-t-il à grandes enjambées vers les arts décoratifs pour accéder ensuite, par un ascenseur, à la peinture européenne du XIXe siècle, son département préféré, situé au deuxième étage. Mayenne savait que son tableau favori était *Les Joueurs de cartes* de Paul Cézanne. Elle lui avait donné rendez-vous avec Théo dans la salle 825 où était exposé le chef-d'œuvre. Il en avait la certitude après avoir réfléchi à ce rendez-vous au Musée.

Mais, à l'instant de passer devant une vitrine présentant de petites boîtes à collections françaises, Mathieu entendit la voix de son fils :

— Papa !

Un appel au secours !

Mathieu s'arrêta net. Rêvait-il ?

Et une nouvelle fois, son fils l'appela, avec un ton plus insistant encore :

— Papa !

Il ne savait pas comment réagir, resta pétrifié, se sentant imbécile, lui, le Machiavel de la finance, à même de faire trembler le monde... C'était lui, à présent, qui tremblait devant cette vitrine d'objets précieux dont tout le monde se fichait.

Il fit un pas, puis un autre, entra dans une toute petite salle, déserte comme presque tout le département. Une sculpture de femme, un sein dénudé, portant un grand candélabre, l'accueillit. Mais il ne la remarqua pas.

Théo se trouvait là-bas, en face de lui, dans les bras d'un homme au physique de boxeur poids lourd. Et le petit garçon se débattait sans un bruit, frappant de ses poings minuscules la poitrine du géant qui ne cillait pas.

— Théo ! hurla l'ancien trader.

Et il se mit en marche.

Mais l'enfant disparut aussitôt par une sortie de secours que Mathieu n'avait pas vue. Il voulut courir, bien évidemment, mais deux hommes se précipitèrent sur lui, le bousculant. Ils se saisirent de ses deux bras et voulurent l'entraîner à son tour vers la même sortie.

La petite salle était restée déserte, pas un visiteur à l'horizon. Mathieu chercha à crier, mais son cri s'étrangla dans sa poitrine quand il vit un agent de surveillance pénétrer dans la pièce, puis un autre puis un troisième – une jeune femme. Et au lieu de s'enfuir pour prévenir la sécurité, ils vinrent à sa rescousse. Un agent fit un croc-en-jambe à l'un des deux premiers hommes et la jeune femme frappa la nuque de l'autre avec le plat de sa main.

Mathieu avait glissé à terre. Il se releva, chancelant, hébété.

— Suivez-nous ! ordonna la jeune femme.

C'était l'adolescente de l'hélico, celle de Trinity Church, vêtue du costume des agents du Metropolitan.

Une vraie petite peste ! Une sangsue de la pire espèce !

Mais, cette fois, il n'avait pas d'autres choix que d'accepter son aide : les deux colosses se relevaient.

— Suivez-nous, répéta Ilsa.

Il devait fuir.

DIMANCHE, 20 H 20, HEURE DE NEW YORK CITY (LUNDI, 2 H 20, HEURE DE PARIS) METROPOLITAN MUSEUM OF ART, NEW YORK CITY

H-6

Cela n'avait pas été très difficile.

Mandragore était capable de tous les arrangements.

Ilsa, Neil, Zacharie et Émile étaient entrés dans le Metropolitan Museum of Art par la porte de service, comme de simples étudiants français cherchant à arrondir leurs fins de mois en gardant des salles de musée en nocturne. Une petite retouche au fichier informatique avait suffi.

Mathieu admit qu'il devait fuir sans chercher à revoir Théo. Son pressentiment était bon : d'Ascoyne ne cherchait pas à échanger le majeur du père contre la liberté du fils... Elle voulait capturer le père à son tour pour l'humilier, le ridiculiser, et surtout pour le revoir.

Son fils ! Son fils, des larmes plein les joues, terrassé par les événements au point de ne pas même trouver la force de crier. Le petiot se battait en silence... Son fils adoré prisonnier de ces gorilles sans âme !

Ils allaient le payer. Elle, surtout.

Mais l'instinct de survie effaça cette désillusion et il se lança dans les pas des adolescents.

Bientôt, un quatrième s'adjoignit au groupe. Ils étaient cinq à présent, les quatre Effacés et lui, prêts à faire face.

— Betty nous attend dehors, sur la Ve Avenue, il faut sortir du musée, dit Ilsa.

— Si on parvient à gagner des salles où la foule se presse et à se fondre dans le grand hall, enchaîna Zacharie, on devrait s'en sortir. Ils ne tenteront rien en public.

Ils obliquèrent vers la première salle attenante, consacrée aux arts d'Afrique, de façon à ne pas prendre le même chemin qu'à l'aller. Sous l'effet de l'émotion, Mathieu semblait à bout de souffle.

Mais deux autres hommes leur barraient la route. Avait-il une chance de les vaincre ? Peut-être. Sauf que les deux armoires à glace pointaient discrètement sur eux un Walther P99c. La stratégie des sbires de d'Ascoyne était claire : les rabattre dans les salles peu fréquentées.

Ils rebroussèrent chemin, se précipitant vers l'aile occupée par la collection d'œuvres modernes et contemporaines du musée.

— Si l'un de nous se prend une balle devant un Pollock, au moins, ça ne se verra pas sur le tableau, dit Neil. Une traînée de rouge parmi d'autres...

Mathieu hallucinait. Comment ce gamin pouvait-il faire de l'esprit en cet instant dramatique ?

Mais l'accès à cette galerie était fermé pour cause d'infiltration d'eau.

Pas le temps de tergiverser. L'initiative vint de l'ancien trader.

Il se saisit d'une chaise dévolue d'ordinaire à un gardien et l'envoya avec force sur une des hautes fenêtres donnant sur Central Park. La vitre se fissura. Il cogna une seconde fois, plus fort encore. Un morceau de verre se détacha. Zacharie l'aida à créer un espace assez grand pour que chaque membre du groupe puisse s'engager et gagner l'extérieur.

— Nicolas, dit Ilsa, tandis qu'elle enjambait la fenêtre en prenant bien soin de ne pas se blesser, demande à Betty de venir à notre rencontre. On sort par l'arrière du bâtiment.

Nous sommes dans Central Park, je répète, nous sommes dans Central Park.

« Message reçu. Une fois devant la Cleopatra's Needle, l'espèce de réplique de notre obélisque de la Concorde, prenez la Central Park Loop vers le sud. Je demande à Betty de vous attendre sur la 79e Rue Transversale à hauteur de l'obélisque. Il vous faudra escalader un mur assez haut, mais je ne vois pas d'autres solutions. Terminé. »

La voix de Mandragore chevrotait, ce qui n'eut pas pour effet de rassurer l'adolescente.

L'obscurité les assaillit. Les terribles ténèbres.

Ils traversèrent un espace gazonné sans regarder derrière eux et sautèrent par-dessus le grillage pour entrer de plain-pied dans le célèbre parc new-yorkais.

Ilsa leur lança les instructions de leur mentor au moment où des bruits de pas se rapprochaient d'eux vers la droite. Vers la gauche aussi.

D'Ascoyne semblait avoir tout prévu.

Encerclés !

Elle voulait Mathieu plus que tout au monde. Et elle l'aurait.

Mais le goût de l'échec était trop amer dans la bouche des Effacés et il était hors de question pour eux d'échouer une nouvelle fois. Ils tenaient Mathieu et ils ne le lâcheraient sous aucun prétexte. Il tenterait tout, même l'impossible, malgré toutes les recommandations de Mandragore.

Ils n'eurent aucune autre alternative que de s'enfoncer au-delà de l'obélisque.

Mais Mathieu leur fit signe de ralentir.

— Si nous continuons tout droit, on va se retrouver sur la Great Lawn, la pelouse qui mène au lac et au château du Belvédère. On ne peut pas traverser par là, on sera à découvert pendant trop longtemps. On va longer le Turtle Pond, ce sera plus sûr...

« Je demande à Betty de vous attendre sur la West Drive au niveau du Delacorte Theater », précisa Mandragore.

Derrière eux, des hommes couraient, cinq, six, dix peut-être.

De chasseurs, ils étaient devenus gibier.

Il y avait peut-être trois cents mètres jusqu'à la West Drive, trois cents petits mètres... Mathieu, encadré d'Ilsa et de Zacharie, les guidait sur les rives de l'étang, arrachant quelques branchages dans cette course folle.

Neil et Émile assuraient les arrières.

Soudain, Ilsa se sentit défaillir. Cela vint d'un coup, une perte de connaissance subite, une immense fatigue qui la terrassa sans qu'elle puisse lutter un seul instant. Zacharie n'avait rien remarqué et continuait à courir tandis que sa compagne trébuchait sur une racine et tombait violemment face contre terre. Elle roula sur la rive pentue et Neil dut se jeter sur elle pour éviter que le corps inerte de l'adolescente ne termine sa course dans l'étang. Son geste salvateur raviva sa douleur à la cuisse et il eut l'impression qu'on venait de scier sa jambe en deux. Il ne cria pas, ravalant sa douleur dans un long frisson qui agita son corps tout entier, des pieds à la tête.

Émile ne s'était aperçu de rien dans l'obscurité et Neil dut charger Ilsa sur ses épaules, seul, et continuer son chemin, la meute à ses trousses.

« Neil, tu as pu secourir Ilsa ? »

La voix de Mandragore avait perdu son calme légendaire. L'adolescent lâcha un vague assentiment.

« Un point de suture a lâché sur ta cicatrice, mais ce n'est rien, les autres tiennent le coup. Ne panique pas si tu constates une perte de sang. »

— Et que dit ton mouchard à propos d'Ilsa ? interrogea Neil, qui peinait sous la charge.

Derrière eux, les pas se rapprochaient.

« Ses pulsations se sont subitement effondrées. Elle a fait une sorte de syncope. Mais tout semble rentré dans l'ordre. La fatigue, sans doute. »

Cependant la voix de l'ancien médecin tenait plus de l'auto-persuasion que du diagnostic médical.

Enfin, Zacharie s'était aperçu de l'absence de l'adolescente et venait à leur rencontre. Il déchargea Neil, réellement à bout de souffle, et prit sa compagne sur ses larges épaules, sans un mot – pas d'énergie inutile à perdre.

La West Drive était en vue, plus que quelques dizaines de mètres. La Ford arriva dans un crissement de pneus et Betty leur fit deux violents appels de phares afin qu'il la repère. Émile mena Mathieu jusqu'au véhicule. Ils sautèrent à l'arrière et Betty, qui avait remarqué Neil et la grande carcasse de Zacharie portant Ilsa, roula sur plusieurs dizaines de mètres les portières ouvertes pour venir à leur rencontre.

— Vite ! rugit-elle.

Les hommes sortaient des bosquets eux aussi. Si leurs consignes n'avaient pas été de capturer l'ancien trader vivant, peut-être les auraient-ils tous abattus comme des chiens.

Les deux garçons déposèrent à la va-vite Ilsa dans le 4 x 4, sa tête heurtant violemment le montant de la portière, et sautèrent à leur tour dans le véhicule.

Ils démarrèrent en trombe.

Ils étaient sauvés.

Peut-être.

(40)

DIMANCHE, 20 H 35, HEURE DE NEW YORK CITY (LUNDI, 2 H 35, HEURE DE PARIS) BROADWAY, À HAUTEUR DE LA 55ᵉ RUE, NEW YORK CITY

H-6

La Ford remontait Manhattan à la vitesse autorisée, trente miles-heure. Betty n'hésitait pas à doubler les véhicules plus lents tout en respectant scrupuleusement les règles de conduite en vigueur. On ne plaisantait pas avec la police à New York. Il ne s'agissait pas de se faire arrêter à présent par un policier en manque de zèle. Par chance, ils croisèrent la plupart des feux de circulation au vert.

Enfin, à hauteur de Times Square, Ilsa, sur laquelle Zacharie veillait, le visage ravagé par l'inquiétude, reprit connaissance. Elle bredouilla péniblement un merci collectif.

Sous les enseignes des théâtres et music-halls de Broadway, on voyait dans l'habitacle du véhicule comme en plein jour.

Décidément, les Effacés n'avaient rien de super-héros.

— Où m'emmenez-vous ? demanda Mathieu. Qui êtes-vous ? J'ai cru à un moment que vous étiez des anges gardiens envoyés par Stavroguine pour me protéger à New York, mais ce n'est pas la vérité.

Ce fut l'occasion pour eux d'observer enfin cet homme de près, l'homme qui avait travaillé à l'apocalypse, qui voulait faire en sorte que, bientôt, toutes les lumières de Times Square disjonctent ensemble et que la ville s'éteigne, à jamais.

Il avait des yeux d'une vivacité presque infernale, toujours en mouvement, des oreilles décollées, mais ce qu'on remarquait surtout, c'était ce front volontaire, immense, barré d'une ride horizontale en son exact milieu.

Émile prit l'initiative de la réponse :

— À Chelsea. Nous avons un marché à te proposer.

Il avait opté pour le tutoiement direct.

— Je veux retrouver Théo, c'est le seul marché que je puisse accepter, dit Mathieu, les dents serrées.

— Justement, enchaîna Neil. Tu ne pourras pas y parvenir seul. Nous te proposons notre aide, de bénéficier de notre logistique.

— Nous savons où il se trouve, bluffa Émile. D'Ascoyne n'a jamais eu l'intention de te rendre Théo contre ta collaboration. Elle cherche la confrontation, elle souhaite te revoir. Nous t'aiderons à récupérer ton enfant. À six, avec nos six intelligences réunies, nous réussirons.

— Et votre prix ?

— La même procédure que le 15 juillet dernier, à 5 heures.

Mathieu accusa le coup.

— Marc est de votre côté ?

Émile hocha la tête.

— Ainsi qu'Anouar. Tu pourras lui parler si tu le désires, plus tard…

— Vous souhaitez donc que je ralentisse l'algorithme. Vous ne souhaitez pas le détruire, comme les autres… ou tout du moins empêcher le krach et vous en servir après pour votre propre compte. Pourquoi ? Vous voulez avoir le temps de sauver vos économies ? Qui êtes-vous ? Pour qui travaillez-vous ?

La voiture obliqua sur la 31e en direction du Madison Square Garden.

— Plus tard, balaya Neil. Nous partageons vos haines, en un sens, mais nous trouvons le prix de votre cataclysme trop important. Acceptes-tu notre proposition ?

Mathieu n'hésita pas un seul instant.

— Oui.

Puis il ajouta :

— Parce qu'elle est la moins terrible. Et que Théo compte plus que tout.

Ils arrivèrent à Chelsea, 317 Ouest 30ᵉ Rue. Il était 20 h 50.

Les Effacés avaient arraché un accord à Mathieu afin qu'il ralentisse les développements de l'algorithme. Mais ils avaient promis en échange de délivrer Théo.

Et il ne leur restait plus que six heures.

(41)

DIMANCHE, 21 H 20, HEURE DE NEW YORK CITY (LUNDI, 3 H 20, HEURE DE PARIS) THE MARY MANSION, NORTH BROTHER ISLAND, NEW YORK CITY

H-5

Voilà. Tout était parfaitement en place. Comme chaque année.

Mayenne tenait à accueillir chacun de ses invités en personne. Trois cents saluts tout au long de la soirée. Certains se démasquaient devant elle, d'autres non.

Ce qui était certain, c'est que la banquière ne passait pas inaperçue dans son costume de gangster sorti tout droit de la prohibition. Son masque d'Al Capone, plus vrai que nature, lui allait comme un gant, et force était de constater que son propre sourire ressemblait à celui du célèbre gangster, ce qui entretenait savamment la confusion, pour son plus grand plaisir.

Un coup de fil l'interrompit au moment de saluer Léa Wagner, une homologue allemande, déguisée en petite marchande d'allumettes d'après le conte d'Andersen, un formidable pied de nez pour qui gère des milliards d'euros. Mayenne s'excusa et prit la communication. Si son sourire s'effaça dans un premier temps, il revint immédiatement après. L'Allemande, elle, était déjà en train de trinquer au champagne avec un moine trappiste – en fait le gestionnaire brésilien d'un des plus importants fonds de pension d'Amérique latine –, dont la tonsure semblait tout sauf imitée.

Dans une trentaine de minutes, le clou de la soirée commencerait au milieu de l'immense hall de l'ancien hôpital, préparé pour l'occasion. L'hôtesse avait fait concevoir par la troupe du Cirque du Soleil un spectacle autour du naufrage d'un bateau et des esprits des naufragés qui revenaient hanter les survivants, pour coller à l'atmosphère du lieu et pour faire délicieusement frissonner ses invités. On lui avait promis des numéros sensationnels et une musique spécialement composée pour l'occasion. Un show unique !

Et même ce coup de fil plutôt désagréable, à l'instant, qui l'informait que Mathieu avait réussi à prendre la fuite du Metropolitan Museum en compagnie des adolescents, et que l'on rapatriait donc Théo sur l'île, n'entama en rien sa bonne humeur.

Elle était proche de réussir. Mathieu serait là dans quelques instants.

Et quand bien même il parviendrait à infiltrer sa belle fête avec ces adolescents, il n'y avait aucune chance qu'il trouve son fils dans le dédale de couloirs et de pièces de l'ancien hôpital de Riverside. Mayenne avait installé le bambin dans son bureau, situé au cœur du bâtiment de trois étages, là où elle gardait précieusement les quatre doigts dans un caisson réfrigéré. Elle n'attendait plus que celui de Mathieu pour les sortir et désamorcer la bombe informatique.

Soudain, la banquière eut une vision d'horreur.

Elle devait divaguer, ce n'était pas possible. Pourtant elle s'était limitée à une coupe de champagne, une malheureuse coupe... Pas lui, pas ici. Et déguisé en assassin florentin, pour couronner le tout, une chemise, une veste et un pantalon blanc dans lesquels il flottait atrocement, une longue cape rouge et de grosses bottes de cuir. Et il ne s'était pas dissimulé derrière un masque, se contentant d'une ample capuche blanche qui lui recouvrait la tête tout entière.

— J'ai tout simplement répondu à votre invitation, susurra-t-il en baisant la main de Mayenne.

Et elle se rappela en effet lui en avoir adressé une.

Dominique Destin se trouvait sur le territoire américain.

— Mais, tout à l'heure, balbutia d'Ascoyne, votre coup de fil…

— Vous m'avez cru en France. J'étais sur le tarmac de JFK.

— J'avais à l'esprit que vous ne vous déplaciez jamais en personne lors d'une mission, dit-elle en entraînant son interlocuteur dans un coin d'ombre.

— C'est exact, mais là l'affaire est importante. Je viens pour m'assurer que votre idée de rapt ne tournera pas court et que nos desseins se réaliseront. Et puis j'ai un autre dossier à régler, ensuite. On a mis un Airbus de la République à ma disposition.

Il ricana en silence, comme à son habitude.

— Vous vous montrez trop gourmande, Mayenne ! continua le chef du cabinet occulte du président de la République française.

— C'est que moi, j'ai de l'appétit, imbécile, éructa la banquière.

— Il fallait lui couper le doigt au musée et lui rendre son fils dans la foulée. À quoi jouez-vous ? Avec les cinq doigts réunis, vous empêchez le krach. Et pour ce qui est de prendre possession de l'algorithme, nous avons volé pour votre compte les travaux préparatoires du petit Arabe, chez lui, à Angers. Que vous faut-il de plus ? Votre orgueil, n'est-ce pas ? C'est votre orgueil de femme bafouée qui vous gouverne, Mayenne. Vous souhaitez revoir Mathieu pour le ridiculiser une dernière fois ?

Le PDG de Silverman Brothers releva trois affronts dans la tirade de Destin. Elle décida pourtant de n'en voir aucun. Elle allait simplement leur montrer, à ces pantins de politiciens, ce qu'était le pouvoir des financiers. Ces présidents, ces ministres, de pitoyables marionnettes dont elle-même et ses confrères tiraient les ficelles dans l'ombre !

— Dans une heure, je vous le dis, Dominique. Dans une heure, j'aurai annihilé la menace du krach ! Et vous assisterez à la scène finale dans mon bureau, ici ! Avec moi !

Sous sa capuche qui ne laissait rien paraître de lui, Destin secoua la tête.

— Je ne veux pas apparaître à ce moment-là. Votre bureau est-il équipé d'une glace sans tain ?

— Bien entendu ! Pour qui me prenez-vous ?

— Alors je me tiendrai derrière. Et je me délecterai de votre triomphe, Mayenne… De notre triomphe…

C'est qu'il la savait capable d'une telle prouesse, cette drôle de femme.

ARCHIVES SECRÈTES DES EFFACÉS
JOURNAL DE MATHIEU

Dimanche, 21 h 45

Je n'ai plus le choix. Collaborer avec ceux qui sont capables de délivrer Théo. Je ne dois pas être loin de la vérité en écrivant ici que ces adolescents travaillent pour l'auriculaire.
Ils souhaitent que je ralentisse le processus. De cela, j'en ai la possibilité en effet, avec l'usage de mon seul majeur.
Le 15 juillet à 5 heures. Ils étaient au courant. Marc leur a donc tout raconté. Ce 15 juillet, j'ai commis une terrible bourde de programmation et, à 5 heures de l'après-midi, l'algorithme était devenu fou. Nous avons dû organiser une connexion de nos cinq doigts en urgence pour le stopper. Ou bien nous devenions visibles au monde, et nous perdions tout. Pour éviter à l'avenir de telles situations, Marc a mis au point un programme qui me permet de ralentir l'algorithme, à la manière d'un lecteur DVD qui passerait un film image par image en lieu et place de la vitesse réelle. Ces adolescents veulent que j'enclenche la procédure pour retarder le krach. Il me suffit d'identifier mon majeur sur un lecteur d'empreintes et de taper un code. Le temps pour eux de réunir les doigts ? En échange, ils me promettent de récupérer Théo. Je ne sais plus, la tête me tourne... Théo ! Patiente encore un peu, mon Théo, papa arrive.

Tu le gardes dans ta propriété de North Brother Island, Mayenne. Nous allons débarquer en plein milieu de ton bal costumé, au cœur de cette fête où tu réunis le gotha de la finance. Y aura-t-il un orchestre, Mayenne, comme sur le Titanic, un orchestre qui continuera de jouer alors que votre pouvoir corrompu, votre société ignoble, tangue de tous côtés ? J'ai hâte de connaître la fin de ces agapes.

Je n'ai jamais perdu, Mayenne. Note bien cela dans un coin de ta tête.

Et si tout ne se passe pas bien maintenant, ce sera pour après. Ce n'est pas une prémonition. Juste une certitude.

Tu verras, je n'aurai pas la même moue débonnaire que sur ce hideux portrait pour lequel tu m'avais obligé à poser, place du Tertre, lorsque tu cherchais à te faire aimer coûte que coûte. Shakespeare a écrit que « l'or est un dieu sensible qui unit les contraires et les force au baiser ». Tu ne m'as pas eu avec ton or, Mayenne. Et je t'en déposséderai bientôt.

Je n'aurai pas cette mimique ridicule que tu aimais tant. Un visage de tueur, plutôt.

À to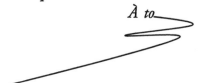

(42)

H - 4

Une main s'était emparée de son bras pour le rabattre violemment derrière son dos.

Mathieu s'apprêtait à écrire « À tout de suite, Mayenne. Je vais voler vers toi », mais ces mots, pourtant composés dans son esprit, ne parvinrent jamais sur le papier. Il dut lâcher son précieux stylo plume qui roula longuement sur le parquet pour trouver refuge sous une commode.

Retiré dans une des chambres du logement de ces curieux adolescents pour écrire une dernière fois, il s'attendait à tout sauf à cette agression. N'étaient-ils pas partenaires, à présent ?

Il se retourna pour voir la figure de son agresseur, le visage du traître.

Betty.

— Tu vas me suivre, chuchota-t-elle. En silence et tout doucement. Nous allons sortir sans alerter les autres et je vais t'emmener.

— Où ?

— Chez Mayenne, bien sûr. Là où se trouve ton fils.

— J'irai quand je serai prêt.

— Non, tout de suite.

— Tu travailles pour elle, n'est-ce pas ? Ton appartenance à AnWorld, c'est de la foutaise. Tu es de son côté depuis le début, avoue...

En préparant son intervention, Betty savait que Mathieu tiendrait ce discours et avait choisi de ne pas y donner suite. Pourtant elle répondit, les yeux brûlants de rage :

— Oui, elle me tient, Mathieu. Une opération falsifiée qu'elle a découverte. Elle me tient depuis mon départ. Je devais te surveiller ou bien elle me dénonçait aux autorités boursières, à la Securities & Exchange Commission, et à la police. Je n'ai pas eu le choix.

— On a toujours le choix, répondit Mathieu.

— Ne rends pas le moment plus difficile encore qu'il ne l'est. Tu vas scanner ton doigt et repartir avec Théo, voilà tout.

— Je croyais que tu connaissais Mayenne mieux que ça. Elle va s'approprier l'algorithme, Betty, et son pouvoir sera alors sans limites. Et puis elle ne va pas me laisser libre comme ça, tu connais ses sentiments à mon égard...

Mathieu ne vit pas la silhouette se faufiler dans le dos de l'Américaine et pénétrer dans la pièce.

— Je n'ai pas le choix, Mathieu... Pas le choix, répéta l'Américaine.

Alors, l'ancien trader tenta de se lever d'un bond, pour échapper à l'emprise de Betty. Mais deux mains fermes, sorties de nulle part, se saisirent de ses épaules et le maintinrent en place sur la chaise, pendant que Betty le ligotait et le bâillonnait. La poigne était ferme. Il ne put lutter.

Puis son second agresseur, cet inconnu, se mit face à lui et lui adressa un violent coup de poing en pleine face. Son nez éclata sous l'impact.

Avant de s'évanouir, il eut juste le temps de reconnaître son bourreau.

Neil le regardait, un sourire cruel et satisfait sur le visage.

(43)

DIMANCHE, 23 HEURES, HEURE DE NEW YORK CITY (LUNDI, 5 HEURES, HEURE DE PARIS) 317 OUEST 30ᵉ RUE, NEW YORK CITY

H-4

Zacharie sonna l'alarme après avoir constaté que la chambre dévolue à Mathieu était vide. Il était venu lui apporter un sandwich à la dinde et un verre de lait. Il trouva la chaise renversée, des bouts de corde à linge par terre et des gouttes de sang sur le plancher.

Il appela aussitôt ses compagnons.

Seuls Ilsa et Émile le retrouvèrent dans la pièce.

— Betty… balbutia Zacharie, sous le choc, Betty nous a trahis ! Elle s'est enfuie avec Mathieu pour rejoindre son association ! On s'est fait avoir sur toute la ligne !

Ilsa sortit de la pièce.

— Il faut la retrouver, elle n'est peut-être pas loin.

Zacharie alla dans l'entrée et s'aperçut que les clefs de la Ford n'étaient plus posées sur le petit guéridon.

Il jura.

— Et elle a emmené Neil avec elle, constata Ilsa.

— Ou peut-être que Neil l'a suivie, si vous voyez ce que je veux dire, lâcha Émile. On en fait, des conneries, par amour…

Nicolas Mandragore fit une demande de visioconférence sur la tablette d'Ilsa. L'adolescente entendit le signal caractéristique et alla chercher l'objet avant de rejoindre ses amis dans la chambre.

— J'allais vous prévenir. J'ai vu le signal GPS de Neil évoluer dans la ville mais je croyais qu'il était sorti pour une bonne raison. C'est quand il n'a pas répondu à mes appels que je me suis dit que ça se tournait pas rond.

— Et tu n'as rien entendu non plus lorsqu'ils ont enlevé Mathieu ? demanda Émile.

— En général, je suis alerté lorsque l'un de vous s'adresse à moi ou pousse un cri strident, un appel au secours ; et Neil n'a rien fait de tout cela. Mais Mathilde est en train d'écouter la bande, un historique sur une heure environ. Il semble qu'il n'y ait rien d'exploitable. Des bruits de fond, de la rue, des moteurs, des klaxons. Mais Neil ne dit pas un mot, Betty et Mathieu non plus s'ils sont avec lui.

— Peut-être les a-t-elle bâillonnés, proposa Zacharie.

— C'est possible, admit Mandragore. Je viens de poser plusieurs questions à Neil via son oreillette, mais, bien entendu, je n'ai obtenu aucune réponse. On ne peut cependant pas complètement écarter l'hypothèse d'Émile. Neil complice... Neil retourné par Betty. J'ai cependant du mal à le croire...

— Et tu peux le suivre, à présent ? demanda Ilsa.

— Bien entendu, répondit Mandragore. Ils sont en voiture. Ils ont emprunté la FDR Drive qui longe Manhattan le long de l'East River et sont sortis sur le Willis Avenue Bridge. Ils roulent maintenant sur la 132e Est en direction des quais. C'est ça qui est intéressant. Tout n'est peut-être pas perdu.

— Tu peux préciser ? demanda Zacharie, sur des charbons ardents.

Il en voulait à Émile d'avoir émis l'hypothèse de la culpabilité de Neil. Neil était son pote, Neil avait sauvé Ilsa. Alors c'était un peu fort de café tout de même...

— Les quais en question se situent en face de la North Brother Island, une île où, autrefois, se dressait un hôpital où on internait les malades les plus contagieux de la ville. L'île a été rachetée il y a quelques années par une certaine Mayenne d'Ascoyne…

— Ça voudrait dire que… chuchota Émile, sous le choc.

— Oui, je pense que c'est pire que ce que nous imaginons, compléta l'ancien médecin. Betty n'est pas partie rejoindre ses camarades d'AnWorld, et je comprends mieux leur silence et le fait qu'ils n'aient jamais cherché à entrer en contact avec elle depuis son arrivée à New York. Betty est partie retrouver d'Ascoyne. Elle travaille pour Silverman Brothers depuis le début.

Zacharie secoua la tête.

— Mais, lorsque nous l'avons rencontrée, Neil et moi, à Saint-Tropez, près du cimetière, elle se faisait justement attaquer par les cagoules noires, les hommes de d'Ascoyne et d'Hennebeau…

— Précisément pour paraître insoupçonnable, expliqua Mandragore. Et accessoirement pour vous rencontrer dans des conditions chevaleresques et inciter l'un de vous deux à s'intéresser à elle.

— C'est toi qui as tenu à ce que nous l'intégrions au groupe après la soirée chez Stavroguine, répliqua Ilsa d'un ton froid. Contre l'avis de la plupart d'entre nous.

— Oui, Neil m'avait convaincu. C'était une amie de Mathieu, et j'avais lu dans son dossier qu'elle vouait une haine tenace au PDG de Silverman Brothers. Mais d'Ascoyne la tient sûrement grâce à un élément que nous ignorons et qui a forcé Betty à trahir son plus ancien ami…

— Et aussi ses plus récents ! s'insurgea Zacharie.

— Mais je ne crois pas à la culpabilité de Neil, précisa l'ancien médecin. Ou bien alors simulée. Il a accepté de suivre Betty, se forçant à collaborer avec elle, dans l'unique but de servir de balise GPS pour nous mener ainsi auprès de Théo. J'ai consulté les plans cadastraux de l'hôpital de

Riverside, l'édifice sur North Brother Island que d'Ascoyne a rénové en demeure de standing. C'est un vrai labyrinthe. Si Neil est conduit auprès de Théo, il nous sera plus aisé de le repérer dans la bâtisse grâce à une localisation en 3D que je lancerai alors. Et, à défaut de l'image, nous bénéficierons également du son.

— D'Ascoyne est actuellement sur son île ? demanda Zacharie.

— Oui, et elle n'est pas seule. Elle organise ce soir son bal costumé annuel. Il y aura, vers minuit, plus de trois cents grands noms de la finance venus de tout le globe. Je pense que Mathieu n'a pas choisi la date au hasard pour lancer son krach. Il voulait que tout ce beau monde observe, ensemble, l'Europe s'écrouler en plein milieu de la nuit avant que la lame de fond ne déferle sur les États-Unis.

Mathilde se plaça dans le champ de la caméra et apparut dès lors sur la tablette.

— Recherche terminée. Rien d'exploitable, un bruit de coup de poing, peut-être, vers 22 h 24 – heure de New York –, puis des sons divers et variés mais rien de consistant. Ou Neil est vraiment bâillonné ou il s'est forcé à rester muet durant tout le trajet.

— Ça ne nous renseigne absolument pas sur son innocence ou sa culpabilité, conclut Zacharie. On fonce ? On prend un hélico et on se rend sur l'île ?

— Et tu veux aussi que je passe un coup de téléphone à d'Ascoyne pour qu'elle nous mette un magnum au frais ? s'énerva Mandragore. On va privilégier la manière douce, la vie de Théo est en jeu. Et puisque, avec la balise GPS de Neil, on va jouer sur du velours, autant en profiter. Le seul souci va être de montrer patte blanche avant d'embarquer pour l'île. Il y a un bateau privé qui effectue la liaison toute la nuit sur présentation des invitations et, bien entendu, après avoir vérifié les noms des invités.

— Un tout petit problème en effet, ironisa Zacharie. On ne peut pas faire de fausses invitations, tout simplement, en piratant la liste des invités ?

— Et si les personnes dont vous prendrez l'identité sont déjà arrivées sur l'île ? Mais avec de l'imagination, on parvient à tout. J'ai repéré sur la liste des invités deux financiers de San Francisco dont un voyage avec son épouse : Ewan Blackshore, et Brad et Emma Winter. Les trois énergumènes ont affrété un jet privé qui doit les déposer à La Guardia à 23 h 25, selon la tour de contrôle de l'aéroport. La Guardia-North Brother Island, c'est un coup de cinq minutes en hélicoptère…

— Tu veux qu'on les intercepte ?

— Certainement pas. D'ailleurs, leur vol vient de subir un léger contretemps. Une bête alerte à la bombe. Il m'a suffi de passer un simple appel à la tour de contrôle de La Guardia. Ils vont atterrir d'urgence à Teterboro, dans le New Jersey. Avec les formalités qu'ils devront accomplir, ça nous laisse largement le temps d'usurper leur identité et de pénétrer sur l'île.

— J'ai pas trop la gueule d'un financier de San Francisco, constata Zacharie.

— N'oublie pas que c'est un bal costumé. D'ailleurs, les déguisements ne vont pas tarder. Trois costumes vénitiens, dont un de docteur de la peste, avec le long nez blanc… Je sais, ce n'est pas très original, mais je n'ai pas eu le temps de feuilleter les catalogues. Une fois sur l'île, on risque d'arriver en plein milieu des explications. Peut-être d'Ascoyne aura-t-elle déjà désactivé l'algorithme. Il faudra alors s'assurer de sa destruction afin qu'il ne tombe pas entre des mains malintentionnées, et, surtout, délivrer le petit Théo. Ilsa, tu te sens d'attaque ?

— Qu'en dit ton système de surveillance ? répliqua l'adolescente.

— Que tout va pour le mieux.

— Alors on fonce.

Les trois acolytes firent vite leurs sacs à dos, empochant chacun par la même occasion un pistolet Glock 17 qu'ils trouvèrent dans l'armurerie de l'appartement. Puis ils se répartirent les rôles.

Zacharie devait aller louer la voiture à Penn Station, une des grandes gares new-yorkaises située à trois cents mètres de leur repaire ; Ilsa irait imprimer les cartons d'invitation dans un drugstore du coin ouvert jour et nuit, et Émile attendrait la livraison express des costumes vénitiens. Celui-ci profita de ce temps mort pour fourrer dans son sac à dos les pages manuscrites du journal de Mathieu, laissées à l'abandon. Nul doute qu'elles rejoindraient les archives secrètes des Effacés dans un futur très proche.

Ils partirent à l'instant même où le dispositif de surveillance de Neil émettait la première parole audible depuis bientôt une heure. Une voix, que Mandragore identifia comme celle de Mayenne d'Ascoyne, s'adressait à Neil, avec chaleur, pour le féliciter.

LUNDI, 0 H 55, HEURE DE NEW YORK CITY (LUNDI, 6 H 55, HEURE DE PARIS) THE MARY MANSION, NORTH BROTHER ISLAND, NEW YORK CITY

H-2

Le subterfuge fonctionna parfaitement.

Sous leurs splendides costumes vénitiens, et de fausses identités – mais cela, ils en avaient l'habitude –, Ilsa, Émile et Zacharie débarquèrent sur l'île sans la moindre difficulté. Le lieu, particulièrement lugubre malgré les éclairages de fête, leur donna des frissons. Ils firent leur entrée dans l'ancien hôpital tandis que, sur la piste de danse, des couples improbables tournaient au son d'une valse de Strauss.

Ce n'était pas vraiment la même ambiance que dans la villa Stavroguine à Saint-Tropez !

Ils n'eurent pas l'honneur d'être accueillis en personne par la maîtresse de maison.

Mandragore les contacta dès leur arrivée dans le hall. À partir de maintenant, il s'adresserait à tous les trois indifféremment, via l'oreillette interne.

« Neil se trouve bien dans le bureau de d'Ascoyne en compagnie de Betty, de Mathieu, et d'un troisième personnage, un homme, que je n'arrive pas à identifier. Théo n'est pas présent, je répète, Théo n'est pas présent. Mathilde a procédé à une reconstitution en 3D de l'ancien hôpital afin de pouvoir vous guider dans les couloirs. Je la laisse vous expliquer. »

L'Effacée prit aussitôt la parole. Elle s'était montrée d'un soutien sans faille depuis le début de cette mission pour le moins intense.

« Si j'en crois la position du signal GPS de Neil, il se trouve actuellement non loin du centre exact du bâtiment. Je ne peux pas le situer dans l'espace et je n'ai pas la certitude de l'étage où il se trouve, mais en regardant attentivement le plan, j'opterais pour le troisième et dernier étage. Neil se trouverait dans un ancien dortoir que la banquière aurait transformé en bureau de belle taille. »

Les intrus proposèrent alors de partir aussitôt à la recherche de ce bureau et Mathilde offrit de les guider pendant leur ascension.

Au fond, il n'y avait rien d'incongru à voir déambuler des invités dans les étages. La plupart passeraient la nuit ici. Ils en croisèrent d'ailleurs un certain nombre qu'ils saluèrent d'un hochement de tête entendu, comme le veut la coutume dans tout bal costumé qui se respecte.

« À droite. »

« À gauche. »

« L'escalier droit devant. »

« Non, rebroussez chemin, il faut passer la porte. L'escalier est dissimulé ici. »

Mais les chambres occupaient les deux premiers étages, et monter les escaliers qui menaient au troisième pouvait bien évidemment attirer l'attention. Là, il faudrait redoubler de vigilance. Et impossible pour eux de se séparer pour éviter de se faire prendre tous ensemble, car Mathilde serait alors dans l'impossibilité de suivre trois progressions différentes dans cet enchevêtrement de pièces et de couloirs.

Après un escalier aux magnifiques marches de marbre blanc et noir, ils se trouvèrent enfin à quelques pas seulement du bureau.

Sur l'écran de Mathilde, les quatre balises des Effacés étaient, à peu de chose près, réunis.

— Et si on cherchait Théo avant tout ? murmura Ilsa. C'est là notre principale mission. Il ne doit pas être loin...

— Non, trop risqué, répliqua le géant blond. Il vaut mieux...

Mais ils cessèrent immédiatement leurs chuchotements lorsque de grosses mains les plaquèrent contre les murs du couloir et leur arrachèrent violemment leurs masques vénitiens. Trois vigiles avaient fini par repérer leur petit manège.

La porte du bureau de d'Ascoyne s'ouvrit à la volée. Une femme aux cheveux peroxydés et vêtue d'un costume croisé rayé apparut sur le seuil.

— Ah, rentrez, mes amis, il ne manquait plus que vous ! Nous nous apprêtions justement à passer aux choses sérieuses.

Ilsa, découvrant Neil, le dévisagea, mais il était difficile de lire un quelconque sentiment sur le visage de l'adolescent. Il ne laissait toujours rien percer de son jeu.

Le bureau de d'Ascoyne était en effet une pièce immense, mais la table de travail en elle-même, derrière laquelle elle vint s'asseoir, était plutôt petite. Un écran plat gigantesque y était posé, ainsi qu'un boîtier de reconnaissance digitale. Le tout était éclairé par plusieurs néons blancs. Sur la droite du bureau, un immense miroir s'étalait sur presque toute la largeur de la pièce.

Sous la table, un appareil ressemblant à un petit congélateur ronronnait.

L'homme que Mandragore n'était pas parvenu à identifier était assez grand et totalement chauve. On l'aurait cru déguisé en vieux majordome anglais, dans la plus pure tradition du genre, avec redingote et chemise à jabot blanche. En fait, il devait s'agir du véritable majordome de d'Ascoyne, un Anglais pur jus, qui se chargea de fouiller au corps les trois nouveaux arrivants. Il ne trouva rien mais il confisqua les sacs à dos et les fouilla – il y trouva des armes.

Alors, sans éprouver la moindre gêne, la banquière ouvrit l'espèce de congélateur, en sortir les quatre doigts, s'empara de chacun d'eux, et, délicatement, les appliqua l'un après l'autre sur le lecteur d'empreintes digitales. À chaque reconnaissance, un carré vert basique, très sobre, presque d'un autre âge, apparaissait à l'écran.

— Le moment tant attendu, susurra-t-elle. Je connais quelqu'un, de l'autre côté de l'Atlantique, qui pourra bientôt sabrer le champagne pour le petit-déjeuner…

— Si tu fais référence à Hennebeau, il ne boit pas une goutte d'alcool, cracha Mathieu.

Sa voix était devenue légèrement nasillarde du fait de son nez cassé.

— Il est 7 h 30 à Paris, mon cher Mathieu, continua d'Ascoyne en regardant sa montre. Nous sommes en avance d'une heure et demie sur le programme. Il n'y a bien que dans les films que les comptes à rebours s'arrêtent très précisément sur la dernière seconde de la dernière minute. Mais tu souris ?

En effet, Mathieu souriait. Un sourire franc et massif, dont il avait le secret mais dont il n'usait que trop rarement.

— C'est que tu me fais rire, Mayenne, avec ton costume de gangster. Tu es ridicule. Et puis, tu n'avais pas besoin de te déguiser pour ça. Il faut dire qu'à l'époque les gangsters dans ton genre étaient encore pourchassés… Maintenant, ils sont acclamés. Où est Théo ?

— Après avoir passé ton doigt, petit impatient.

Elle détenait les cinq. Enfin ! Après toutes ces péripéties, après l'erreur ridicule du sixième doigt de Marc, du travail d'amateur, le moment de stress d'un commando pourtant surentraîné… Tout ceci était de l'histoire ancienne. Mais, décidément, elle se sentait d'humeur badine depuis une petite heure. Il faut dire aussi que le spectacle donné par le Cirque du Soleil avait été prodigieux et les dix minutes de rappel des artistes lui étaient allées droit au cœur. Et puis elle revoyait Mathieu, enfin. L'homme était devant elle, en chair et en os. Rien qu'à elle.

— Moi, je ne me contente pas de ralentir l'apocalypse comme certains… reprit-elle en adressant un regard plein de mépris aux Effacés. Je l'annule ! Je la renverse ! Je sauve le monde !

Mathieu se résolut alors à poser son doigt sur le lecteur. Il s'était fait à l'idée de reporter son gigantesque krach. Il souhaitait refaire le monde pour Théo… Quel intérêt de refaire un monde sans Théo ? Rien n'était perdu. Ce qu'on ne pouvait réaliser aujourd'hui, on le réalisera demain.

Il posa son majeur sur le lecteur.

Enfin.

Le cinquième carré apparut à l'écran, puis, un par un, les carrés verts se transformèrent en carrés rouges, puis le mot « ABORT » se mit à clignoter.

C'était tout.

Voilà. Une simple manipulation informatique, l'aboutissement de plus de quarante-huit heures d'angoisse !

Les Effacés avaient réussi là la première partie de leur mission, avec l'aide de la banquière.

Mais demeuraient encore deux prouesses à accomplir : libérer Théo. Et, comme le craignait Mandragore, empêcher que d'Ascoyne s'empare de l'algorithme à des fins personnelles.

D'Ascoyne laissa la joie envahir son visage. Ses yeux et ses lèvres brillaient de mille feux, comme des soleils.

— Il te reste un dernier service à me rendre pour que je sois parfaitement heureuse.

— Tu sais bien que ça n'a jamais été mon but, bien au contraire, répliqua l'ancien trader.

— Je voudrais que tu m'aides à copier l'algorithme dans le système de trading de Silverman Brothers.

— Ce n'était pas prévu dans le contrat, railla-t-il.

— Tu n'es absolument pas en position de négocier. Il te suffit pour cela de taper le code qui protège la suite originelle de l'ensemble, le point de départ trouvé par ton petit génie…

Il tardait aux Effacés d'agir. Mais le moment allait se présenter, ils en étaient persuadés.

La voix d'Anouar se mit à résonner dans les quatre oreillettes. Mandragore avait rebranché celle de Neil. Il prenait là un risque considérable : si l'adolescent était vraiment complice de la femme d'affaires et de Betty, ils perdraient une occasion de vaincre. Mais l'ancien médecin n'y croyait guère.

« C'est risqué. D'Ascoyne l'ignore sûrement mais l'algo sera très vulnérable pendant cette opération. Dès que Mathieu va taper son code, la copie va commencer. Si ça arrive à terme, on est foutus, d'Ascoyne aura gagné, on aura perdu le contrôle. Je sais que l'expression "maître du monde" ne veut plus dire grand-chose, mais là, on s'en approchera. »

Il voulait leur ruiner le moral ou quoi ? Mathieu tergiversait à propos du code secret. Mais il finirait une fois encore par céder. Il voulait récupérer son fils, un point c'est tout.

« Par contre, si ça échoue, si l'ordinateur plante pendant la copie, l'algo sera coupé en deux et sera détruit, perdu à jamais. Je vais suivre la copie depuis l'ordinateur de Nicolas – j'ai gardé mes codes d'accès – et je vous dirai le moment optimal pour agir et foutre en l'air d'Ascoyne. Le mieux serait de débrancher l'unité centrale, de la priver d'électricité. »

Mathieu s'avança, l'air dur, et tapa un code à quatre chiffres sur le clavier situé devant d'Ascoyne.

Alors, la banquière se décida. Elle passa un bref coup de téléphone avec son portable, tout en s'assurant à l'écran que la réplication se déroulait convenablement.

— Amenez le gamin ! dit-elle simplement.

Des chiffres défilaient à l'écran, par centaines, par milliers, quand soudain trois nombres apparurent, plus gros que les autres, moins fugitifs aussi. 666.

« Maintenant ! » hurla Anouar.

Neil était le plus près. Lui aussi entendit le signal. Il n'hésita pas un seul instant.

Il s'élança et d'Ascoyne comprit immédiatement les intentions de l'adolescent – un traître de plus. Elle se situait trop loin de l'action, aussi ordonna-t-elle à Archibald d'agir au plus vite :

— Arrêtez-le ! hurla-t-elle.

Le majordome sauta sur l'Effacé et le précipita à terre. Il faisait montre d'une force impressionnante pour un homme de son âge. Il luttait âprement et, à chaque fois que les doigts de Neil parvenaient à s'approcher du cordon d'alimentation de l'unité centrale, il les repoussait d'un geste violent.

La banquière hurla cette fois à l'intention de Betty :

— Stoppe-le ! Stoppe ce gamin ! Il t'a trahie aussi bien que moi ! Il va nous détruire !

Betty pointa le canon d'une arme sur les deux hommes à terre.

Émile, Ilsa et Zacharie ne furent pas aussi prompts. Ils restèrent pétrifiés.

À cet instant, il était impossible à quiconque dans la pièce de savoir si Betty visait Neil ou bien Archibald. Elle-même le savait-elle ?

Betty pressa la détente.

(45)

LUNDI, 1 H 45, HEURE DE NEW YORK CITY (LUNDI, 7 H 45, HEURE DE PARIS) THE MARY MANSION, NORTH BROTHER ISLAND, NEW YORK CITY

Le majordome entendit le coup de revolver, puis, immédiatement, ressentit une brûlure mordante au coude droit. Il desserra son étreinte autour de Neil et roula sur le tapis, en laissant échapper un râle de douleur.

À cet instant précis, Zacharie débrancha le cordon d'alimentation, l'écran s'éteignit dans un grand « plop » et les milliers d'instructions qui défilaient à l'écran disparurent aussitôt. L'algorithme le plus complexe et le plus efficace de l'histoire de la finance venait de dicter ses dernières instructions. Il n'était plus.

En pleine vallée de Chevreuse, à quelque six mille kilomètres de North Brother Island, Anouar ne put s'empêcher d'esquisser une moue de tristesse. Mandragore cria de joie à cet instant. Lui habituellement si retenu ne put réprimer son allégresse, quelque peu incongrue.

Alors, Théo entra dans le bureau de la banquière, escorté par un homme qui se retira aussitôt.

D'Ascoyne fulminait.

Tout s'accéléra après l'entrée en scène du petit garçon. Mathieu allait se précipiter vers son fils, qui, quand il s'aperçut de la présence de son père, tendit les bras vers lui dans l'attente de se serrer enfin tout contre lui.

Mais l'ancien trader stoppa net sa course à mi-distance. Il avait remarqué un bleu situé sous l'œil gauche de son enfant. Un coquard.

— Tu l'as battu, hurla-t-il.

Il se tourna vers d'Ascoyne, grimaçant.

— Tu l'as battu, Mayenne. Tu n'aurais pas dû.

Il fit un bond de côté et s'empara du sac à dos d'Ilsa qu'Archibald avait posé à l'écart. Il trouva ce pistolet dont il avait repéré l'éclat auparavant.

— Tu n'aurais pas dû, Mayenne, tu vas le payer !

Mathieu, terrassé par la tension du moment, perdait la maîtrise de ses nerfs.

La femme d'affaires devint livide.

— Non, non, mon chéri, mon amour, non…

Le coup de feu partit.

Mais, au dernier instant, Ilsa avait poussé le bras de Mathieu, déviant la trajectoire de la balle sur la main d'Ascoyne qui hurla. La balle avait fracassé le grand miroir qui s'avérait être sans tain. Derrière, dans la pièce voisine, un homme d'une maigreur inouïe observait la scène. Il fuit aussitôt, sans que personne lui prête attention.

Un bruit d'hélicoptère approchait et les lumières rouges et bleues d'un gyrophare se reflétèrent sur les murs du bureau. Le premier coup de feu, celui tiré par Betty sur le majordome, avait certainement alerté des convives qui avaient appelé la police. Celle-ci n'avait pas tardé. L'île était considérée comme une zone particulièrement sensible de par sa proximité avec la prison de Rikers Island.

Lorsque les deux premiers officiers du NYPD débarquèrent dans la pièce, l'arme au poing, ils virent Ilsa et Mathieu autour du pistolet. Puis Archibald, étendu à terre, et Mayenne d'Ascoyne, la célèbre banquière, qui pleurait, agenouillée contre son bureau. Sa main dégoulinait de sang.

Ils passèrent les menottes à Ilsa et Mathieu. Dans un coin, Théo sanglotait, son visage enfoui contre le cou de Neil, accroupi devant lui. Mathieu n'avait même pas eu la possibilité de serrer son enfant un seul instant contre lui.

— C'est une méprise, dit l'ancien trader en anglais, en désignant Ilsa. Cette jeune femme n'y est pour rien.

Mais les policiers ne voulurent rien savoir. Ils emmenaient tous les occupants de la pièce dont Betty, qui, totalement décontenancée, avait conservé son arme à la main. Une équipe médicale avait également été appelée en urgence pour d'Ascoyne et son majordome.

Mathieu, avant de quitter les lieux, profita de l'arrivée des secours pour s'approcher de Neil et de Zacharie – qui tentait d'adresser une caresse de réconfort à Ilsa –, et s'adressa à eux discrètement :

— Allez voir Marie-Ange Mouret de ma part, elle est à Washington.

— Mouret... balbutia Neil. Mais...

— Allez la voir de ma part avant qu'elle ne regagne la France. Dites-lui de joindre la Maison Blanche, de parler au président, à Rick Blaine en personne, pour qu'on nous relâche. Elle en a le pouvoir, elle me doit bien ça. Et elle aidera Ilsa aussi... Mouret, vite...

Neil et Zacharie n'apprirent rien de plus. Cette fois, on emmenait Ilsa et Mathieu pour de bon.

La partie était gagnée.

Mais à quel prix...

(46)

LUNDI, 3 H 10, HEURE DE NEW YORK CITY
(LUNDI, 9 H 10, HEURE DE PARIS)
JFK AIRPORT, NEW YORK CITY

Après un court passage au poste de police, Zacharie, Neil et Émile furent relâchés. Ilsa, Mathieu et Betty étaient toujours en détention. Il n'y avait donc pas une seconde à perdre.

Zacharie avait pris place aux commandes du *Faria*, Neil se trouvait à ses côtés. À Paris, la Bourse venait d'ouvrir, les transactions avaient commencé depuis dix minutes à peine. Neil jeta un coup d'œil sur sa tablette. L'indice CAC 40, représentant les quarante plus importantes valeurs françaises, gagnait 2,3 %. Le DAX 30, l'indice allemand, s'octroyait 1,7 %. Quant au Nikkei, l'indice japonais, et malgré une étonnante vente massive de dollars contre des yens à l'ouverture du marché, il avait toutefois fini sur un gain, certes modeste, de 0,4 %.

Le monde allait continuer, comme avant, sa course folle.

Émile, lui, était resté à New York pour suivre Ilsa de près et obtenir une visite le plus rapidement possible lorsque le juge lui octroierait cette possibilité. Aux dernières nouvelles, elle devait comparaître pour tentative de meurtre devant la Cour criminelle du Bronx, dont dépendait North Brother Island où s'étaient déroulés les faits. Son innocence ne faisait aucun doute, mais encore fallait-il la prouver. Ilsa risquait jusqu'à sept ans de prison alors qu'elle n'avait absolument pas tiré la balle qui avait blessé d'Ascoyne.

Le comble, même, était qu'elle l'avait déviée de sa trajectoire dangereuse. Et les faux papiers d'identité de l'adolescente, faisant d'elle une personne majeure, qui plus est, allaient-ils résister au puissant rouleau compresseur de la justice ? Et si le juge ordonnait une enquête en France ? Où aboutirait-elle puisque Ilsa n'existait plus ? Il fallait faire vite, la libérer à tout prix avant que des photos d'elle ne fleurissent dans la presse, avant que des journalistes ne s'emparent de cette histoire...

Mathieu leur avait donné une piste. Une sérieuse piste en la personne de Marie-Ange Mouret. Une aide précieuse.

Pourtant Mandragore se montrait très réticent à cette idée.

— C'est un personnage politique, vous ne tirerez rien de bon d'elle, elle ne voudra jamais se mouiller... D'ailleurs, son service d'ordre ne vous laissera pas l'approcher.

Mais les deux Effacés avaient insisté. Mathieu avait été clair à son sujet : elle avait comme une dette à son égard et ne refuserait pas d'évoquer cette affaire devant les plus hautes autorités de Washington.

— Ça vaut au moins le coup d'essayer, avait conclu Zacharie.

C'est pourquoi, contre l'avis de Mandragore, Zacharie et Neil s'apprêtaient à engloutir à très grande vitesse les trois cent trente kilomètres qui séparaient New York et Washington DC.

Neil profita du vol pour donner sa version des faits à propos de Betty, qui allait comparaître elle aussi devant le tribunal pour son coup de feu sur Archibald, dont les jours n'étaient cependant pas en danger.

— Betty m'avait confié ses liens forcés avec d'Ascoyne quand on a passé la nuit ensemble dans la petite crique.

— Et tu ne nous as rien dit ? s'étonna le géant blond.

— Non, parce que j'ai réussi à la raisonner et je lui ai fait jurer que, le moment venu, elle devrait se ranger de notre côté plutôt que de celui de d'Ascoyne. Du côté de la justice, quoi. Ça ne servait donc à rien de griller sa couverture. D'Ascoyne devait toujours la croire de son côté, ça nous a donné accès à son île et j'ai servi de GPS pour l'occasion. On aurait été foutus sur cette île en opération commando, avec Mathieu, en plus, un peu borderline à cause du rapt de Théo...

— Et dire qu'Émile a cru, un instant, que tu avais rejoint le camp de Betty par amour...

— Alors que c'est plutôt l'inverse qui s'est produit !

Le ciel devant eux était noir. La nuit, toujours... Ils avaient hâte que le soleil se lève enfin.

— Et pourquoi tu as frappé Mathieu lors de son faux enlèvement ? Pourquoi vous ne l'avez pas mis dans la confidence, tout simplement ?

Neil haussa les épaules, empruntant ce tic à son compagnon de voyage.

— Je l'ai frappé pour que d'Ascoyne ne se doute de rien. Et on ne l'a pas mis dans la confidence parce qu'il y avait des risques qu'il nous trahisse devant la banquière. Et puis on avait tous intérêt à ce qu'il scanne son doigt pour éviter le krach. Il valait mieux lui laisser croire qu'il se trouvait seul parmi ses ennemis. Et puis vous êtes arrivés... Mais avoue que toi aussi, à un moment, tu m'as pris pour un méchant.

Zacharie ne répondit pas.

— En tout cas, mon pote, je te dois une fière chandelle pour avoir sauvé Ilsa à Central Park...

Ils se donnèrent une accolade.

— Ouais, moi aussi, tu vois, je crois que je suis amoureux, confia Neil. Un truc de dingue, elle a quand même huit ans de plus que moi, Betty, mais ça ne se commande pas, ce genre de trucs. Si Mouret pouvait aussi agir en sa faveur, ça me dirait bien de la retrouver vite.

Neil repensa à cet instant au premier baiser échangé avec Betty et à la voix de Mandragore, cette petite voix qui s'était alors insinuée dans sa tête, gâchant une partie de son plaisir.

— Tu en penses quoi, toi, sincèrement, du mouchard que Nicolas nous a planté dans le cerveau ?

— Je pense d'abord que Nicolas nous écoute certainement en ce moment. Ou que ces enregistreurs numériques inscrivent notre conversation sur ses serveurs.

— Tu as peur de ça ?

Zacharie haussa les épaules.

— Non. Je te l'ai déjà dit. Moi, ce dispositif, je n'y pense plus. Il t'a sauvé la vie une fois, elle me la sauvera peut-être lors de la prochaine mission.

Neil haussa le ton, s'emportant presque :

— Mais il viole aussi notre intimité avec ça ! Comment tu fais pour t'aménager des moments cool avec Ilsa ? Tu y arrives ?

Zacharie ne répondit pas immédiatement. Il vérifia un cadran sur le tableau de bord, se saisit de la feuille de route et inscrivit deux annotations avec un feutre noir. Puis il regarda Neil, intensément. Il le fixa de ses grands yeux noirs et, avec son feutre, il écrivit au dos de la feuille de route :

Pas facile. On ruse.

Neil acquiesça. Zacharie souhaitait continuer cette conversation par écrit. Pour expliquer leur silence, Neil lâcha un « Laisse tomber ! » Puis il griffonna à son tour :

Il faudra évoquer le sujet avec lui à notre retour.

Il bottera en touche.

On insistera.

Puis Neil ajouta :

On demandera à pouvoir arrêter la transmission pour quelques instants.

Zacharie le regarda à nouveau. Ses yeux se voilèrent, sa main trembla en inscrivant ces quelques mots :

Il me fait peur.

Neil posa une main sur l'épaule de son compagnon pour le réconforter. Ce geste sembla rasséréner le géant blond.

Ton accident, c'est ça ? inscrivit Neil. *C'est ce que tu as vu quand tu étais dans le coma. Le futur, Mandragore... Qui est-il vraiment ?*

Zacharie détourna son regard.

Tu le sais ? griffonna Neil, en collant la feuille devant le visage. Il reprit : *Tu as obtenu la réponse lors de ton coma ?*

Mais son ami ne souhaitait plus rien écrire, rien partager. Il se replongea dans l'étude des instruments de bord pour se donner une contenance.

Zacharie et Neil pensèrent au même instant qu'il y aurait bien des questions à éclaircir, au moment de tirer le bilan de cette deuxième mission. Qu'en était-il de ces lettres de la mère de Mathilde retrouvées dans la maison de Valéria Hennebeau ? Et cette photo intime du père de Zacharie ? Quels liens pouvait-il bien y avoir entre tout cela ? D'autant que l'accident de voiture dont la première dame fut la victime figurait déjà au dossier que la mère de Neil avait enfermé dans un coffre sur l'île de Guernesey... Trois Effacés en lien avec Valéria Hennebeau ?

Neil ressassait, tournait dans tous les sens ces questions autour du jeu réel de Mandragore. Voulait-il vraiment éviter le krach pour éviter le désastre ou cachait-il, une fois de plus, son jeu ? Décidément, ce personnage aurait pu se prénommer Janus. Neil ne pouvait pas s'empêcher de l'admirer pour son omniscience, son intelligence et sa maîtrise de soi. Neil apprenait beaucoup à son contact. Mais qui était réellement leur mentor ? Qu'avait pu voir Zacharie lors de son coma ? Mandragore agissait-il seul ou bien pour le compte de quelqu'un en particulier ? Était-il de mèche avec l'auriculaire, la compagne de Mathieu, d'où cette insistance à ne pas chercher à qui appartenait ce cinquième doigt ? Mais pourquoi ? Pour préserver la fortune de cette femme ? Mandragore était-il lui aussi… amoureux ? La vérité s'avérerait très certainement moins rose. Neil comptait bien provoquer une explication sérieuse une fois de retour dans la villa. Les Effacés avaient beau chercher l'ombre, il estimait qu'entre eux toute obscurité devait être proscrite.

Les Effacés n'eurent pas assez du court vol entre les deux villes pour dresser la liste de ces mystères qui s'ajoutaient à ceux glanés au cours de leur première mission.

Mais viendrait un temps, prochain, où ils dénoueraient tout cela.

Et Mandragore serait alors bien obligé de s'expliquer.

(47)

LUNDI, 9 H 50, VILLA DE NICOLAS MANDRAGORE, VALLÉE DE CHEVREUSE (LUNDI, 3 H 50, HEURE DE WASHINGTON DC)

Nicolas Mandragore s'était échappé de son bureau pour quelques instants. Trois minutes, cinq peut-être, sous le soleil du printemps, avant de regagner son antre, dans les tréfonds de sa villa. Une douce chaleur amollissait le jardin de rocailles, tandis que les arbres, des résineux pour la plupart, resplendissaient de leurs vives couleurs. Des pollens odorants voletaient tout autour. Dans un grand sapin décharné, devant lui, un loriot chantait. Le monde avait évité la catastrophe et lui, Nicolas Mandragore, avait tout suivi du dénouement. Il en avait été le maître d'œuvre à des milliers de kilomètres de distance. La deuxième opération de ses Effacés était un succès. Pourtant, il demeurait plusieurs éléments contrariants.

Cinq minutes à l'air libre, pas une de plus. Il restait tant à faire. D'abord trouver un avocat pour Ilsa, afin qu'elle soit rapidement libérée. Il devrait également travailler le background de la fausse identité de l'adolescente afin qu'il apparaisse comme insoupçonnable aux autorités judiciaires américaines. Puis il devait la prévenir que Neil et Zacharie volaient de nuit vers elle. Il devait la convaincre de ne pas les recevoir puisqu'il n'avait pas réussi à les dissuader de tenter leur chance auprès d'elle.

Nicolas Mandragore sortit un paquet de cigarettes fripé et en alluma une à l'aide d'une allumette. Au bout de la troisième, il parvint à contenir le tremblement de ses mains pour obtenir une flamme.

À cet instant, son téléphone portable se mit à vibrer.

C'était elle. Les grands esprits se rencontraient toujours. Inéluctablement. Il décrocha.

— Nicolas ? On m'a dit que tout était rentré dans l'ordre.

— C'est exact, Marie-Ange, murmura Mandragore.

L'ancien médecin tira une longue bouffée avant de poursuivre. Ses mains s'étaient remises à trembler.

— À quelques exceptions près. Mais j'ai la situation sous contrôle.

— Comme toujours... coupa la candidate à l'élection présidentielle de sa voix suave, où ne perçait pas la moindre trace de fatigue alors qu'on était au milieu de la nuit de l'autre côté de l'Atlantique.

— Je dois vous informer que deux Effacés volent vers vous à l'heure qu'il est.

Il y eut un silence presque parfait. Même l'oiseau s'était arrêté de siffler.

— Lesquels ? demanda Mouret.

— Neil et Zacharie. Mathieu leur a conseillé de venir vous trouver pour obtenir sa libération ainsi que celle d'Ilsa et de Betty.

— Je ne bougerai pas le petit doigt, répliqua-t-elle d'un ton sec.

— Je le sais. Je n'ai pas pu les empêcher de partir. Il ne faut pas les recevoir, Marie-Ange. Donnez des consignes en ce sens à votre équipe chargée de la sécurité. Cela a été suffisamment pénible de leur cacher votre rôle depuis le démarrage de notre opération.

— Vous leur avez donc caché cela ? Ils ne savent rien de mon implication ? De mon lien avec Mathieu ? Ils ignorent avoir œuvré pour moi depuis le début de l'opération ?

— Rien. Je leur ai dissimulé ça. Et d'autres éléments. J'ai mes faiblesses, vous le savez. Tout n'est pas aussi simple que dans le camp d'en face. Mes Effacés ne sont pas de vulgaires barbouzes sans scrupules. Si je leur disais la vérité, maintenant, je ne suis pas certain qu'ils continueraient. Je les ménage. Je ne suis pas Destin.

— Comme je ne suis pas Hennebeau, rétorqua la candidate.

Nicolas termina sa cigarette. Il écrasa le mégot encore brûlant entre son pouce et son index en kevlar puis l'enfouit dans une des poches de son jean. Ne surtout pas laisser de trace. Il fit un pas sur la terrasse et s'arrêta à quelques centimètres de la piscine.

— Vous avez entendu Hennebeau, à Valenciennes. Il a resservi l'histoire du métro... Son engagement en politique... Le clochard... Cette histoire infâme...

— Oui, j'ai entendu. Ne perdez pas de vue notre but commun, Nicolas. Gardez le cap. Cet homme est prêt à tout pour conserver le pouvoir, à tous les coups bas, tous les mensonges et les compromissions. Mais vous détenez l'arme suprême, Nicolas, avec vos cinq gosses... Et grâce à votre action de ces dernières heures, vous avez fait de moi une candidate riche. Nous allons pouvoir ainsi rivaliser avec lui. Et nous aurons sa peau. En campagne électorale, l'argent est le nerf de la guerre, bien avant les idées. Et l'origine de cet argent apporté par l'algorithme est parfaitement indécelable à présent que vos ouailles l'ont détruit. Anouar devait être triste, Nicolas, n'est-ce pas ?

Dans un réflexe, Mandragore se tourna vers la fenêtre derrière lui, au premier étage, cette chambre où il avait justement installé le jeune surdoué. Et il la vit... ouverte ! Son pouls s'accéléra. L'était-elle lors de son arrivée ? Ouverte ! Et si Anouar, qui s'était retiré en même temps que lui du dôme, avait entendu tout ou partie de cette conversation ?

Il réfléchit, se remémora ses paroles, tentant déjà de trouver une riposte si le garçon venait lui en parler tout à l'heure.

Mandragore s'éloigna de la fenêtre, et ce silence forcé permit à Mouret de reprendre la conversation :

— Et Ilsa ? Vous m'avez écrit qu'elle s'était évanouie dans Central Park. Elle va mieux ?

— Oui. Elle a bien récupéré. Mais j'ai bien peur que ce soit le début d'une longue série de malaises.

— C'est elle qui a toujours une balle dans le crâne ? La balle qui aurait dû la tuer ? C'est elle ou c'est Mathilde ?

— C'est bien elle. Mais ses malaises ont une autre cause...

Cause dont Mandragore ne souhaitait absolument pas discuter à cet instant. D'ailleurs, un bref coup d'œil à sa montre lui indiqua que l'interlude était terminé.

— Je vais être obligé de vous laisser, Marie-Ange. J'ai d'autres sujets sur le feu.

Mouret lui assura qu'elle ferait son possible pour éviter la rencontre avec Neil et Zacharie.

— Mais s'ils sont aussi futés que vous le dites, ils parviendront jusqu'à moi. Bah ! S'ils apprennent mes liens avec Mathieu, Nicolas, ce n'est pas dramatique.

— Ils pourraient alors remonter jusqu'à moi.

— Un jour ou l'autre, il faudra bien la leur dire, la vérité. La vérité sur notre but. Le lien qui les unit...

— Je reste le maître du temps des Effacés, rétorqua l'ancien médecin, d'une voix rauque. Moi et moi seul.

Il raccrocha aussitôt, s'engouffrant par la porte-fenêtre dans le salon, direction le dôme.

Le jardin avait recouvré sa quiétude originelle. Le loriot chantait de plus belle à présent, comme un air de flûte, « di-de-lio », pour fêter le printemps revenu.

(48)

LUNDI, 6 H 55, HEURE DE WASHINGTON DC (LUNDI, 12 H 55, HEURE DE PARIS) HÔTEL *W*, WASHINGTON DC.

La lumière du jour, enfin.

La capitale fédérale des États-Unis s'éveillait et, déjà, des dizaines de grosses voitures aux vitres teintées conduisaient les hauts fonctionnaires à leurs bureaux. La Maison Blanche se trouvait à quelques centaines de mètres seulement, incluse dans cette étendue de verdure au cœur même de cette ville imposante.

Zacharie arrêta leur Toyota Prius devant l'entrée de l'hôtel *W*, situé tout près de la Maison Blanche, et donna pour ordre au voiturier de la tenir prête pour un départ rapide.

Ils n'allaient pas s'éterniser dans l'hôtel de la capitale fédérale où était descendue Marie-Ange Mouret. Ils allaient lui délivrer le message de Mathieu, puis prier pour que la présidente du Sénat défende promptement la cause d'Ilsa.

À la réception, on leur indiqua pourtant une fin de non-recevoir.

— Mme Mouret passe en direct à la télévision française dans cinq minutes maintenant.

— Elle se trouve à l'hôtel ? demanda Neil, qui ne comptait pas abdiquer.

— Nous avons aménagé le salon de sa suite Extreme Wow pour l'interview mais on nous a bien dit de filtrer...

Le renseignement leur convenait parfaitement. Ils suivirent les câbles provenant de l'antenne satellitaire située sur un camion garé devant l'établissement et qui allaient donc les mener à la suite de Marie-Ange Mouret, située dans un des angles de l'hôtel.

Deux vigiles portant des oreillettes – apparentes, celles-ci, les pauvres ou les chanceux – en gardaient l'entrée.

Les deux adolescents déclinèrent leurs fausses identités mais précisèrent bien qu'ils venaient de la part de Mathieu Viata. Cela n'eut pas l'air de faire grand effet et, après deux contrôles infructueux auprès de l'équipe de la candidate, l'accès à la suite leur était toujours refusé.

L'un d'eux devait se sacrifier. Le sort tomba sur Zacharie. Il descendit dans la salle du petit-déjeuner et remonta aussitôt, un couteau à la main, se plaçant en retrait de la porte de la suite, mais au milieu du couloir, dans le champ de vision des vigiles.

Alors il commença de scier consciencieusement un des câbles nécessaires à la transmission imminente de l'interview.

Comme un seul homme, les vigiles se ruèrent sur lui, lui intimant l'ordre d'arrêter immédiatement.

Neil bondit alors de sa cachette et poussa la porte laissée entrouverte pour faciliter les multiples allées et venues des techniciens. Une horloge digitale aux gros chiffres rouges égrenait les secondes qui les séparaient de la prise d'antenne. Neil reconnut un célèbre intervieweur français qui révisait ses fiches face à la caméra en attendant celle qui allait bientôt passer sous le feu de ses questions.

Il restait cinquante secondes et Marie-Ange Mouret, plus séduisante encore en réalité qu'à l'écran, terminait le discret exercice de sophrologie qu'elle exécutait avant chaque interview télévisée, pour se relaxer.

Devant l'urgence, personne ne prêta attention à Neil. Un script, un casque posé de guingois sur sa tête, comptait à rebours les secondes.

L'adolescent s'avança. Il devait faire vite, très vite.

Mais, arrivé devant elle, tandis qu'on poudrait avec application ses pommettes roses, un détail l'empêcha de prononcer le moindre mot.

La présidente du Sénat, candidate à la présidence de la République, n'avait pas encore enfilé ses longs gants noirs qui ne la quittaient jamais depuis le début de son voyage.

Instantanément, Neil comprit l'utilité de ces gants.

Et sut qu'il avait fait fausse route en incluant Mary, l'ex-compagne de Mathieu, dans cette machination.

Alors il clarifia la pensée de Pascal énoncée par Marc : « Qui veut faire l'ANGE fait la bête. »

Marie-Ange Mouret avait l'auriculaire droit parfaitement sectionné.

(49)

LUNDI, 8 H 25, HEURE DE NEW YORK CITY
(LUNDI, 14 H 25, HEURE DE PARIS)
BRONX CRIMINAL COURT, NEW YORK CITY

En attendant l'énoncé de son verdict, Ilsa, fatiguée comme jamais, se raccrochait aux dernières paroles de Mandragore à propos d'une intervention imminente en haut lieu afin d'obtenir sa libération. Elle se retenait à la barre pour ne pas vaciller et elle parvint à ne pas flancher car elle savait qu'Émile, dans la salle à cet instant, ne l'abandonnerait pas. Et qu'il la suivrait, où qu'elle aille. Malgré les apparences, elle n'était pas seule. Elle était toujours une Effacée.

Un brouhaha monta dans la salle du tribunal. Ilsa l'entendit avant même de réagir à la décision du juge. On ordonnait sa détention, pour quelques heures, quelques jours peut-être, en attendant son éventuelle libération sous caution.

Elle se laissa emmener entre deux policiers qui l'avaient accompagnée depuis son arrestation sur l'île, un homme et une femme, plutôt sympathiques. La femme venait de La Nouvelle-Orléans et lui avait même dit quelques mots en français.

Mais elle dut abandonner ses deux guides. On lui en octroya deux nouveaux, cette fois en tenue civile, ainsi qu'un avocat, un homme à la fine moustache relevée et qui s'exprimait en anglais avec un léger accent italien.

Ilsa était un peu perdue à l'idée de se retrouver derrière les barreaux. L'inconnu pour elle, pour une Effacée éprise de liberté. D'ailleurs qui allait-on mettre derrière les barreaux ? Quelle identité, déjà, avait-elle déclinée à la barre du tribunal ? Tout se mélangeait dans son esprit accablé.

Ils sortirent par l'arrière du bâtiment. Ilsa pesta intérieurement car Émile, au volant de sa voiture, devait l'attendre devant le tribunal.

Il tombait une petite bruine sur New York. Le temps était à la grisaille.

Elle s'assit à l'arrière d'un véhicule de police siglé du NYPD. Son avocat prit place à ses côtés. Il posa son attaché-case entre ses jambes. Il avait demandé, au nom de sa jeune cliente, qu'on ne lui repasse pas les menottes. Et les deux flics en civil avaient accepté.

Pourquoi Nicolas ne lui glissait-il pas un petit encouragement après cette cruelle décision ? Son silence était assourdissant.

Ilsa se laissa aller contre le repose-tête. Peut-être que tout cela n'était après tout qu'un grand et long cauchemar... Oui, elle allait se réveiller bientôt... Mais quand et où ?

— Je suis envoyé par Nicolas Mandragore, annonça l'avocat en français, après cinq bonnes minutes de route sur les artères encombrées du Bronx.

La voiture s'engageait alors à faible vitesse dans une petite rue bordée de part et d'autre de platanes. Une seule et unique voiture, une banale Chevrolet gris métallisé, s'y trouvait garée, un peu plus loin.

— Nous allons vite te sortir de là...

Ilsa se retourna vers lui, se forçant à lui sourire. Alors, tout n'était pas perdu ?

— Très vite, même, précisa-t-il en sortant un revolver terminé par un silencieux de son attaché-case.

Il fit feu à bout portant, et à deux reprises, visant la nuque des deux policiers.

Ilsa regardait la scène, pétrifiée, incapable de la moindre réaction. Le chauffeur et son compagnon s'étaient effondrés, tués sur le coup. La vitre du côté passager était mouchetée de sang.

Le faux avocat se pencha immédiatement en avant pour déplacer la jambe inerte du cadavre du conducteur et libérer l'accélérateur. La voiture ralentit d'elle-même, puis s'arrêta à l'endroit exact où se situait l'unique voiture en stationnement.

L'homme à la fine moustache ordonna à Ilsa de descendre et de prendre place à l'arrière de ce second véhicule.

— Et ne t'étonne pas de ne recevoir aucun appel de votre grand homme. Tant que je serai près de toi, le système de brouillage contenu dans mon attaché-case t'interdira toute communication avec Nicolas Mandragore.

Alessandro ricana, accoudé pour un bref instant à la portière du nouveau véhicule, malgré la pluie qui redoublait d'intensité.

— Puisque c'est ainsi qu'il se fait appeler, à présent.

Un homme d'une maigreur quasi surnaturelle, et portant des lunettes fumées, se trouvait au volant. Le tueur prit à nouveau place à côté d'Ilsa. La Chevrolet démarra aussitôt. Dominique Destin alluma les phares. L'orage couvait, l'obscurité naissait.

La voiture s'éloigna paisiblement.

Les feux arrière du véhicule se délayèrent sous les gouttes.

Pour devenir, au loin, de petits flocons.

Puis une lueur éphémère.

Puis plus rien.

Je pourrais moi dire toute ma haine. Je sais. Je le ferai plus tard s'ils ne reviennent pas. J'aime mieux raconter des histoires. J'en raconterai de telles qu'ils reviendront, exprès, des quatre coins du monde. Alors ce sera fini et je serai bien content.

Céline,
Mort à crédit (1936)

Découvre en exclusivité,
**LES EFFACÉS
OPÉRATION 0**
le chapitre bonus inédit
qui te révélera tout
sur l'effacement de Neil.

Retrouve aussi ce bonus
en version sonorisée
sur

www.TIXMEE.com

Mon nom est Nicolas Mandragore. Est-ce mon vrai nom ? Peu de gens sont capables de répondre à cette question. Et vous m'en voyez ravi. Auparavant, j'étais le directeur de l'Institut médico-légal de Paris. Depuis deux ans, personne ne sait où je me trouve, ni ce que je trame. Je me suis effacé.

Ce que j'aime par-dessus tout : la justice. Je veux punir l'impunité et projeter la lumière sur l'opacité. Je cherche à rendre le monde meilleur. Par tous les moyens. Peu importe ce que l'on pensera ou l'on dira de moi, si je viens à être démasqué… Quel sera le jugement de l'Histoire ? Les seuls devant lesquels je dois rendre des comptes se dénombrent sur les doigts de la main. Ilsa, Mathilde, Zacharie, Émile et maintenant Neil. Mes Effacés. Ils m'ont demandé la vérité sur l'effacement de Neil, sur sa préparation… Et j'ai décidé de la leur dire. En tout cas, une partie…

L'adolescent était debout près du billard et observait la partie, l'air extrêmement concentré. Il se prénommait Neil, avait seize ans, mais Mathilde et Émile, lorsqu'ils le repérèrent dans le café, lui donnèrent presque deux ans de plus.

Ils venaient incognito et cherchaient à se fondre dans la vingtaine de jeunes qui se tenaient tout autour du billard. Ils avaient le même âge que les autres et pourtant ils n'étaient pas là pour s'amuser. Ils étaient en mission commandée. Pourquoi Nicolas Mandragore les avait-il envoyés à la rencontre de ce lycéen sans histoires, habitant Vincennes, dans le Val-de-Marne, bon élève de première scientifique sans être excellent, adepte du tir à la carabine et au pistolet, et joueur moyen de basket ? Les Effacés avaient bien potassé leurs fiches. La mère, cadre dans une banque, le père… inconnu. Était-ce là le mystère que cherchait à percer leur mentor ?

« On n'est pas des journalistes people, avait tranché Émile. Mais les Effacés. Si Nicolas nous charge de cette enquête, c'est qu'il y a forcément une excellente raison. »

On ne discutait pas les ordres de Mandragore. On les exécutait, un point c'est tout.

Ilsa et Zacharie, les deux autres Effacés, se trouvaient quelques stations de métro plus loin. Ils devaient obtenir le maximum d'informations sur l'oncle et la tante de Neil, un couple là aussi sans histoires qui résidait dans un modeste immeuble, boulevard de Sébastopol. Et, surtout, forger une réplique de la clef de leur appartement. Une opération préparée par Mandragore en personne : il suffisait de subtiliser la clef dans la poche de l'oncle lorsqu'il se trouvait dans son bistrot favori, obsédé par son tiercé. Un atelier de reproduction avait été aménagé dans une camionnette qui stationnerait devant le café. Pour que l'opération se déroule dans les règles de l'art, Ilsa et Zacharie auraient trois minutes trente environ pour agir. Le temps du quinté qui se courait en ce début de soirée.

Mathilde se rapprocha du billard, et se glissa près de Neil qui, en chuchotant, conseillait probablement le prochain coup à jouer à deux des joueurs qui s'affrontaient. L'Effacée nota, dans un coin de son esprit : « Connaît les règles, les tactiques et les subtilités du jeu. » Car Mandragore leur avait bien ordonné de tout retenir. « Le moindre détail, la moindre allusion, la plus infime de vos perceptions sur lui... »

Mais Neil abandonna rapidement la partie, contourna la table et vint à la rencontre d'une adolescente blonde, aux cheveux mi-longs, coupés au carré, dont les deux pommettes étaient aussi rouges que les néons du café. En passant, Neil frôla Émile qui était adossé à un pilier, simulant un bâillement nonchalant alors qu'il se tenait parfaitement en alerte. Son embonpoint et ses lunettes toutes rondes, trop grandes pour lui, un peu « myope des joues », soulevaient murmures et ricanements autour de lui.

Neil et l'adolescente s'embrassèrent longuement puis ils tombèrent tous les deux sur un petit canapé dont le motif rappelait une peau de zèbre.

— Ta mère n'est pas là ce soir ? demanda la jeune fille.

— Non, répondit Neil. Sa lubie du parapente, comme toujours. Elle a trouvé une colline du côté d'Évreux, en Normandie. Elle ne rentre que demain en fin d'après-midi.

— Je passe la soirée chez toi ?

— Ouais, et il se pourrait même que tu rates le dernier métro, non ?

Mathilde s'assit dans le fauteuil situé derrière le canapé et commanda un diabolo menthe pour se donner une contenance. Le couple gagna un endroit dissimulé derrière un pilier, où il pouvait s'abriter des regards indiscrets pour échanger à nouveau quelques baisers. Plus loin, la partie de billard continuait. Puisqu'on était dans les derniers tours de jeu, le patron du café, compréhensif avec ses jeunes habitués, avait accepté d'arrêter la sono pour ne pas gêner les joueurs.

Alors on entendit une sonnerie de téléphone portable. Un extrait de reggae de Bob Marley. Les spectateurs autour de la table firent éclater leur réprobation et Neil, le fautif en question, décrocha après s'être excusé auprès de sa partenaire.

— Oui ? demanda-t-il.

Il ne dit rien pendant une vingtaine de secondes, puis, tout à coup, devint livide. Sa respiration s'arrêta. Le grand vide. Le silence tout autour. Rien, plus rien n'existait. Des papillons argentés voletaient devant ses yeux... Son téléphone lui glissa des mains et il s'effondra sur le canapé.

— Ma tante... balbutia-t-il, devant le regard terrorisé de sa compagne. Ma tante vient de m'apprendre que ma mère s'est tuée il y a une heure.

Neil éclata en sanglots.

Le soleil était éclatant, un parfum de fleurs sauvages, de printemps naissant, flottait dans l'air doux de l'arrière-pays varois. Ce n'était pas un temps d'enterrement, et le contraste entre cette nature joyeuse et la tristesse du moment avait presque quelque chose d'indécent.

Nicolas Mandragore s'était glissé dans le cortège, à la sortie de la petite église aux murs ocre où avait eu lieu la cérémonie. La cinquantaine de personnes avançait au morne tintement des cloches qui couvrait à peine le chant des cigales.

La vie continuait.

Neil, à l'avant du cortège, tenait la main de sa tante. Il se montrait très digne. Le nœud de sa cravate noire lui tailladait le cou mais il tenait à la garder, jusqu'à la fin de la cérémonie. Sa mère lui avait toujours dit qu'il portait admirablement bien le costume.

— Son exemple et ses paroles animaient les autres, dit le prêtre, une fois arrivé devant la fosse.

Neil fut le premier à jeter une rose blanche sur le cercueil que quatre fossoyeurs malingres venaient de descendre en terre. Puis vinrent le tour de sa tante, et celui de son oncle, qui reniflait, les yeux rougis.

— Elle est morte trop tôt, continua l'homme d'Église. Non ! Car la mort ne vient jamais trop soudainement quand on s'y prépare par la bonne vie.

Mandragore, au dernier rang, caché sous un large chapeau, repensait au jour où il avait entamé la conversation avec Hervé Mauriac, l'oncle de Neil, dans son bistrot préféré, à Paris. Il l'avait cuisiné à propos du Luger P08 chargé dont il avait hérité à la mort de son père. La bière aidant, Mauriac n'avait pas tardé à lui confier qu'il gardait l'arme par sentiment, dans un placard de sa chambre, sur l'étagère du haut, à l'extrême droite. L'homme ne se doutait pas que cette information bénigne revêtait pour son interlocuteur d'un jour une importance capitale. Vitale, même.

Mandragore laissa errer son regard au hasard sur les gens. Soudain, ses yeux bleus, magnétiques, s'arrêtèrent sur un homme aux cheveux frisés, portant un costume gris, et qui fixait intensément le fils de la défunte. Mandragore rabattit un peu plus le bord de son chapeau.

Christos Panarétos avait donc poussé le vice jusqu'à se rendre à l'enterrement de celle qu'il avait tuée. C'était lui, le tueur à gages qui avait préparé l'accident de parapente de la mère de Neil. Et ce serait lui, qui, dans quelques jours, exécuterait froidement le jeune homme si rien n'était fait d'ici là. Mandragore devait donc *effacer* Neil, faire croire à sa mort pour le sauver. Pour de multiples raisons.

Le Grec jeta une rose à son tour sur le cercueil, le visage faussement contrit. Mandragore serrait les poings de rage. La cérémonie se terminait. Neil s'éloigna de la tombe fraîchement creusée et, à la hauteur de l'ancien médecin, il eut comme un vertige, fit un pas de côté, ne trouvant que le blouson de cet homme au chapeau pour se retenir de flancher.

— Excusez-moi, balbutia l'adolescent.

Mandragore, d'un geste doux, l'aida à retrouver l'équilibre et lui murmura :

— Ce n'est rien, ce n'est rien.

Puis il s'éloigna rapidement, en ligne droite, écrasant des plants de thym et quelques asphodèles. Il retrouva sa voiture en contrebas avec soulagement. Il devait agir vite, à présent. Panarétos n'allait pas tarder à passer à la seconde phase de son contrat. Mais il manquait encore l'élément principal, essentiel, à la réussite de ce premier effacement qu'il voulait confier à ses quatre ouailles. Le corps, le cadavre qui devait prendre la place de celui de Neil à la morgue.

Mandragore mit le contact.

La voiture roulait à une vitesse folle et n'avait nullement l'intention de ralentir à l'entrée du village de Saint-Chéron, dans l'Essonne, et encore moins à l'approche de la gare RER. Sur la départementale 116, un peu avant le village, un lapin agile évita de peu le choc frontal avec ce véhicule fou qui roulait les phares éteints alors que la nuit n'avait jamais été aussi noire.

Le jeune SDF qui squattait l'abribus devant la gare de Saint-Chéron n'eut pas la même promptitude. Il avait abandonné son matelas de fortune pour courir après son berger allemand qui devait avoir flairé un chat ou une pitance quelconque.

Il ne vit pas la voiture puisqu'il n'y avait rien à voir. Les réverbères de la rue étaient en panne ce soir-là. Il entendit bien un bruit de moteur et sentit un violent déplacement d'air quelques secondes avant l'impact. Trop tard.

Le 4 x 4 BMW le heurta de plein fouet. Le choc fut terrible et faucha le jeune homme, l'envoyant une dizaine de mètres plus loin, tel un pantin désarticulé. Sa tête heurta violemment le bitume. Son chien cessa immédiatement sa course et revint, à pas prudents, vers le corps de son maître, qui gisait, mort, sur la chaussée. La voiture s'éloigna sans attendre et le silence revint, comme si rien ne s'était passé.

Deux minutes plus tard, alors que deux riverains sortaient hébétés de leur maison pour constater l'accident, une ambulance arriva, sirène hurlante sur les lieux du drame. Deux hommes en blouse en descendirent puis sortirent un brancard de l'arrière de leur véhicule afin d'évacuer le corps dans les meilleurs délais.

— Vous ne pouvez pas faire ça ! hoqueta un riverain, les cheveux blancs coupés ras. Il faut attendre la police...

— Mêlez-vous de ce qui vous regarde ! rétorqua un des deux ambulanciers.

Ils portèrent le corps sans vie et, puisque le berger allemand ne voulait pas abandonner son maître, aboyant, forçant l'accès à l'ambulance, ils le chassèrent à coups de pied. Mais le chien revenait toujours, montrant les dents cette fois. Le plus petit des hommes saisit alors une bonbonne de gaz et lâcha un jet à la gueule de l'animal qui détala en hurlant.

L'ambulance put enfin se mettre en route et sortit du village de Saint-Chéron avec gyrophares et sirène, qu'elle coupa un kilomètre plus loin, tandis qu'elle s'engageait sur un chemin de terre, en rase campagne. Elle cahota puis s'arrêta à la hauteur d'une maison abandonnée. Pourtant, lorsqu'ils y déposèrent le corps du SDF, les ambulanciers furent surpris par l'aménagement intérieur, en parfait contraste avec l'extérieur en ruine. La pièce de l'entrée, éclairée par un puissant néon, était recouverte du sol au plafond d'un carrelage blanc. Tout semblait neuf et d'une propreté chirurgicale.

Mandragore, dix minutes plus tard, garait son gros véhicule à l'arrière de la maison. Puis il entra, vêtu d'une blouse verte de chirurgien et de simples baskets. Il eut un bref regard pour le mort puis s'adressa aux deux autres :

— Enfin ! Posez-le ici. Sur cette table. Et ensuite, sortez. Partez. Je vous contacterai plus tard pour la seconde moitié du paiement.

— Non, répondit un des deux ambulanciers, dont le visage était traversé d'une longue et hideuse cicatrice. Nous voulons l'argent immédiatement. Ou nous appelons les flics.

Mandragore, qui venait de placer un masque devant sa bouche, l'ôta avec rage.

— Je n'ai pas d'argent avec moi, répéta-t-il en martelant ses mots. Je vous contacte demain, sans faute.

— Non, insista l'autre. Tout de suite… Ou bien…

Il farfouilla sous sa blouse à la recherche de son couteau qu'il voulait produire devant ce curieux médecin qui le mettait mal à l'aise avec ses mains étranges, des mains recouvertes d'une matière brillante, étonnante…

— Très bien, je vais vous payer.

Mandragore alla vers un meuble en acier monté sur roulettes et en sortit une mallette métallique qu'il ouvrit après avoir composé un code sur un petit boîtier digital.

Mais en lieu et place d'une liasse de billets, le médecin sortit un pistolet et lâcha deux projectiles coup sur coup vers les deux ambulanciers, sans qu'ils puissent esquisser le moindre geste. Les deux fléchettes hypodermiques se logèrent au milieu de leur poitrine et, évanouis, ils glissèrent instantanément sur le carrelage froid de ce curieux endroit.

Mandragore s'empressa de les traîner dans une pièce attenante dont il verrouilla la porte et revint vers le cadavre. Il l'emporta vers la salle d'opération qui se situait au sous-sol de la maison. Des scalpels et des bistouris luisaient sous la lumière crue des halogènes.

Il pouvait enfin procéder à l'intervention. Il tenait son corps, même taille, même corpulence, même couleur de cheveux. Il ne restait plus qu'à le rendre présentable pour que l'oncle et la tante de Neil reconnaissent leur neveu lorsqu'ils viendront à l'hôpital. Car ce SDF, dont personne ne viendrait jamais réclamer le corps, serait bientôt enterré sous le nom de l'adolescent, dans un cimetière du Var.

Mandragore commença son travail. Il avait toute la nuit devant lui.

Ilsa s'apprêtait à tuer un homme. Il ne s'agissait plus d'un exercice d'entraînement : cette fois, la balle irait se ficher dans la tête de sa victime et non dans une silhouette de carton. Il y aurait du sang. Pour la première fois de sa jeune existence, elle se préparait à prendre une vie.

Elle se tenait derrière Christos Panarétos. Le tueur à gages avait l'intention de supprimer Neil dans les minutes qui venaient. La seule solution pour qu'il ne passe pas à l'action était de le tuer.

— Ne bouge plus, dit-elle, d'une voix calme.

Ilsa se forçait à ne laisser percer aucune trace d'appréhension dans sa voix. Pourtant elle se sentait fébrile. L'étroitesse du local dans lequel ils se trouvaient, le manque de lumière et l'odeur de pourriture qui flottait dans l'air accentuaient son malaise.

— Je sais qui tu es. Christos Panarétos, continua-t-elle.

L'homme, qui avait joint ses mains derrière sa tête, approuva.

— Tu es dans ce local car tu cherches à supprimer Neil, poursuivit-elle, d'une voix qu'elle espérait apaisée. Tu veux le tuer en faisant passer ton meurtre pour un suicide. Et moi, je suis là pour t'en empêcher.

Le plus difficile restait à accomplir. Ilsa devait presser la détente. C'était la vie de cet homme, un assassin, un monstre, contre celle d'un garçon innocent. On ne raisonnait pas un monstre. Mais ne deviendrait-elle pas un monstre à son tour en commettant ce meurtre ? La seule façon de sauver Neil était de supprimer cet homme.

— Ton petit discours a de la gueule, lâcha enfin le tueur.

Le temps semblait pour lui d'une lenteur insondable. Le sablier s'égrenait, mais grain après grain.

— Tu es bien renseignée. Je ne t'apprendrai rien en te disant que je n'ai rien de personnel contre ce garçon. Je travaille pour un client. Ce que je n'arrive pas à comprendre, c'est qui peut bien te payer, toi… Reste à savoir si tu auras le cran de tirer ?

Il émit un petit rire sardonique.

« Tu dois tirer, Ilsa, dit Mandragore, dans l'oreillette interne qu'elle portait dans sa boîte crânienne. Maintenant. Nous n'avons plus le choix. Tu dois tirer ou Neil sera assassiné. Nous, les Effacés, nous savons qu'une vie n'en vaut pas forcément une autre. »

Son cœur battait dans ses tempes, des pulsations assourdissantes qui l'emplissaient tout entière, à la faire chavirer…

Elle posa enfin son doigt sur la détente.

Et l'effleura.

Composition Nord Compo

Impression réalisée par
CPI BRODARD ET TAUPIN
La Flèche
en février 2013

Imprimé en France
Dépôt légal 1ère publication juin 2012
20.2689.6 - ISBN : 978-2-01-202689-6
Edition 02 février 2013
N° d'impression : 72565

Loi n° 49-956 du 16 juillet 1949 sur les publications destinées à la jeunesse.